# Como Ler LIVROS

O Guia Clássico para a Leitura Inteligente

CB132081

Copyright da tradução em Língua Portuguesa © 2010 by É Realizações
Copyright © 1940 by Mortimer J. Adler, renovada em 1967 por Mortimer J. Adler
Copyright © 1972 by Mortimer J. Adler e Charles Van Doren
Publicado por meio de acordo com a editora original, Touchstone, uma divisão da Simon & Schuster, Inc.

Esta edição foi traduzida da edição de 1972, da Touchstone Book, Nova York, Estados Unidos, sob o título *How to Read a Book – The Classic Guide to Intelligent Reading*. Outras edições: 1ª edição em 1940, de Mortimer J. Adler, 2ª edição em 1967, com o subtítulo *A Guide to Reading the Great Books* e 3ª edição revista em 1972, em coautoria com Charles Van Doren.

*Editor*
Edson Manoel de Oliveira Filho

*Produção editorial, capa e projeto gráfico*
É Realizações Editora

*Preparação de texto*
Armando Olivetti

*Revisão*
Sheila Tonon Fabre

Reservados todos os direitos desta obra. Proibida toda e qualquer reprodução desta edição por qualquer meio ou forma, seja ela eletrônica ou mecânica, fotocópia, gravação ou qualquer outro meio de reprodução, sem permissão expressa do editor.

DADOS INTERNACIONAIS DE CATALOGAÇÃO NA PUBLICAÇÃO (CIP)
(CÂMARA BRASILEIRA DO LIVRO, SP, BRASIL)

Adler, Mortimer J., 1902-2001
Como ler livros : o guia clássico para a leitura inteligente / Mortimer J. Adler & Charles Van Doren ; tradução Edward H. Wolff e Pedro Sette-Câmara. – São Paulo : É Realizações, 2010. (Coleção Educação Clássica)

Título original: How to read a book.
ISBN 978-85-88062-89-4

1. Hábito de leitura 2. Leitura 3. Livros e leitura I. Van Doren, Charles. II. Título. III. Série

10-06366 CDD-028

ÍNDICES PARA CATÁLOGO SISTEMÁTICO:
1. Leitura e orientação de leitura 028
2. Livros e leitura 028

É Realizações Editora, Livraria e Distribuidora Ltda.
Rua França Pinto, 498 · São Paulo SP · 04016-002
Caixa Postal: 45321 · 04010-970 · Telefax: (5511) 5572 5363
atendimento@erealizacoes.com.br · www.erealizacoes.com.br

Este livro foi reimpresso pela Brasilform Editora e Ind. Gráfica, em novembro de 2017. Os tipos são da família Weiss BT, Credit Valley e Black Jack. O papel do miolo é Lux Cream 70 g, e o da capa, cartão Ningbo C2 250 g.

# Como Ler LIVROS

## *O Guia Clássico para a Leitura Inteligente*


Mortimer J. Adler

&

Charles Van Doren


Tradução

EDWARD HORST WOLFF

PEDRO SETTE-CÂMARA


8ª impressão

É Realizações Editora

# SUMÁRIO

## PARTE 2 – O TERCEIRO NÍVEL DA LEITURA: A LEITURA ANALÍTICA

## PARTE 4 – OS FINS ÚLTIMOS DA LEITURA

# LENDO MORTIMER ADLER COMO MORTIMER ADLER NOS ENSINA A LER

*José Monir Nasser*

Todo alfabetizado sabe ler até certo ponto, mas como esse ponto pode estar muito baixo, é preciso melhorar a habilidade da leitura em geral. Esse problema é um dos mais complexos das artes da educação.

Tratou desse assunto, na obra *Como Ler Livros*, o filósofo americano Mortimer Adler, um desses sujeitos monomaníacos que, justamente por isso, tornam-se imprescindíveis. Tendo vivido entre 1902 e 2001, Adler dedicou seu quase século de vida à restauração, por meio da leitura dos clássicos, da cultura do Ocidente, tentando salvá-lo dele mesmo. Além de ter escrito uma pletora de grandes livros e ter convencido Robert Hutchins, reitor da Universidade de Chicago, a reformar o currículo universitário para bases aristotélicas e tomistas (o que Hutchins tentou fazer três vezes, sem sucesso), influenciou a irmã Miriam Joseph a ressuscitar a metodologia do *Trivium* como premissa de toda a vida universitária e foi o organizador da coleção *Great Books of the Western World*, editada pela *Encyclopaedia Britannica*, reunindo em sessenta volumes as obras imprescindíveis para entender a civilização ocidental, independentemente do mérito em si, considerando apenas a influência relativa na formação intelectual do homem do Ocidente.

Mortimer Adler, na realidade, é o maior filósofo da educação do século XX, tendo lutado para preservá-la dos modismos produzidos por pedagogos revolucionários e engenheiros sociais, origem das novas pedagogias pseudolibertadoras. A seu projeto de recuperação do ensino público americano deu o nome de *Paideia*, seguindo a tradição da formação do homem grego. Nos mais de cinquenta livros que escreveu, o tema da educação é recorrente e, com ele, o tema da leitura. Por causa disso, no centro da obra de Mortimer Adler está *Como Ler Livros*, seu livro mais difundido, tendo o Brasil já recebido tradução das duas primeiras versões, algo diferentes entre si, editadas nos Estados Unidos respectivamente em 1940 e 1967. Há, finalmente, duas traduções da última versão, escrita em parceria com Charles Van Doren, editada nos Estados Unidos em 1972, sendo a mais recente a competente tradução a quatro mãos por Edward Wolff e Pedro Sette-Câmara.

Adler não começou nada do ovo. Como a leitura é o instrumento central de qualquer estudo, a arte de ler, confundida com a arte de estudar, tem sido tema tradicional da vida intelectual cristã, centrada no estudo da Bíblia. Não surpreendentemente, Santo Agostinho (354-430), na obra *Da Religião Cristã*, já fez verdadeiro tratado de hermenêutica das Escrituras.

Na Idade Média, Hugo de São Vítor (1096-1141) escreveu a obra cristã clássica sobre o tema, *Didascálicon: Da Arte de Ler*, em cujo prefácio está marcado: "São três as regras mais necessárias para leitura: saber o que se deve ler, em que ordem se deve ler, como se deve ler. Neste livro se trabalha sobre essas três regras, uma por uma".[1] Essa tríade resume as três grandes esferas da arte de ler.

Um pouco mais tarde, Dante Alighieri (1265-1321), no *Convito*, diz, em bom florentino, que há quatro tipos de leitura: *"si possono intendere e debbonsi sponere massimamente per quattro sensi"*,[2] que René Guénon interpretou como leitura literal, leitura filosófica, leitura político-social e leitura iniciática ou metafísica.

Já bem perto de nós, o padre A.-D. Sertillanges (1863-1948), na obra *A Vida Intelectual*, estabelece quatro modalidades de leitura: para formação, para informação, para inspiração e para entretenimento. Nas palavras do próprio autor:

> Para ser um pouco mais preciso, eu distingo quatro espécies de leitura. Lê-se para ter uma formação e ser alguém; lê-se em vista de uma tarefa; lê-se como treinamento para o trabalho e para o bem; lê-se por ser uma distração. Há leituras *fundamentais*, leituras *ocasionais*, leituras de *treinamento* ou *edificantes*, leituras *relaxantes*.[3]

---

[1] Hugo de São Vítor, *Didascálicon: Da Arte de Ler*. Petrópolis, Vozes, 2001, p. 45.

[2] In René Génon, *L'Ésoterisme de Dante*. Paris, Gallimard, 2001, p. 7.

[3] A.-D Sertillanges, *A Vida Intelectual*. São Paulo, É Realizações, 2010, p. 124.

São muitas as contribuições ao tema da leitura, mas só a partir de Mortimer Adler o assunto foi tratado sistematicamente e de maneira abrangente, válida para os principais gêneros. Adler idealizou uma matriz com quatro níveis de leitura na vertical (elementar, averiguativo, analítico e sintópico), de profundidade crescente, e com seis gêneros de leitura na horizontal (poesia, teatro, prosa, história, ciência e filosofia).[4] Repare-se que a contribuição de Dante Alighieri está ligada ao nível de leitura, portanto à vertical, enquanto a de Santo Agostinho é mais uma orientação sobre a hermenêutica cristã, um dos gêneros. A abordagem de Dante é qualitativa, no sentido de investigar as diversas profundidades do texto. O modelo de Sertillanges é mais um modelo moral, enquanto Hugo de São Vítor descreve sobretudo técnicas de estudo. Mesmo imperfeitamente, é numa matriz como a de Mortimer Adler que o pensamento maior sobre a arte de ler, de Santo Agostinho a Sertillanges, poderia se unificar. Esquematizando:

| | POESIA | TEATRO | PROSA | HISTÓRIA | CIÊNCIA | FILOSOFIA |
|---|---|---|---|---|---|---|
| ELEMENTAR | | | | | | |
| AVERIGUATIVO | | | | | | |
| ANALÍTICO | | | | | | |
| SINTÓPICO | | | | | | |

(As áreas marcadas representam, na opinião deste prefaciador, a leitura típica de cada gênero, apesar de cada um deles poder, em tese, passar pelas quatro etapas.)

Com base no equacionamento dos diversos aspectos da arte da leitura na forma desta matriz que correlaciona profundidade com gêneros literários, Adler dividiu o livro em seções independentes, primeiro explicando os quatro níveis de leitura, depois tratando de cada gênero individualmente, com recomendações judiciosas. O livro é um tesouro de pistas e métodos de trabalho intelectual que todo estudioso deveria seguir, ressalvadas, é claro, as necessárias adaptações a cada caso. Roberto Campos dizia que as Constituições, para funcionar,

[4] Mortimer Adler trata superficialmente da leitura de livros práticos (como manuais de jardinagem, por exemplo), como se o assunto pertencesse a outra esfera. Por essa razão, desprezamos, por esta vez, esse gênero literário. *Como Ler Livros* é parcialmente um livro prático, mas contém significativo material filosófico.

precisavam ser violadas. O mesmo se dá aqui, e essa ressalva só parecerá de grande valia para quem tentar levar o método Adler ao pé da letra. Para reforçar a tese, lembremo-nos de que Umberto Eco organiza sua biblioteca de mais de quarenta mil volumes por critérios personalíssimos e não por critérios biblioteconômicos, mesmo com todos os riscos que isso implica: "Se alguém tirar um livro do lugar, está perdido para sempre. É mais fácil comprar outro".

As recomendações de Adler são muito práticas e, bem adaptadas, podem ser de grande valor, mas não é missão do prefaciador ir além de afiançar suas qualidades. Mais importante é aplicar o método Adler ao próprio livro que ele escreveu. Começamos ao contrário, expondo as ligações sintópicas, referências comparadas a outros autores que examinaram o problema da leitura. (Podemos inverter, porque estamos expondo o que já foi analisado.) Continuando nosso relatório de trás para a frente, prosseguimos agora para a leitura analítica da obra que nos obriga a responder: "O que este livro quer dizer?", "Como ele diz o que quer dizer?" e "O que o seu conteúdo significa?".

Na sua classificação de gêneros, Adler divide a literatura *lato sensu* em literatura imaginativa e literatura expositiva. Essa divisão é perfeitamente aceitável e, por assim dizer, encontradiça. Ao primeiro grupo pertencem os livros que se costumam chamar de ficcionais e aos quais se atribui muitas vezes o *status* de literatura *stricto sensu*. Entre os subgêneros de ficção estão a poesia, o teatro e a prosa, nesta ordem exata. No subgênero expositivo estão as obras ditas de não ficção, no linguajar do comércio de livros, que são listadas como história, ciência e filosofia, exatamente nesta ordem, gerando o seguinte esquema:

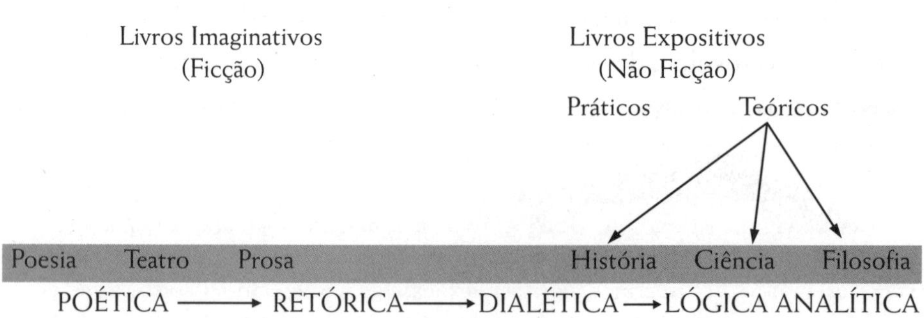

A *sequência* dos gêneros proposta por Adler estabelece um *crescendo* da poesia à filosofia, mas só quando unimos as pontas percebemos alguma coisa subjacente ao conjunto que o unifica e confere sentido. A disposição horizontal do esquema impede a percepção dessa unidade, porque cria a falsa impressão de que se trata de uma linha com as pontas soltas. No entanto, quando se enxerga a sequência de cima, como no esquema seguinte, transparece automaticamente a interação dos seis gêneros literários eleitos por Adler, não só os unificando entre si, como os relacionando mecanicamente com a escala vertical da profundidade, dando vida à matriz e constituindo um todo em que as partes se harmonizam:

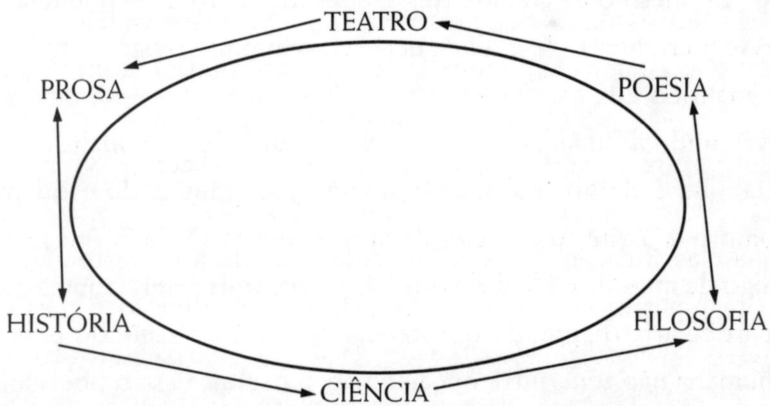


Uma vez reorganizado como um ciclo e não como uma linha, o esquema acompanha claramente a sequência da progressão dos quatro discursos de Aristóteles, na acepção que lhes confere Olavo de Carvalho, na obra *Aristóteles em Nova Perspectiva*:

> É visível que há aí uma *escala de credibilidade* crescente: do possível subimos ao verossímil, deste para o provável e finalmente para o certo ou verdadeiro. As palavras mesmas usadas por Aristóteles para caracterizar os objetivos de cada discurso evidenciam essa gradação: há, portanto, entre os quatro discursos, menos uma diferença de natureza que de grau.
>
> *Possibilidade*, *verossimilhança*, *probabilidade razoável* e *certeza apodíctica* são, pois, os conceitos-chaves sobre os quais se erguem as quatro ciências respectivas: a Poética estuda os meios pelos quais o discurso poético abre

à imaginação o reino do possível; a Retórica, os meios pelos quais o discurso retórico induz a vontade do ouvinte a admitir uma crença; a Dialética, aqueles pelos quais o discurso dialético averigua a razoabilidade das crenças admitidas, e, finalmente, a Lógica ou Analítica estuda os meios da demonstração apodíctica, ou certeza científica.[5]

*Gêneros literários nada mais são que formas de discurso humano.* Do gênero poético ao gênero filosófico cumpre-se o mesmo roteiro de elevação do grau de certeza que preside o entendimento humano, conforme a teoria dos quatro discursos, sem que essa elevação de gênero a gênero de modo nenhum arbitre a qualidade ou mesmo a validade desse entendimento. A sequência adleriana respeita esse incremento de grau de certeza, atingindo o paroxismo no discurso lógico analítico que esgota a potência da subida, para então mergulhar no poético, seguindo a dinâmica do ciclo. O discurso lógico analítico é próprio da filosofia, que é vizinha da poesia na visão panorâmica do esquema, o que apenas comprova o que Aristóteles dizia no capítulo IX da Poética: "Por isso a poesia é algo de mais filosófico do que a história, pois refere aquela o universal e esta o particular".[6] Esgotado o potencial apodíctico atingido pela filosofia, a mente humana não tem outra opção a não ser saltar para o poético, abrindo espaço para mil especulações, uma parte das quais seguirá em frente, refazendo o ciclo de incremento de certeza até desaguar na maior certeza possível, que se diluirá em seguida no oceano do imaginário e assim infinitamente. Não é possível dissociar o conhecimento humano positivo do imaginativo. Tudo começa e termina no mitopoético.

O ciclo dos gêneros literários não tem, portanto, nem começo nem fim, unificado pelo componente imaginativo decrescente a partir da poesia e do componente de credibilidade crescente até atingir o máximo na filosofia, sem nunca permitir que um anule completamente o outro. Fica agora clara a razão pela qual prosa e história são vizinhas de porta na sequência adleriana: entre

[5] Olavo de Carvalho, *Aristóteles em Nova Perspectiva*. São Paulo, É Realizações, 2006, p. 37.

[6] Aristóteles, *Poética*. Tradução, prefácio, introdução, comentário e apêndices de Eudoro de Souza. Lisboa, Imprensa Nacional, 2008, p. 115.

elas há quase um equilíbrio perfeito entre imaginação e ciência, colocando-as no centro neutro do esquema, como contraponto assimétrico à tensão proteiforme entre a filosofia e a poesia, ponto crítico do sistema, uma espécie de "solstício" que marca o esgotamento da potência de expansão do discurso e permite o prosseguimento do ciclo pela retomada permanente de novas possibilidades poéticas, recuperando a vitalidade do processo. Esse salto "quântico" entre a filosofia e a poesia contrasta com a passagem quase imperceptível da prosa à história. Exatamente como acontece na natureza, sobre o equador não se nota a passagem das estações com a nitidez dos polos. Nos polos, onde a tensão é máxima, estão a filosofia e a poesia, transmutando-se uma na outra, no recomeçar perpétuo da escala de credibilidade flutuante sobre a base fixa da imaginação poética.

Desse modo, já integrados no mesmo mecanismo de aumento de certeza, cada gênero literário permite o aprofundamento vertical que começa na leitura elementar e vai parar na sintópica, conforme a maior ou menor vocação de cada um, mas aí não se está mais arbitrando as diferenças entre os gêneros pelo grau de profundidade, que seria meramente acidental, mas pela natureza mesma de cada um deles. O progresso da poesia até a filosofia, para tomarmos a direção ascendente do ciclo, é acompanhado transversalmente também pela escala vertical de profundidade. Quanto mais andamos na direção da certeza, mais fundo penetramos no texto.

O livro de Mortimer Adler, além de manual abrangente de técnicas de leitura, é um estudo ontológico sobre a natureza desta, sugerindo a unidade fundamental dos gêneros nos diversos patamares de certeza e nos diversos níveis de leitura, articulando a profundidade da análise com a cobertura da extensão geométrica da variação dos gêneros. Nada mais, nada menos, que os velhos *Trivium* e *Quadrivium* conjugados e aplicados à arte de ler.

# PREFÁCIO DA EDIÇÃO AMERICANA DE 1972

*Como Ler Livros* foi publicado pela primeira vez no primeiro semestre de 1940. Para minha surpresa e, confesso, para minha alegria, imediatamente se tornou um *best-seller* e se manteve no topo da lista dos mais vendidos nos Estados Unidos por mais de um ano. Desde então, o livro continuou a ter ampla circulação, em numerosas tiragens, em brochura e capa dura, e foi traduzido para outros idiomas: francês, sueco, alemão, espanhol e italiano. Por que, então, tentar refazer e reescrever o livro para a atual geração de leitores?

As razões estão nas mudanças que aconteceram tanto em nossa sociedade nos últimos trinta anos quanto na própria leitura. Hoje, um número muito maior de jovens que completam o ensino médio cursa a universidade; uma proporção muito maior da população alfabetizou-se, apesar da popularidade do rádio e da TV ou mesmo graças a eles. O interesse pela leitura de ficção era maior; hoje, ele recai sobre a não ficção. Os educadores do país reconheceram que ensinar os jovens a ler, no sentido mais elementar do termo, é nosso problema educacional fundamental. Um ex-secretário do Departamento de Saúde, Educação e Bem-Estar proclamou recentemente que os anos 1970 seriam a Década da Leitura e dedicou recursos federais ao apoio de diversos esforços para melhorar a proficiência nessa capacidade básica. Muitos desses esforços obtiveram algum sucesso na iniciação dos alunos na arte da leitura. Além disso, muitos adultos foram seduzidos pelas formidáveis promessas dos cursos de leitura dinâmica – voltados ao aumento na compreensão do que se lê e na velocidade com que se lê.

No entanto, certas coisas não mudaram nos últimos trinta anos. Entre elas está o fato de que, para atingir todos os propósitos da leitura, o objetivo deve ser a capacidade de ler coisas diferentes a velocidades diferentes – e apropriadas –, não qualquer coisa à velocidade máxima. Como Pascal observou há trezentos anos, "quando lemos devagar demais ou rápido demais, não entendemos nada". Uma vez que a leitura dinâmica se tornou uma febre nacional, esta nova edição de *Como Ler Livros* enfrenta o problema e propõe, como solução, a leitura em velocidade variável. O objetivo é ler melhor, sempre melhor, mas às vezes mais devagar, e às vezes mais rápido.

Outro aspecto que não mudou, infelizmente, foi a ausência de educação para a leitura além do nível elementar. Dedicamos a maior parte de nossos esforços, recursos e engenhosidade à educação para a leitura nos sete primeiros anos. Depois disso, não oferecemos quase nenhum treinamento formal que conduza a capacidade dos alunos a níveis mais elevados e diferenciados. Isso era verdade em 1939, quando o professor James Mursell, do Teachers College da Columbia University, escreveu um artigo para a *Atlantic Monthly* intitulado "A Falência das Escolas". Aquilo que ele disse nos dois parágrafos a seguir ainda é verdade:

> Será que os alunos, nas escolas, aprendem a ler bem em sua língua materna? Sim e não. Até o sexto ou sétimo anos, a leitura, como um todo, é bem ensinada e aprendida. Até esse nível verificamos um progresso geral e constante, mas além dele as curvas tornam-se retas horizontais. Isso não acontece porque o aluno chega ao limite natural de sua eficiência no sétimo ano, pois já se demonstrou diversas vezes que, com o devido treinamento, crianças bem mais velhas, assim como adultos, podem fazer grandes progressos. Isso também não significa que a maior parte dos alunos do sétimo ano leia suficientemente bem para todos os fins práticos. Muitos alunos vão mal no ensino médio por causa de sua simples incapacidade de apreender algum sentido da página impressa. Eles podem melhorar. Eles precisam melhorar. Mas não melhoram.
>
> O aluno que completa o ensino médio leu bastante, e se for para a universidade lerá mais ainda; mas é provável que ele venha a ser um leitor ruim e incompetente. (Observe que isso vale para o aluno médio, não para aquele que recebe acompanhamento especial.) Ele consegue ler uma obra simples de ficção e gostar dela. Mas coloque-o diante de uma exposição sucinta, de um argumento formulado com concisão e cuidado, ou de uma passagem que demande consideração crítica, e ele estará perdido. Já se demonstrou, por exemplo, que o aluno médio é espantosamente

incapaz de indicar a ideia central de uma passagem, ou os níveis de ênfase e subordinação em um argumento ou exposição. Para todos os fins e propósitos, ele continua a ser um aluno do sétimo ano mesmo quando já está na universidade.

Se *Como Ler Livros* era necessário há trinta anos, como a recepção da primeira edição do livro certamente parece ter indicado, essa necessidade é muito maior hoje. Mas atender a essa maior necessidade não é o único motivo, nem o principal, para reescrever este livro. Novas perspectivas dos problemas relacionados ao aprendizado da leitura; uma análise muito mais compreensiva e mais bem organizada da complexa arte de ler; a descoberta e a formulação de novas regras para a leitura; e a ideia de uma pirâmide de livros a ler, ampla na base e estreita no topo – todos esses pontos que não foram adequadamente discutidos, ou que nem sequer foram discutidos no livro que escrevi há trinta anos, demandaram uma exposição nova, bem como a extensiva reescritura que foi feita e que ora é publicada.

Um ano depois da publicação de *Como Ler Livros*, surgiu uma paródia, intitulada *How to Read Two Books* [Como Ler Dois Livros];[1] já o professor I. A. Richards escreveu um tratado sério, intitulado *How to Read a Page* [Como Ler uma Página]. Cito essas duas sequências no intuito de mostrar que os problemas sugeridos por tais obras, tanto a divertida quanto a séria, são plenamente discutidos nesta reescritura, com destaque para o problema de ler livros relacionados guardando sua mútua relação, e lê-los de tal modo que as coisas complementares e contrastantes que tenham a dizer sobre um assunto comum sejam claramente percebidas.

Entre as razões para reescrever *Como Ler Livros*, ressaltei o que havia a dizer a respeito da arte da leitura, e os argumentos em favor da necessidade de elevar os níveis de capacidade nessa arte, que não foram tangenciados nem desenvolvidos na versão original do livro. Qualquer pessoa que deseje descobrir quanto se acrescentou pode fazê-lo rapidamente comparando o Sumário atual com o

[1] O título original do livro de Adler é *How to Read a Book*, que, literalmente, significa "Como ler um livro". (N. T.)

da versão original. Das quatro partes, apenas a Parte 2, que expõe as regras da Leitura Analítica, guarda um paralelo próximo com a original, e mesmo ela foi amplamente refeita. A introdução, na Parte 1, da distinção entre os quatro níveis de leitura – elementar, inspecional, analítico e sintópico – é a mudança básica e fundamental na organização e no conteúdo do livro. A exposição, na Parte 3, das diferentes maneiras de abordar tipos diferentes de materiais de leitura – livros práticos e teóricos, literatura imaginativa (poesia lírica, épicos, romances, peças teatrais), história, ciências e matemática, ciências sociais e filosofia, assim como obras de referência, jornalismo e até publicidade – é o acréscimo mais extenso. Por fim, a discussão sobre a Leitura Sintópica na Parte 4 é inteiramente nova.

Para a tarefa de atualizar, refazer e reescrever este livro, tive o auxílio de Charles Van Doren, que há muitos anos é meu colega no Institute for Philosophical Research. Já trabalhamos juntos em outros livros, como *Annals of America*, em vinte volumes, publicado pela *Encyclopaedia Britannica* em 1969. O aspecto mais relevante, talvez, desta empresa cooperativa em que fomos coautores, é que durante os últimos oito anos Charles Van Doren e eu trabalhamos muito próximos na condução de grupos de discussão sobre os livros clássicos e na condução de seminários em Chicago, San Francisco e Aspen. Essas experiências nos proporcionaram muitas das intuições que levaram à reescritura deste livro.

Agradeço a Van Doren pela contribuição dada a nosso esforço conjunto, e nós dois desejamos expressar nossa mais profunda gratidão por toda a ajuda recebida de nosso amigo Arthur L. H. Rubin, como também por suas críticas construtivas e orientações. Ele nos convenceu a introduzir muitas das importantes mudanças que distinguem este livro de seu antecessor, e esperamos que elas o tornem um livro melhor e ainda mais útil.

*Mortimer J. Adler*

*Boca Grande*

*26 de março de 1972*

# PARTE 1

# AS DIMENSÕES DA LEITURA

# 1. A LEITURA: ARTE E ATIVIDADE

Este livro almeja não apenas leitores, mas todos aqueles que desejam se tornar leitores. Foi escrito especialmente para leitores de livros. No entanto, o público-alvo não são as pessoas que desejam apenas ler, mas as pessoas que desejam crescer intelectualmente enquanto leem.

Por "leitores", referimo-nos às pessoas que ainda estão habituadas a obter a maior parte das informações da palavra escrita, ou seja, referimo-nos à grande maioria das pessoas inteligentes e alfabetizadas. Evidentemente, não são todas; antes do advento do rádio e da televisão, algumas informações eram obtidas oralmente, ou até mesmo através de simples observações. Porém, as pessoas inteligentes e curiosas não se contentavam com isso. Elas sabiam que tinham de ler – e liam.

Muita gente, hoje em dia, acha que a leitura já não é tão necessária quanto foi no passado. O rádio e a televisão acabaram assumindo as funções que outrora pertenciam à mídia impressa, da mesma maneira que a fotografia assumiu as funções que outrora pertenciam à pintura e às artes gráficas. Temos de reconhecer – é verdade – que a televisão cumpre algumas dessas funções muito bem; a comunicação visual dos telejornais, por exemplo, tem impacto enorme. A capacidade do rádio em transmitir informações enquanto estamos ocupados – dirigindo um carro, por exemplo – é algo extraordinário, além de nos poupar muito tempo. No entanto, é necessário questionar se as comunicações modernas realmente aumentam o conhecimento sobre o mundo à nossa volta.

Talvez hoje saibamos mais sobre o mundo do que no passado. Dado que o conhecimento é pré-requisito para o entendimento, trata-se de algo bom. Mas o conhecimento não é um pré-requisito tão importante ao entendimento quanto normalmente se supõe. Não precisamos saber *tudo* sobre determinada coisa para que possamos *entendê-la*. Uma montanha de fatos pode provocar o efeito contrário, isto é, pode servir de obstáculo ao entendimento. Há uma sensação, hoje em dia, de que temos acesso a muitos fatos, mas não necessariamente ao entendimento desses fatos.

Uma das causas dessa situação é que a própria mídia é projetada para tornar o pensamento algo desnecessário – embora, é claro, isso seja apenas mera impressão. O ato de empacotar ideias e opiniões intelectuais é uma atividade à qual algumas das mentes mais brilhantes se dedicam com grande diligência. O telespectador, o ouvinte, o leitor de revistas – todos eles se defrontam com um amálgama de elementos complexos, desde discursos retóricos minuciosamente planejados até dados estatísticos cuidadosamente selecionados, cujo objetivo é facilitar o ato de "formar a opinião" das pessoas com esforço e dificuldade mínimos. Por vezes, no entanto, o empacotamento é feito de maneira tão eficiente, tão condensada, que o telespectador, o ouvinte ou o leitor não conseguem formar sua opinião. Em vez disso, a opinião empacotada é introjetada em sua mente mais ou menos como uma gravação é inserida no aparelho de som. No momento apropriado, aperta-se o *play* e a opinião é "tocada". Eles reproduzem a opinião sem terem pensado a respeito.

## LEITURA ATIVA

Conforme dissemos no início, vamos nos concentrar sobretudo no desenvolvimento da habilidade de ler livros; mas as regras que iremos esboçar, se cumpridas a contento, também podem ser aplicadas a qualquer mídia impressa – jornais, revistas, panfletos, artigos, ensaios e até mesmo informes publicitários.

Dado que toda leitura consiste em uma atividade, então toda leitura tem de ser ativa. A leitura totalmente passiva é algo impossível – afinal, não conseguimos ler com os olhos paralisados e com a mente adormecida. Por conseguinte, ao compararmos a leitura ativa com a leitura passiva, nosso objetivo será mostrar que a leitura pode ser *mais* ou *menos* ativa e, ademais, que quanto *mais ativa*, tanto *melhor*. Quanto maior a extensão e o esforço na leitura, tanto melhor será o leitor. Quanto mais o leitor exigir de si próprio e do texto que estiver lendo, tanto melhor ele será.

Falando em sentido estrito, embora não exista leitura absolutamente passiva, muitas pessoas pensam que a leitura e a audição são totalmente passivas quando comparadas com atividades obviamente ativas, como a escrita e a fala. O escritor e o falante têm de se esforçar em suas atividades, ao passo que esforço semelhante não é requerido pelo ouvinte ou pelo leitor. Leitura e audição são consideradas comunicações *receptoras*, ao passo que escrita e fala são consideradas comunicações *transmissoras*. O erro está em supor que uma comunicação receptora é como receber um tapa, um legado, um julgamento no tribunal. É justamente o contrário: o leitor ou ouvinte são como o apanhador (*catcher*) num jogo de beisebol.[1]

Apanhar a bola, assim como arremessá-la ou rebatê-la, também é uma atividade. O arremessador (*pitcher*) e o rebatedor (*batter*) são aqueles que *transmitem*, no sentido de que sua atividade dá início ao movimento da bola. O apanhador (*catcher*) e o jogador que intercepta a bola (*fielder*) são os receptores, no sentido de que sua atividade dá fim ao movimento da bola. Ambos são ativos, embora as atividades sejam diferentes. A única coisa passiva no jogo é a bola. Enquanto o elemento inerte é movimentado (ou parado), os jogadores são os elementos ativos que lhe imprimem movimento, seja arremessando, seja rebatendo ou apanhando. A analogia com a escrita e a leitura é quase perfeita. Aquilo que é escrito e lido, a exemplo da bola, é o objeto passivo comum às duas atividades, já que são elas que iniciam e terminam o processo.

Levemos adiante essa analogia. A arte de apanhar é a técnica de apanhar qualquer tipo de arremesso – bolas rápidas, bolas em curva, bolas lentas, bolas com efeito etc. Similarmente, a arte de ler é a técnica de apanhar qualquer tipo de comunicação.

É importante notar que o arremessador (*pitcher*) e o apanhador (*catcher*) só serão bem-sucedidos caso cooperem entre si. A relação entre escritor e leitor é parecida. O objetivo do escritor *é* ser apanhado, embora às vezes pareça ser exatamente isso o que ele não quer. A comunicação eficaz ocorre quando aquilo que o escritor quer que seja recebido de fato o seja pelo leitor. A técnica do escritor e a técnica do leitor convergem para um objetivo comum.

---

[1] Trata-se do jogador que se posiciona atrás do *home plate*, e sua função principal é apanhar as bolas arremessadas. (N. T.)

Contudo, temos de reconhecer que há vários tipos de escritores, assim como há vários tipos de arremessadores. Alguns escritores têm excelente "domínio" sobre o que fazem; eles sabem exatamente o que querem transmitir – e o fazem com grande precisão. Eles são mais fáceis de "apanhar" do que um escritor "selvagem", isto é, um escritor sem "domínio" de bola.

Há um aspecto em que a analogia falha. A bola é uma unidade simples. Ou ela é *completamente* apanhada, ou não é. Um texto, porém, é um objeto complexo; ele pode ser apanhado mais ou menos completamente – desde uma ínfima parte até a totalidade daquilo que o escritor tencionava transmitir. A quantidade que o leitor conseguir "apanhar" dependerá diretamente de sua dedicação à leitura – da técnica que aplicar nos diversos atos mentais envolvidos.

No que consiste a leitura ativa? Tocaremos neste assunto várias vezes ao longo do livro. Por enquanto, basta dizer que, a partir de um mesmo texto, cada pessoa lerá melhor ou pior que a outra. Isso ocorre em função do grau de atividade que cada um aplicar à leitura e, ademais, ao desempenho particular em cada ato envolvido nessa leitura. As duas coisas estão relacionadas. A leitura é uma atividade complexa, assim como a escrita, e consiste em vários atos individuais. Por sua vez, todos esses atos devem ser diligentemente desempenhados a fim de ocorrer uma boa leitura. Quanto melhor uma pessoa conseguir desempenhá-los, tanto mais estará habilitada a ler.

## OS OBJETIVOS DA LEITURA: LER PARA SE INFORMAR E LER PARA ENTENDER

Você tem uma mente. Ora, suponhamos que você também tenha um livro – e que deseje lê-lo. O livro consiste em palavras escritas por alguém cujo objetivo é comunicar algo a você. O seu sucesso na leitura será diretamente proporcional àquilo que apreendeu do que o autor quis lhe transmitir.

Ora, isso é muito simples. A razão para esse fenômeno é que há duas relações possíveis entre sua mente e o livro, e não apenas uma. Essas duas relações são facilmente exemplificadas por dois tipos possíveis de leitura.

Vejamos. Temos o livro, e temos sua mente. À medida que lê, ou você entende perfeitamente tudo o que o autor tem a dizer, ou não. Se entende, talvez você tenha absorvido apenas informações, mas não necessariamente tenha progredido em entendimento. Se o livro lhe é perfeitamente inteligível – do começo ao fim –, então o autor e você são como mentes fabricadas a partir do mesmo molde. Os símbolos impressos nas páginas seriam meras expressões do entendimento que já lhes era comum antes mesmo de vocês se conhecerem.

Contemplemos a segunda alternativa. Você não entendeu o livro perfeitamente. Consideremos ainda que você entendeu o suficiente para saber que não entendeu tudo – o que, infelizmente, não é sempre o caso. Você sabe que o livro tem mais a dizer e, por conseguinte, que o livro contém algo que pode aumentar seu entendimento.

O que fazer? Você pode entregar o livro a outra pessoa, na esperança de que ela possa ler melhor que você, mostrando a ela os trechos que incomodam. ("Ela" pode ser uma pessoa viva ou outro livro.) Ou ainda você pode decidir que os trechos que estão além da sua capacidade de compreensão não são realmente importantes. Nos dois casos, você não está lendo da maneira exigida pelo livro.

A solução é uma só. Sem nenhuma ajuda externa, você tem de se dedicar melhor ao livro. Contando somente com o poder da sua mente, você tem de operar os símbolos que estão diante de você a fim de elevar-se do *estado de entendimento inferior ao estado de entendimento superior*. Essa elevação consiste em uma leitura criteriosa – o tipo de leitura que todo livro desafiador merece.

Assim sendo, chegamos ao ponto em que somos capazes de definir, em linhas gerais, o que é a leitura ativa – é o processo por meio do qual a mente se eleva por conta própria,[2] isto é, sem mais nada com o que operar a não ser os símbolos contidos no livro. A mente deixa de entender menos e passa a entender mais. As operações técnicas que tornam possível tal elevação são os diversos atos que compõem a arte de ler.

---

[2] Há um tipo específico de leitura difícil no qual é lícito buscar ajuda externa. Essa exceção será discutida no capítulo 18.

Esse tipo de empenho intelectual pode lembrar, à primeira vista, o daquele sujeito que tenta sair da areia movediça por meio dos próprios esforços. Mas não é bem assim. Obviamente, trata-se de um tipo de leitura muito mais ativa e exigente, que engloba não apenas mais atividades como também técnicas mais apuradas. Também é óbvio que as coisas mais difíceis de ler – que, por conseguinte, são destinadas aos melhores leitores – são exatamente aquelas que exigirão e merecerão esse tipo de leitura ativa.

A diferença entre ler para se informar e ler para entender é ainda mais profunda. Vamos tentar nos aprofundar um pouco mais no assunto. Teremos de contemplar ambos os objetivos, uma vez que a linha que os separa é por vezes nebulosa. À medida que conseguirmos distinguir entre esses dois tipos de leitura, empregaremos a palavra "leitura" em dois sentidos distintos.

O primeiro sentido – ler para se informar – é o mais comum. É o que ocorre quando lemos jornais, revistas, ou qualquer coisa que nos seja imediatamente inteligível – de acordo com nossa capacidade e talento. Essas leituras aumentam nosso estoque de informações, mas são incapazes de aumentar nosso entendimento, já que este permanece inalterado. Caso contrário, teríamos sentido certa inquietação, certa perplexidade, pelo contato com algo que está acima de nossa capacidade de compreensão – contanto que tenhamos sido honestos e atentos.

O segundo sentido – ler para entender – é aquele em que a pessoa tenta ler algo que em princípio não entende completamente. Nesse momento, a coisa a ser lida é melhor ou maior que o leitor. O autor está comunicando algo que poderá aumentar o entendimento do leitor. Tal comunicação entre desiguais tem de ser algo possível, sob pena de ninguém nunca aprender nada com ninguém, seja oralmente, seja por escrito. Quando dizemos "aprender", referimo-nos ao processo de entender mais – e não ao processo de lembrar mais informações do mesmo grau de inteligibilidade das demais informações que você já possui.

Não há nenhuma dificuldade intrinsecamente intelectual em absorver novas informações ao longo da leitura, se tais informações forem do mesmo tipo daquelas que você já sabe. A pessoa que conhece alguns fatos da história e os entende sob certo ponto de vista poderá, sem maiores dificuldades, se informar sobre mais fatos ainda sem necessariamente alterar seu ponto de vista. Mas suponha que você esteja lendo um livro de história cujo objetivo não seja apenas fornecer mais fatos, mas que procure lhe dar um entendimento novo e, quem sabe, revelador, sobre *todos* os fatos que você conhece. Suponha que esse livro disponha de um entendimento superior em relação àquele que você possuía antes de começar a lê-lo. Se você conseguir absorver esse entendimento superior, então terá lido no segundo sentido. Você realmente se elevou pelas suas próprias forças, embora, evidentemente, de maneira indireta, já que a elevação só foi possível por causa do escritor que tinha algo a lhe ensinar.

Quais são as condições para que esse tipo de leitura – ler para entender – aconteça? Há duas. Em primeiro lugar, deve haver uma *desigualdade inicial de entendimento*. O autor deve ser "superior" ao leitor em entendimento, no sentido de que seu livro deve ser capaz de transmitir de forma legível os *insights* que supostamente faltam ao leitor. Em segundo lugar, *o leitor deve ser capaz de superar parcial ou totalmente essa desigualdade* – quase nunca totalmente, mas sempre se aproximando da igualdade com o autor. Quanto mais próximo estiver da igualdade, tanto mais clara será a comunicação entre ambos.

Em suma, só podemos aprender com nossos "superiores". Temos de saber quem são eles e como aprender com eles. A pessoa que souber como aprender com eles terá dominado a arte de ler – no sentido especial que damos a essa expressão neste livro. Qualquer pessoa que saiba ler provavelmente tem alguma habilidade em ler dessa maneira. Mas todos nós, sem exceção, somos capazes de aprender a ler melhor e, aos poucos, a tirar cada vez mais proveito de livros mais recompensadores.

Não estamos aqui querendo dar a impressão de que os fatos (informações) e os *insights* (entendimentos) sejam coisas sempre facilmente distinguíveis entre si. Ademais, admitamos desde já que a mera enunciação de fatos pode levar, por si só, a um entendimento melhor sobre eles. No entanto, o ponto que queremos deixar bem claro é que este livro é sobre a arte de ler para entender. Felizmente, uma vez que tenha aprendido essa arte, ler para se informar será algo praticamente automático.

No entanto, há evidentemente outro objetivo para a leitura, além de se informar e entender: trata-se de ler para se divertir. Este livro, porém, não se ocupará desse tipo de leitura, uma vez que se trata da leitura menos exigente possível, a que exige menos esforço. Ademais, não há regras para ela. Qualquer pessoa que seja alfabetizada sabe como ler para se divertir.

Em verdade, todo livro que pode ser lido para, entendimento ou informação provavelmente também pode ser lido para entretenimento, da mesma maneira que um livro que seja capaz de melhorar nosso entendimento também é capaz de ser lido apenas para extrair-lhe as informações que contém. (O inverso não é verdadeiro: *não é* verdade que *todo* livro que possa ser lido para entretenimento também pode ser lido para entendimento.) Também não é nossa intenção que você jamais leia um livro para se divertir. A questão é que se você deseja ler um livro para melhorar seu entendimento, então podemos ajudar. O assunto deste livro é, portanto, a arte de ler bons livros com o objetivo de entendê-los.

## LEITURA É APRENDIZADO: A DIFERENÇA ENTRE ENSINO E DESCOBERTA

Obter informações é aprendizado, assim como é aprendizado entender aquilo que não se entendia antes. Mas há uma diferença importante entre esses dois tipos de aprendizado.

Informar-se é simplesmente saber que algo é um fato. Esclarecer-se é saber, além de que algo é um fato, do que se trata esse fato: por que ele é assim, quais as conexões que possui com outros fatos, em quais aspectos são iguais, em quais aspectos são diferentes etc.

Essa distinção é similar à diferença entre ser capaz de se lembrar de algo e ser capaz de explicar algo. Se você é capaz de se lembrar o que o autor escreveu, você aprendeu alguma coisa com a leitura. Se o que ele escreveu é verdade, você terá aprendido alguma coisa sobre o mundo. Contudo, não importa se o que aprendeu é um fato sobre o livro ou um fato sobre o mundo: você aprendeu apenas informações, caso tenha exercitado apenas sua memória. Você não foi esclarecido. O esclarecimento só ocorre quando, além de saber o que o autor escreveu, você também sabe o que ele quis dizer com o que escreveu e por que escreveu o que escreveu.

É evidente, portanto, que você também deve ser capaz de se lembrar do que o autor escreveu, além de saber o que ele quis dizer com o que escreveu. Estar bem informado é pré-requisito para ser esclarecido. Porém, a questão é não se contentar em estar bem informado.

Montaigne falava de uma "ignorância abecedariana que precede o conhecimento, e uma ignorância doutoral que se segue ao conhecimento". A primeira ignorância é a do analfabeto, isto é, do sujeito incapaz de ler. A segunda ignorância é a do sujeito que leu muitos livros, mas os leu de maneira incorreta. Alexander Pope os chamava, com justiça, de livrescos estúpidos, literatos ignorantes. Na história, sempre houve ignorantes alfabetizados, isto é, pessoas que leram muito, mas leram mal. Os gregos tinham um nome especial para essa estranha mistura de aprendizado e estupidez – um nome que pode ser aplicado aos literatos ignorantes de todas as eras. Eles chamavam esse fenômeno de *sofomania*.

Para que evitemos esse erro – o erro de que ler muito e ler bem são a mesma coisa – devemos contemplar a distinção entre tipos de aprendizado. Essa distinção exerce grande influência na arte de ler e na relação com a educação em geral.

Na história da educação, encontramos frequentemente a distinção entre ensinar e descobrir. O ensino ocorre quando uma pessoa instrui outra oralmente ou por escrito. No entanto, é possível adquirirmos conhecimento sem sermos ensinados. Se não fosse assim – se todo professor tivesse de ser previamente ensinado em tudo o que posteriormente ensina – não haveria aquisição de conhecimento. Por conseguinte, tem de haver a descoberta, ou seja, tem de haver um processo no qual se aprenda por pesquisas, investigações, reflexões – sem ajuda de ninguém.

A descoberta está para o ensino assim como o aprendizado sem professor está para o aprendizado com professor. Nos dois casos, há aprendizado. Seria um erro crasso supor que a descoberta é aprendizado ativo e o ensino é aprendizado passivo. Não existe aprendizado inativo, assim como não há leitura inativa.

Uma maneira melhor de tornar essa distinção mais clara é chamar o ensino de "descoberta com auxílio". Sem entrar em detalhes teóricos de psicologia, parece-nos óbvio que ensinar é uma arte tão especial que – ao lado da agricultura e da medicina – guarda uma característica excepcionalmente importante. O médico consegue fazer muita coisa pelo seu paciente, mas, no final das contas, é o próprio paciente quem tem de melhorar – é ele quem tem de crescer em saúde. O fazendeiro consegue fazer muita coisa por suas plantas e animais, mas, no final das contas, são eles que têm de crescer em tamanho e excelência. De maneira similar, o professor consegue fazer muita coisa por seus alunos, mas quem tem de aprender são eles. O conhecimento só frutifica na mente deles caso o aprendizado ocorra.

A diferença entre ensino e descoberta – ou entre descoberta com auxílio e descoberta sem auxílio – reside sobretudo na diferença entre os materiais sobre os quais o aprendiz opera. Quando está sendo ensinado, ou seja, quando está aprendendo com o auxílio de um professor, o aprendiz opera sobre aquilo que lhe é comunicado. Ele desempenha operações sobre o discurso, seja escrito, seja oral. Ele aprende lendo ou ouvindo. Note a estreita relação entre ler e ouvir. Se ignorássemos as diferenças entre essas duas formas de comunicação receptiva, diríamos que ler e ouvir são a mesma arte – a arte de ser ensinado. Porém, quando o aprendiz procede sem a ajuda de professores, as operações de aprendizado ocorrem sobre a natureza ou o mundo – e não sobre o discurso. As regras desse tipo de aprendizado constituem a arte da descoberta sem auxílio. Se empregássemos a palavra "leitura" de maneira descuidada, diríamos que a descoberta – estritamente falando, a descoberta sem auxílio – é a arte de ler a natureza ou o mundo, enquanto o ensino – ser ensinado, isto é, a descoberta com auxílio – é a arte de ler livros ou, se quiséssemos abranger a audição, é a arte de aprender a partir de discursos.

Mas e o pensamento? Se "pensamento" quer dizer "usar a mente para adquirir conhecimento ou entendimento", e se ensino e descoberta são as únicas maneiras de adquirir conhecimento, então pensar é algo que sempre acontece durante essas duas atividades. Temos de pensar enquanto lemos e ouvimos, assim como temos de pensar enquanto investigamos. Naturalmente, os tipos de pensamento são diferentes – assim como são diferentes os dois tipos de aprendizado.

A razão pela qual a maioria das pessoas considera o pensamento como algo mais estreitamente relacionado à pesquisa do que ao ensino é que se supõe erroneamente que leitura e audição sejam atividades fáceis. É provavelmente verdade que pensamos menos quando lemos para nos informar ou para nos divertir do que quando nos esforçamos para descobrir algo. São os tipos de leituras menos ativos que existem. Porém, isso não é verdade no que se refere à leitura ativa – ao esforço para entender. Ninguém que tenha empreendido esse tipo de leitura diria que se trata de uma atividade fácil.

Pensar é apenas parte integrante da leitura. É necessário que os sentidos e a imaginação entrem em cena – é necessário observar e lembrar e, se algo não puder ser observado ou lembrado, deve ser construído imaginativamente. Porém, há uma tendência a superestimar o papel dessas atividades em detrimento do aprendizado pela leitura ou audição. Por exemplo, muitas pessoas acham que, embora o poeta tenha de usar a imaginação para escrever um poema, elas mesmas não precisam usá-la para lê-lo. Em suma, a arte de ler engloba todas as habilidades que são utilizadas na descoberta sem auxílio: observação apurada, memória rápida, imaginação fértil e, é claro, intelecto devidamente treinado para análises e reflexões. Afinal, ler também é descobrir – com ajuda, é verdade.

## PROFESSORES PRESENTES E AUSENTES

Até aqui, consideramos leitura e audição como atividades equivalentes ao aprendizado com professores. Até certo ponto, é verdade. Ambas são vias de ensino, e ambas exigem que se esteja treinado na arte de ser ensinado. Ouvir uma série de palestras é, de certa maneira, como ler um livro – ouvir um poema é como lê-lo. Muitas regras que esboçaremos neste livro poderão ser aplicadas nessas atividades. Todavia, há bons motivos para que enfatizemos a leitura e deixemos a audição em segundo plano. A razão principal é que ouvir implica aprender com um professor que está presente – ele está ali, à sua frente –, ao passo que ler implica aprender com um professor que está ausente.

Caso você formule uma pergunta ao professor, ele provavelmente lhe responderá. Se continuar com dúvidas, poderá poupar o trabalho de pensar e pedir mais explicações ao professor. Porém, se você formular uma pergunta ao livro, *você mesmo terá de responder*. Nesse sentido, o livro é como a natureza – ou o mundo. Quando você os questiona, eles lhe responderão na medida da sua própria capacidade de pensar e analisar.

Evidentemente, quando o professor lhe responde algo, isso não quer dizer que você não terá de posteriormente pensar e elaborar a resposta por conta própria. Você só estará livre de pensar caso a resposta seja algo meramente factual. Mas se o que quer é uma explicação, então terá de entender a resposta por conta própria – caso contrário, no final das contas, nada lhe terá sido explicado. Contudo, a resposta do professor acabará lhe servindo de pista, de estímulo – ele o colocará na direção certa –, ao passo que o autor do livro obviamente não terá a chance de fazer o mesmo com você.

Nas escolas, é comum os alunos lerem livros difíceis com a ajuda e o encaminhamento de um professor. Porém, se estamos lendo um livro difícil fora da escola, ou se o livro não faz parte da lista de leituras obrigatórias, então só nos resta o próprio livro. Assim sendo, para continuarmos a aprender e descobrir, temos de saber como fazer os livros nos ensinarem. Eis o objetivo principal deste livro.

# 2. OS NÍVEIS DE LEITURA

No capítulo anterior, examinamos algumas distinções que agora nos serão mais úteis. O objetivo de um leitor – entretenimento, informação ou entendimento – determinará a maneira como lê. A eficiência de sua leitura será diretamente proporcional ao esforço e à habilidade que imprimir na tarefa. Em geral, a regra é esta: quanto mais esforço, melhor – sobretudo em relação aos livros difíceis, isto é, aos livros que são capazes de elevar nossa mente de um estado de entendimento inferior para um estado de entendimento superior. Ademais, a distinção entre ensino e descoberta (ou entre descoberta com e sem auxílio) é importante porque a grande maioria das pessoas, na maior parte do tempo, tem de ler sem ajuda de ninguém. Ler, assim como uma descoberta, é aprender com um professor que está ausente. Só conseguiremos realmente aprender se soubermos como empreender tal leitura.

No entanto, por mais importantes que esses assuntos sejam, eles são insignificantes se comparados às questões que trataremos neste capítulo. Referimo-nos aos níveis de leitura. As diferenças entre esses níveis devem ser plenamente entendidas antes que possamos aperfeiçoar nossas habilidades de leitura.

Há quatro níveis de leitura. Nós os chamamos de "níveis" em vez de "tipos" porque estes, estritamente falando, são distintos uns dos outros, enquanto os níveis supõem que os superiores englobem os inferiores, ou seja, os níveis são cumulativos. O primeiro nível não se perde no segundo, o segundo não se perde no terceiro, e o terceiro não se perde no quarto. O quarto e último nível engloba todos os demais – ele apenas os supera, mas não os anula.

Chamamos o primeiro nível de leitura de *Leitura Elementar*. Ele também poderia ser chamado de leitura rudimentar, leitura básica ou leitura inicial: o que importa aqui é o fato de que esse nível sugere que a pessoa deixou o analfabetismo e tornou-se alfabetizada. Quando a pessoa aprende os rudimentos da arte de ler e recebe o treinamento básico na leitura, dizemos que ela domina o nível da Leitura Elementar. Este termo – Leitura Elementar – é apropriado, em nossa opinião, porque esse nível de leitura normalmente é aprendido no período da educação infantil.

A criança toma contato com a leitura nesse nível. Seu desafio (e o nosso, quando começamos a ler) é decodificar as palavras impressas no papel. A criança depara com um amontoado de símbolos pretos sobre fundo branco (ou símbolos brancos sobre fundo preto, se estiver lendo num quadro-negro). Os símbolos dizem: "O gato sentou no chapéu". A criança ainda não está preocupada em saber se gatos sentam, se gostam de chapéus etc. Ela está concentrada na linguagem empregada pelo autor.

Nesse nível de leitura, a pergunta que o leitor faz é: "O que diz a frase?". A pergunta até poderia ser difícil, mas o sentido que buscamos aqui é o mais simplório possível.

A maioria dos leitores deste livro já domina as técnicas da leitura elementar. Apesar disso, esse nível de leitura ainda pode apresentar certos desafios. Isso ocorre, por exemplo, quando tentamos ler alguma coisa escrita em uma língua estrangeira da qual ainda não temos pleno domínio. Então, o primeiro desafio será identificar as palavras que estão ali escritas. Apenas depois de decodificá-las, poderemos nos dedicar a entendê-las – esforçando-nos em apreender o que querem dizer no seu conjunto.

No entanto, muitos leitores ainda enfrentam problemas com a leitura elementar em seu próprio idioma. A maior parte dessas dificuldades é de ordem mecânica, e algumas remontam à educação infantil. A superação dessas dificuldades permitirá que leiamos mais rapidamente – por isso, a maioria dos cursos de leitura dinâmica se concentra nesse nível. Lidaremos com a leitura elementar com mais detalhes no próximo capítulo. No capítulo 4, analisaremos mais detidamente a leitura dinâmica.

O segundo nível de leitura é chamado de *Leitura Inspecional*. Sua característica principal é o fator tempo. A leitura desse nível pressupõe certo período no qual temos de ler determinados trechos – que pode ser de quinze minutos, por exemplo, ou até menos.

Assim, podemos dizer que o objetivo da Leitura Inspecional é extrair o máximo possível de um livro num determinado período – em geral, um tempo relativamente curto. Normalmente, por definição, esse período curto é insuficiente para que extraiamos do livro todo o seu potencial.

Esse nível também poderia ser chamado de pré-leitura. Porém, não se trata de folhear o livro aleatoriamente. A leitura inspecional é a arte de *folhear o livro sistematicamente*.

O objetivo da leitura desse nível é examinar a superfície do livro, aprender tudo o que a superfície pode nos ensinar – e quase sempre essa é uma atividade lucrativa.

Enquanto a pergunta do nível elementar é "O que diz a frase?", a pergunta do nível inspecional é "O livro é sobre o quê?". Há outras perguntas similares, como "Qual a estrutura do livro?" ou "Em quais partes o livro é dividido?".

Ao completar a leitura inspecional – a despeito do tempo disponível para tal –, o leitor deve ser capaz de responder à pergunta "Que tipo de livro é este – romance, história ou ciência?".

Como o capítulo 4 é dedicado exclusivamente a esse nível, não nos estenderemos mais sobre ele aqui. Porém, gostaríamos de alertar para o fato de que muitas pessoas – até mesmo leitores experientes – em geral desprezam o valor da leitura inspecional. Elas começam a leitura na primeira página e avançam diligentemente até a última, sem ao menos ler o sumário. Assim, elas se defrontam com o desafio de extrair um conhecimento superficial do livro *ao mesmo tempo que tentam entendê-lo*. É uma dificuldade e tanto.

O terceiro nível de leitura é chamado de *Leitura Analítica*. É uma atividade mais complexa e sistemática do que os dois níveis anteriores. Dependendo da dificuldade do texto a ser lido, a leitura analítica pode exigir muito ou pouco do leitor.

A leitura analítica é a leitura propriamente dita, isto é, a leitura completa, plena – a melhor leitura possível. Se a leitura inspecional pode ser considerada a melhor e mais completa leitura possível em um período *limitado* de tempo, a leitura analítica é a melhor e mais completa leitura possível em um período *ilimitado* de tempo.

A leitura analítica formula, de modo organizado, muitas perguntas, de acordo com o livro que está sendo lido. Não vamos listar essas perguntas, pois este livro versa sobre como ler nesse nível; a Parte 2 fornecerá as regras apropriadas. É digno de nota que a leitura analítica é sempre intensamente ativa. Nesse nível, o leitor adquire o livro – a metáfora é bem apropriada – e imiscui-se nele até que o livro efetivamente lhe pertença. Francis Bacon dizia que "alguns livros devem ser degustados, outros devem ser engolidos, enquanto alguns poucos devem ser mastigados e digeridos". Ler um livro analiticamente significa mastigá-lo e digeri-lo.

Vale lembrar que a leitura analítica não é necessária caso seu objetivo seja apenas informar-se ou divertir-se. *A leitura analítica é destinada exclusivamente a entender o livro.* Em outras palavras, elevar sua mente de um estado de entendimento inferior a um estado de entendimento superior é praticamente impossível sem um mínimo de domínio das técnicas da leitura analítica.

O quarto e último nível de leitura é a *Leitura Sintópica*. Trata-se do tipo mais complexo e sistemático de leitura – é o nível mais exigente, mesmo que os livros sejam em si fáceis e rudimentares.

Esse nível também poderia ser chamado de leitura comparativa. A leitura sintópica implica a leitura de muitos livros, ordenando-os mutuamente em relação a um assunto sobre o qual todos versem. Mas comparar não é o bastante. A leitura sintópica é mais sofisticada do que a mera comparação. Com os livros em mãos, o leitor sintópico estará apto a desenvolver uma análise que *talvez não esteja em nenhum dos livros*. Está claro, portanto, que a leitura sintópica é a mais ativa e trabalhosa de todas.

A leitura sintópica será discutida na Parte 4. Por enquanto, basta saber que ela não é uma arte fácil – suas regras são quase desconhecidas. Apesar disso, a leitura sintópica é, provavelmente, o nível de leitura mais compensador que existe. Os benefícios são tão grandes que vale a pena aprender suas técnicas.

# 3. A LEITURA ELEMENTAR

Vivemos numa época em que há muito interesse e preocupações com a leitura. As autoridades públicas declararam que a década de 1970 seria a "década da leitura". As listas de livros mais vendidos quase sempre contêm um livro sobre alfabetização e analfabetismo. As pesquisas sobre alfabetização são cada vez mais amplas e profundas.

Três movimentos históricos convergiram para produzir esse efeito. O primeiro é o esforço contínuo dos Estados Unidos em educar todos os seus cidadãos, o que significa, obviamente, que todos devam ser alfabetizados. Esse esforço – o qual os americanos sempre apoiaram desde a fundação do país, dado que é um dos pilares da democracia – produziu resultados fabulosos. Os Estados Unidos foram pioneiros na alfabetização universal, o que serviu para os tornar a sociedade altamente industrializada de hoje. Mas inúmeros problemas surgiram a partir daí: ensinar algumas poucas crianças altamente motivadas era uma coisa – há um século, a maioria com pais alfabetizados –, ao passo que ensinar todas as crianças a ler – a despeito de seus graus de motivação ou classe social – é coisa bem diferente.

O segundo movimento histórico é a alfabetização em si. Até 1870, o método de alfabetização era muito parecido com o método das escolas gregas e romanas. Nos Estados Unidos, o chamado "método ABC" foi dominante por todo o século XIX. As crianças eram ensinadas a vocalizar as letras do alfabeto uma a uma – daí o nome do método – e a combiná-las em sílabas – primeiro duas a duas, depois três a três etc. – a despeito de fazerem sentido ou não. Assim, sílabas como *ab, ac, ad, ib, ic* etc. eram vocalizadas com o intuito de dominar o idioma. Quando a criança conseguisse enumerar todas as combinações, dizia-se que ela dominava o ABC.

Esse método foi duramente criticado em meados do século XX, e duas alternativas foram propostas. Uma delas era o método ABC sintético, conhecido como método fônico. Nesse caso, a palavra era decodificada pelos sons, e não pelos nomes das letras. Foram desenvolvidos sistemas de impressão bastante complicados e intrincados, cujo objetivo era representar os diversos sons de uma mesma letra, sobretudo as vogais. Nos Estados Unidos, quem tem cinquenta e poucos anos, provavelmente aprendeu a ler assim, ou pelo menos com uma das variantes do método fônico.

Na Alemanha, Horace Mann e outros educadores propuseram, em 1840, um método totalmente diferente, analítico e não sintético. Ele consistia no reconhecimento *visual* das palavras inteiras antes que as letras e seus sons fossem ensinados. O chamado método visual acabou se desenvolvendo e chegou ao ponto de frases inteiras, isto é, unidades de pensamento, serem apresentadas aos alunos antes que estes pudessem reconhecer as palavras que as constituíam. Só mais tarde as letras eram ensinadas. Esse método tornou-se muito popular durante as décadas de 1920 e 1930, quando se deu ênfase à leitura silenciosa em detrimento à leitura oral. Chegara-se à conclusão de que ler em voz alta não necessariamente levava as crianças a ler bem em silêncio, e que ensiná-las a ler oralmente nem sempre era o método adequado caso a leitura silenciosa fosse o objetivo. Assim, entre 1920 e 1925, a ênfase quase total à leitura rápida, abrangente e silenciosa foi uma característica marcante. Mais recentemente, porém, o pêndulo oscilou de volta para o método fônico, o qual, na realidade, nunca foi excluído do currículo.

Cada um desses métodos foi bem-sucedido para algumas crianças e desastroso para outras. Nos últimos vinte ou trinta anos, as falhas têm chamado mais atenção que os sucessos. E é aqui que entra o terceiro movimento histórico. Os Estados Unidos tradicionalmente criticam as escolas – há mais de um século pais, especialistas e educadores têm criticado e condenado o sistema educacional vigente –, e nenhum aspecto da escolarização é tão criticado quanto a alfabetização. Os livros atuais vêm de uma longa linhagem, e toda inovação atrai necessariamente uma multidão de suspeitas e críticos violentos.

Justas ou não, as críticas tornaram-se mais importantes na medida em que o esforço para educar todos os cidadãos entrou em nova fase – a crescente população estudantil nos ensinos médio e superior. Se um jovem não souber ler muito bem, estará se privando do sonho americano – mas, contanto que não esteja na escola, isso será um problema exclusivamente seu. Porém, se estiver frequentando a escola ou a faculdade, o problema é mais sério, uma vez que terá impacto em seus professores e colegas.

Desse modo, os pesquisadores andam muito ocupados ultimamente – suas pesquisas têm resultado em inúmeras novas abordagens para a questão da alfabetização. Os métodos recentes mais importantes são: abordagem eclética, abordagem linguístico-experimental, abordagem da leitura individualizada, as diversas abordagens baseadas em princípios linguísticos, bem como os demais métodos derivados de algum tipo de ensino programático. Além disso, novas mídias, como o *Initial Teaching Alphabet* (i.t.a.) [Alfabeto Inicial de Ensino], foram empregadas, às vezes englobando outros métodos também. Foram criados outros dispositivos e programas tais como o "método de imersão total", o "método para escola de língua estrangeira" e o método genericamente conhecido como "veja-fale", "veja e fale" ou "método da palavra". Provavelmente outros métodos diferentes desses estão sendo esboçados e testados neste exato momento. É muito cedo para dizermos quais desses métodos representarão, enfim, a panaceia para todos os males da leitura.

## OS ESTÁGIOS NA ALFABETIZAÇÃO

Uma das descobertas mais interessantes dos últimos tempos é a análise dos estágios de alfabetização. Sabe-se que há pelo menos quatro estágios principais no caminho que leva à aprendizagem da leitura. O primeiro estágio é conhecido pela expressão "prontidão para a leitura". Ele começaria ao nascer e continuaria seu desenvolvimento natural até seis ou sete anos de idade.

A prontidão para a leitura consiste em uma série de diferentes tipos de preparações para a alfabetização. A prontidão física consiste em boa visão e audição. A prontidão intelectual consiste em um grau mínimo de percepção visual, de tal maneira que a criança consiga apreender e se lembrar de uma palavra inteira, bem como das letras que a formam. A prontidão linguística consiste na habilidade em falar com clareza e fazer uso de frases de maneira ordenada. A prontidão pessoal consiste na habilidade de interagir com outras crianças, manter-se atento, seguir ordens etc.

A prontidão geral para a leitura é avaliada por meio de testes, mas professores devidamente treinados também sabem indicar quando uma criança pequena passa a ser capaz de aprender a ler. O mais importante nesse processo é não pular etapas. A criança que não está preparada acaba se frustrando caso a forcem a aprender a ler – ela poderá até carregar consigo essa repulsa pelo resto de sua vida escolar, até mesmo durante sua vida adulta. Iniciar a alfabetização da criança só quando ela estiver preparada não é algo muito preocupante – o maior problema são os pais, que podem ficar receosos de que seus filhos estão "atrasados" ou que não conseguem "acompanhar" seus coleguinhas.

No segundo estágio, a criança aprende a ler materiais bem simples. Em geral, nos Estados Unidos, elas começam com palavras que podem ser visualmente mostradas, e tipicamente dominam não mais do que trezentas ou quatrocentas palavras ao fim do primeiro ano. Técnicas básicas lhes são ensinadas nessa fase, tais como o uso de contextos e sentidos, bem como os sons básicos das palavras. Ao fim dessa fase, espera-se que os pequeninos sejam capazes de ler livros simples de maneira independente e com entusiasmo.

É curioso notar que algo, digamos, misterioso, quase mágico, ocorre nesse estágio. Em dado momento, a criança depara com uma série de símbolos impressos em papel, mas não vê muito sentido neles. Pouco tempo depois – umas duas ou três semanas depois – ela encontra sentido neles; ela sabe que eles dizem "O gato sentou no chapéu". Ninguém sabe ao certo como isso acontece, apesar dos esforços de filósofos e psicólogos que, ao longo de dois mil e quinhentos anos, tentam explicar o fenômeno. De onde vem o sentido? De que maneira a criança francesa encontra exatamente o mesmo sentido nos símbolos "*Le chat s'asseyait sur le chapeau*"? De fato, a descoberta de sentido em símbolos é talvez o feito intelectual mais impressionante que qualquer ser humano é capaz de desempenhar – e a maioria das pessoas o faz antes dos sete anos de idade!

O terceiro estágio caracteriza-se pelo rápido progresso na construção vocabular e na habilidade cada vez maior de "achar" o sentido de palavras novas por meio de sinais contextuais. Além disso, as crianças nessa fase começam a ler com propósito e objetivos diferentes, em áreas de conhecimento diversas, tais como ciências, estudos sociais, artes etc. Elas percebem que ler, além de ser uma atividade tipicamente escolar, também é algo que pode ser feito por conta própria, por divertimento, por curiosidade, ou até mesmo para "explorar novos horizontes".

Por fim, o quarto estágio é caracterizado pelo desenvolvimento e aperfeiçoamento das habilidades anteriormente adquiridas. Acima de tudo, o aluno começa a assimilar suas experiências literárias – isto é, a capacidade de transportar conceitos de um texto a outro e comparar as visões e opiniões de diferentes autores sobre o mesmo assunto. É na adolescência que o aluno atingirá esse estágio maduro de leitura. Idealmente, o aperfeiçoamento na leitura é algo que deverá ocorrer continuamente, pelo resto da vida.

No entanto, muitos pais e educadores estão cientes de que nem todas as crianças atingem esse estágio. As razões são as mais variadas – desde problemas familiares de ordem econômica, social e intelectual (pais analfabetos, por exemplo) até problemas pessoais (revolta contra o "sistema", por exemplo). Mas uma causa é frequentemente ignorada. A ênfase excessiva na alfabetização de crianças, isto é, os inúmeros métodos criados para ensinar-lhes os rudimentos da leitura, acabou por menosprezar os níveis superiores de leitura. Até certo ponto, esse fenômeno é compreensível, se levarmos em conta a urgência e importância dos problemas encontrados no nível elementar. No entanto, só será possível remediar as graves deficiências de leitura se *todos* os níveis de leitura receberem igual atenção.

## ESTÁGIOS E NÍVEIS

Descrevemos os quatro níveis de leitura, além de esboçarmos os quatro estágios de alfabetização. Mas qual seria a relação entre esses níveis e estágios?

É de suma importância perceber que os quatro estágios que acabamos de delinear residem apenas no primeiro nível de leitura. Eles não passam de estágios de leitura elementar, os quais podem facilmente ser divididos de acordo com o currículo da educação infantil. O primeiro estágio – a prontidão para leitura – corresponde ao maternal e à pré-escola. O segundo estágio – o domínio vocabular – corresponde ao primeiro e segundo anos de uma criança média (embora muitas crianças normais não sejam "médias" nesse sentido), o que corresponderia mais ou menos ao primeiro grau de alfabetização. O terceiro estágio da leitura elementar – o desenvolvimento vocabular e a utilização de contextos – é tipicamente (mas não universalmente, mesmo em crianças normais) adquirido no 4º ano do ensino fundamental, o que corresponde mais ou menos ao que chamamos de alfabetização funcional – a habilidade de ler placas de trânsito ou legendas de filmes com certa facilidade, ou ainda preencher formulários etc. O quarto e último estágio da leitura elementar é concluído mais ou menos no fim do ensino fundamental. É a chamada alfabetização do 9º ano. A criança é considerada uma "leitora madura", no sentido de que é capaz de ler quase tudo, mas ainda de maneira não muito sofisticada. Em outras palavras, ela está madura o bastante para as aulas e lições do ensino médio.

Todavia, a criança ainda não é uma leitora "madura" no sentido a que este livro se refere. Ela apenas e tão somente possui domínio sobre o primeiro nível de leitura, e nada mais. Ela consegue ler sozinha e está preparada para aprender mais sobre leitura. *Mas ela ainda não sabe ler além do nível elementar*.

Fazemos questão de frisar esse fato porque se trata de algo extremamente pertinente a este livro. Vamos imaginar – nós temos de imaginar – que você, nosso leitor, foi bem-sucedido na alfabetização do 9º ano, ou seja, que você passou com louvor nos quatro estágios de alfabetização. Não podemos imaginar menos do que isso. Ora, ninguém consegue aprender com um livro sobre a arte de ler se não consegue lê-lo. É evidente que um livro que pretenda ensinar a ler tem de admitir que seus leitores saibam ler de alguma maneira.

A diferença entre descoberta "com" e "sem auxílio" entra em cena aqui. Em geral, os quatro estágios de leitura elementar são concluídos com a ajuda de professores. As crianças têm potencialidades diferentes – algumas aprendem mais rápido que as outras. Mas sempre há um professor por perto para responder perguntas e ajudar a superar as dificuldades que surgem durante o ensino fundamental. Somente depois de terem dominado os quatro estágios da leitura elementar é que estarão aptas a adentrar níveis mais elevados de leitura – nos quais poderão ler de maneira independente e verdadeiramente produtiva, tornando-se bons leitores.

## OS NÍVEIS SUPERIORES DE LEITURA E O ENSINO MÉDIO

Tradicionalmente, as escolas de ensino médio fornecem pouca instrução na arte de ler, enquanto as instituições de ensino superior não fornecem absolutamente nenhuma instrução desse tipo. Mas essa situação tem mudado nos últimos anos. Há duas gerações, quando as matrículas no ensino médio cresceram em um período relativamente curto, os educadores perceberam que não mais poderiam considerar automaticamente que aqueles alunos sabiam ler bem. Aulas de leitura tinham de ser ministradas a muitos alunos – às vezes, a 75% dos alunos, ou mais. Posteriormente, a mesma situação se repetiu no ensino superior. Assim, em 1971, dos 40 mil calouros da Universidade da Cidade de Nova York, mais da metade – isto é, mais de 20 mil jovens – precisou de aulas de reforço em leitura.

Contudo, isso não quer dizer que a maioria das faculdades norte-americanas ensine a ler *além do nível elementar de leitura*. Na realidade, praticamente nenhuma faculdade oferece esse tipo de ensino. As aulas de reforço em leitura não são aulas voltadas aos níveis superiores de leitura. Elas servem apenas para que os alunos atinjam o nível de leitura que já deveriam ter dominado ao fim do ensino fundamental. Atualmente, a maioria das instituições de ensino superior não sabe como ensinar seus alunos a ler além do nível elementar, nem conta com professores e recursos para tal.

Afirmamos isso a despeito de muitas faculdades e centros universitários se dedicarem a ministrar cursos em leitura dinâmica, leitura "eficaz" ou "competências" em leitura. Em geral, esses cursos são meramente terapêuticos. Eles foram feitos para superar as falhas das etapas anteriores de ensino. Não servem para tirar o aluno do nível elementar de leitura nem para apresentá-lo aos tipos e níveis de leitura abordados neste livro.

Entretanto, as coisas não precisam continuar assim. Um bom ensino médio liberal deve, no mínimo, produzir alunos que sejam competentes em leitura analítica.[1] Uma boa faculdade deve, no mínimo, produzir alunos que sejam competentes em leitura sintópica. A graduação em ensino superior deveria implicar que a pessoa já sabe ler qualquer tipo de assunto geral e que esteja apta a empreender pesquisas independentes em praticamente qualquer campo do conhecimento – pois é para isso que serve a leitura sintópica, entre outras coisas. No entanto, é muito comum que somente após três ou quatro anos de pós-graduação o aluno consiga atingir esse nível de leitura – ou às vezes nem isso.

Não é necessário passar quatro anos em uma pós-graduação para aprender a ler. Quatro anos de pós-graduação, mais doze ou treze anos de ensino fundamental e médio e mais quatro ou cinco anos de faculdade – são mais de vinte anos de escolarização. Ora, aprender a ler não deveria levar tanto tempo. Há algo muito errado nessa história.

O que está errado pode ser corrigido. As instituições de ensino médio e superior poderiam abrir cursos baseados no programa descrito neste livro. Não há nada de arcaico – nem há nada de novo – no que iremos propor. Trata-se apenas de bom-senso.

## A LEITURA E O IDEAL DEMOCRÁTICO DA EDUCAÇÃO

Não é nosso intuito tecer críticas destrutivas. Sabemos muito bem que é difícil dar conta de todos os alunos que ingressam no ensino médio, por mais razoável que seja a ideia. Também sabemos que muitos – ou mesmo a maioria – desses alunos não conseguem ler nem mesmo no nível elementar,

[1] As sete artes liberais eram, antigamente, as sete disciplinas dignas dos homens livres, algumas delas dedicadas à palavra (gramática, retórica, lógica) e outras à ciência dos números e das medidas (aritmética, geometria, astronomia e música). A partir do início do século XVI, disciplinas como história, filosofia moral e literatura passaram a integrar as artes liberais. Posteriormente, também a pintura, a escultura e a arquitetura, antes consideradas artes vulgares por sua relação com os trabalhos manuais, elevaram-se ao universo das artes liberais. (N. T.)

e que a primeira tarefa seria ensiná-los a ler, no sentido mais básico e rudimentar da palavra.

Por ora, não poderíamos desejar que fosse de outra forma. Estamos cientes de que o acesso educacional ilimitado – em outras palavras, o acesso limitado somente pelos desejos, habilidades e necessidades individuais – é o serviço mais valioso que qualquer sociedade poderia prestar a seus membros. O fato de ainda não sabermos como prestá-lo não é motivo para desistirmos de tentar.

Mas temos de reconhecer – alunos, professores e leigos – que mesmo após realizarmos essa missão, não teremos cumprido toda a missão. Temos de ser mais do que uma simples nação de alfabetizados funcionais. Devemos ser uma nação composta de leitores verdadeiramente competentes, no sentido amplo e profundo da palavra *competente*. O mundo do futuro não se satisfará com nada menos do que isso.

# 4. A LEITURA INSPECIONAL

A leitura inspecional é um nível de leitura propriamente dito. Trata-se de um nível marcadamente distinto do anterior (leitura elementar) e do nível que naturalmente o seguirá (leitura analítica). Mas, conforme notamos no capítulo 2, os níveis de leitura são cumulativos e, por isso, a leitura elementar está contida na leitura inspecional, assim como a leitura inspecional está contida na leitura analítica e a leitura analítica, na leitura sintópica.

Na prática, isso quer dizer que você não conseguirá ler no nível inspecional até que tenha dominado perfeitamente as técnicas da leitura elementar. Você terá de ler o texto do autor de maneira mais ou menos contínua, sem muitas paradas para consultar o dicionário e sem tropeçar nas regras gramaticais e sintáticas. Você terá de ser capaz de compreender o sentido da maioria das frases e parágrafos, embora não necessariamente o sentido perfeito deles.

Então, o que é a leitura inspecional? Como a exercemos?

A primeira coisa a aprendermos é que há dois tipos de leitura inspecional. São aspectos da mesma habilidade, mas o leitor iniciante deve ter em mente que se trata de dois passos ou atividades diferentes. O leitor experiente aprenderá a exercer os dois passos de uma só vez, mas por ora os analisaremos como se fossem coisas distintas.

## LEITURA INSPECIONAL I: PRÉ-LEITURA OU SONDAGEM SISTEMÁTICA

Vamos retomar a situação da qual partimos. Eis um livro ou um texto qualquer, e eis aqui sua mente. Qual a primeira coisa que devemos fazer?

Vamos imaginar mais dois elementos bem comuns. Primeiro, você não sabe se quer ler o livro. Você não sabe se ele merece uma leitura analítica. Mas você suspeita que mereça, ou pelo menos suspeita que o livro contenha informações e *insights* que podem valer a pena explorar.

Em segundo lugar, imaginemos que você tenha pouco tempo para descobrir tudo isso – e quase sempre é o que acontece.

Nesse caso, o que você tem a fazer é *sondar* o livro, ou, como preferem alguns, fazer uma *pré-leitura*. A sondagem é o primeiro subnível da leitura inspecional. O objetivo principal é descobrir se o livro exigirá uma leitura mais dedicada. Ademais, a sondagem poderá lhe dizer muitas coisas sobre o livro, mesmo que depois você decida não lê-lo com o devido cuidado.

Dedicar ao livro esse tipo de inspeção rápida é um processo que o ajudará a separar o joio do trigo. Talvez você conclua que a sondagem é o bastante e que não há nada mais no livro que lhe interesse no momento. Talvez nunca mais o leia, mas pelo menos você saberá qual o conteúdo do livro e o tipo de livro que o autor escreve, de maneira que o tempo dedicado à sondagem não terá sido em vão.

O hábito da sondagem costuma ser adquirido em pouco tempo. Eis algumas sugestões que poderão ser úteis:

1. EXAMINE A FOLHA DE ROSTO E O PREFÁCIO. Leia-os rapidamente. Em especial, procure notar os subtítulos e demais sinais que indiquem o escopo, o objetivo ou o ponto de vista específico que o autor porventura tenha sobre o assunto. Concluída essa etapa, você terá uma boa noção do assunto e, se desejar, poderá refletir por um instante sobre a categoria apropriada do livro. Em qual estante você guardaria esse livro?
2. EXAMINE O SUMÁRIO a fim de conhecer a estrutura geral do livro. Use-o como se fosse o mapa de uma viagem. É impressionante como as pessoas raramente prestam atenção ao sumário, a não ser que procurem algo específico nele. Na realidade, muitos autores se dedicam com afinco à criação dos sumários de seus livros, e é triste saber que seus esforços foram em vão.

   Antigamente, os autores costumavam construir sumários cheios de detalhes – sobretudo nas obras expositivas, mas até mesmo em novelas e poemas –, divididos em subtítulos que indicavam os tópicos abordados.

Milton, por exemplo, elaborava cabeçalhos mais ou menos extensos – ou "Argumentos", como gostava de chamar – para cada livro do *Paraíso Perdido*. Gibbon publicou seu *Declínio e Queda do Império Romano* com um índice analítico bastante abrangente. Sumários desse tipo são muito raros hoje em dia, embora ocasionalmente ainda deparemos com alguns. Uma provável razão para seu desuso é que as pessoas não estão mais propensas a ler sumários como antigamente. Ademais, as editoras têm a sensação de que um sumário enxuto é mais sedutor do que um honesto e completo. Os leitores, pensam eles, se deixarão atrair por livros cujos capítulos contenham títulos misteriosos – e vão querer ler para descobrir do que se trata. De qualquer maneira, o sumário pode ser algo muito valioso, e você deve lê-lo com esmero antes de se embrenhar no restante do livro. Neste exato momento, talvez você queira examinar o sumário deste livro, se é que já não o examinou. Esforçamo-nos para que ele fosse o mais informativo e completo possível. Examine-o para ter uma boa noção do que estamos tentando fazer.

3. CONSULTE O ÍNDICE REMISSIVO. A maioria das obras expositivas possui um. Dê uma olhada rápida nos tópicos cobertos e nos tipos de livros e autores citados. Quando deparar com termos e expressões que lhe pareçam cruciais, leia alguns dos trechos citados. (A Parte 2 versará sobre termos cruciais com mais detalhes. Por enquanto, você terá de julgar sua importância com base na percepção geral do livro, obtida a partir dos passos 1 e 2.) Os trechos que escolher talvez contenham o argumento central – o "pivô" do livro – ou talvez sejam novos pontos de partida para que encontre os elementos principais do raciocínio do autor.

   Assim como fizemos no passo anterior com o sumário, talvez você queira neste momento examinar o índice remissivo *deste* livro, onde vai reconhecer alguns termos cruciais já abordados aqui. Você é capaz de identificar outros termos igualmente importantes, por exemplo, baseando-se na quantidade de referências a eles?

4. LEIA A CONTRACAPA E A SOBRECAPA. Muitas pessoas acham que a contracapa e as orelhas (caso o livro as tenha) não passam de autoelogios

dispensáveis. Porém, não é sempre assim, sobretudo no caso de obras expositivas. As notas editoriais de boa parte das contracapas e sobrecapas são escritas pelos próprios autores – com a ajuda do departamento de marketing da editora, é verdade. Não é incomum que os autores procurem se esforçar com esmero para resumir nas contracapas os pontos principais de seus livros. Não desperdice esses esforços. Evidentemente, se as notas editoriais se limitarem a meros autoelogios, você não terá dificuldades em detectar isso. Mas até mesmo os autoelogios poderão lhe dizer algo sobre o livro. Talvez o livro não diga nada de importante – e talvez por isso mesmo a contracapa também não diga nada de importante.

Ao fim destes quatro passos, você estará apto a decidir se o livro merece uma leitura mais apurada. Em todo caso, se quiser, ponha o livro de lado por um instante. Se não o fizer, então talvez esteja pronto a sondá-lo com mais profundidade.

5. Examine os capítulos que lhe pareçam centrais ao argumento do autor, mesmo que seu conhecimento do livro ainda seja muito vago e superficial. Se esses capítulos contiverem pequenas sinopses em suas páginas iniciais ou finais, leia-as com atenção.
6. Folheie o livro, detendo-se pontualmente em alguns parágrafos ou lendo algumas páginas em sequência, mas nada além disso. Tente encontrar os trechos fundamentais; em outras palavras, procure medir a "pressão arterial" do livro. Mais importante de tudo: não se esqueça de ler as duas ou três páginas finais, ou o epílogo, caso o livro tenha um, bem como as páginas mais importantes do livro. Poucos autores resistem à tentação de reunir nessas páginas aquilo que julgam inovador e importante em suas obras. Você não vai querer perder a oportunidade de examiná-las, mesmo que o autor tenha se equivocado em seu julgamento.

Você acaba de sondar sistematicamente o livro, ou seja, acaba de fazer o primeiro tipo de leitura inspecional. A esta altura, você já deve possuir um conhecimento relativamente bom a respeito do livro, mesmo que tenha dedicado apenas alguns minutos – no máximo uma hora – inspecionando-o. Você também já deve ser capaz de classificar o livro adequadamente, "arquivando-o" na pasta correta em sua mente para posterior consulta, caso necessário.

A propósito, esse tipo de leitura é altamente ativo. É impossível fazer uma leitura inspecional sem estar alerta, sem estar perfeitamente desperto e atento. Quantas vezes você já leu páginas e mais páginas de maneira desatenta e "sonhadora", só para descobrir mais tarde que não faz a menor ideia do terreno que está pisando? Isso não vai mais acontecer se você seguir os passos descritos – isto é, se você possuir um plano para seguir a linha de raciocínio do autor.

Imagine-se como um detetive em busca de pistas sobre os temas e ideias gerais do livro, alerta a tudo que lhe trouxer esclarecimento a esse respeito. Você ficará surpreso por ter poupado tanto tempo, satisfeito por ter percebido que é capaz de absorver muito mais e aliviado por ter descoberto que tudo é muito mais fácil do que imaginava.

## LEITURA INSPECIONAL II: LEITURA SUPERFICIAL

O título desta seção é propositadamente provocador. A palavra "superficial" tem, em geral, uma conotação negativa. Mas o uso da palavra é intencional.

Todos nós já passamos pela experiência de ler um livro difícil e altamente promissor sem êxito. É muito natural que, nesse estado, cheguemos à conclusão de que foi um erro ter tentado lê-lo. Ora, não foi esse o erro. O erro foi ter depositado esperança demais na primeira leitura de um livro difícil. Se abordado da maneira correta, nenhum livro destinado a não especialistas, a despeito de sua dificuldade, deveria causar desespero.

No entanto, qual é a abordagem correta? Há uma regra de leitura muito importante e útil, por vezes desprezada. A regra é esta: *ao encarar um livro difícil pela primeira vez, leia-o sem parar, isto é, leia-o sem se deter nos trechos mais espinhosos e sem refletir nos pontos que ainda permanecem incompreensíveis para você.*

Preste atenção àquilo que for capaz de entender e não se deixe intimidar pelos trechos que não consiga entender de imediato. Passe batido pelos parágrafos difíceis e logo chegará aos parágrafos que consegue entender. Concentre-se nestes. Continue nesse ritmo. Leia o livro continuamente, sem se deixar paralisar pelos parágrafos, notas de rodapé, comentários e referências que lhe escaparem. Se você atolar, se parar diante das barreiras, você estará perdido. Na imensa maioria das vezes, você não será capaz de decifrar as partes difíceis simplesmente se apegando a elas. Você terá uma chance muito melhor de entendê-las numa segunda leitura, mas isso exige, obviamente, que você tenha lido *completamente* pela primeira vez.

Mesmo que só tenha entendido 50 por cento do livro na primeira leitura – ou até menos –, isso lhe será muito útil quando retornar aos trechos difíceis, mais tarde. E mesmo que nunca mais retorne, entender metade ou menos do livro é melhor do que não entender nada – o que acontecerá se o primeiro trecho difícil provocar o abandono do livro.

A maioria das pessoas é ensinada a prestar atenção às coisas que não entende. Somos ensinados a consultar o dicionário caso topemos com uma palavra difícil. Somos ensinados a pesquisar em enciclopédias e demais obras de referência quando topamos com alusões e conceitos que não compreendemos. Somos ensinados a consultar notas de rodapé, comentários acadêmicos e demais fontes secundárias em caso de necessidade. Mas quando essas coisas são feitas *prematuramente*, elas não só não ajudam como atrapalham a leitura.

Há gerações e gerações o prazer de ler Shakespeare, por exemplo, foi sabotado por leituras obrigatórias de *Júlio Cesar*, *Como Gostais* ou *Hamlet*, pois os alunos eram forçados a consultar todas as palavras desconhecidas em glossários e estudar todos os comentários acadêmicos. O resultado é que eles jamais leram uma peça de Shakespeare. Quando chegavam ao fim de uma peça, já tinham se esquecido do começo e, portanto, não tinham mais a visão do todo. Em vez desse tipo de abordagem pedante, os alunos deveriam ser encorajados a ler a peça continuamente, de uma vez só, discutindo depois o que entenderam dessa primeira leitura. Só assim, com um pré-conhecimento da peça, eles conseguiriam estudar a peça pormenorizadamente.

A regra vale ainda mais para obras expositivas. Nesse caso, a melhor prova da solidez dessa regra – ler superficialmente um livro difícil pela primeira vez –

é observar o que acontece quando *não* a seguimos. Considere uma obra clássica de economia, por exemplo, *A Riqueza das Nações*, de Adam Smith (escolhemos essa obra por não se tratar de um livro destinado a especialistas. É um livro para leitores *em geral*) – se insistir em tentar entender tudo na primeira leitura, você não irá longe. Embrenhando-se nos trechos difíceis, você não conseguirá captar os pontos-chave da obra de Smith sobre os fatores que contribuem para a determinação do custo das coisas, como salários, rendimentos, lucros, juros, o papel dos mercados, o malefício dos monopólios, as razões em favor do livre mercado etc. Você se apegará às árvores sem se ater à floresta. Você não vai ler bem em *nenhum* nível.

## A VELOCIDADE DA LEITURA

Dissemos no capítulo 2 que a leitura inspecional é a arte de extrair o máximo possível de um livro em um tempo limitado. Fornecendo mais detalhes, não alteramos em nada essa definição. Os dois passos em que consiste a leitura inspecional devem ser executados rapidamente. A leitura inspecional competente os realizará com rapidez, a despeito do tamanho e da dificuldade do livro em questão.

Essa definição, no entanto, desperta outra questão: e quanto à velocidade de leitura? Qual a relação entre os níveis de leitura e os cursos de leitura dinâmica que se tornaram tão comuns hoje em dia?

Já tivemos a oportunidade de comentar que esses cursos são meramente terapêuticos – isto é, eles fornecem sobretudo técnicas de leitura elementar. Mas há algo mais que precisa ser dito sobre eles.

Desde já, vamos deixar claro que somos a favor da proposta segundo a qual as pessoas devem aprender a *poder* ler mais rápido do que leem. Frequentemente, há coisas que *temos* de ler, mas não vale a pena dispensar muito tempo com elas – se não as lermos rapidamente, implicarão uma enorme perda de tempo. Também é verdade que muita gente lê devagar demais, e deveria aprender a ler mais rápido. Mas também há muita gente que lê algumas coisas rápido demais, e que deveria lê-las mais lentamente. Um bom curso de leitura dinâmica deveria ensinar-lhes a ler em várias velocidades, e não apenas a ler mais rapidamente do que leem hoje. Esses cursos deveriam ensinar a selecionar a velocidade certa de leitura, de acordo com a natureza e a complexidade da obra em questão.

Nossa proposta aqui é muito simples. Muitos livros não merecem ser lidos; alguns devem ser lidos rapidamente, e alguns poucos devem ser lidos em baixa velocidade, para que o nível de compreensão possa ser completo. É bobagem ler lentamente um livro que mereça apenas uma leitura rápida – os cursos de leitura dinâmica ajudarão a resolver somente *esse* tipo de problema. Mas esse é apenas um dos muitos problemas de leitura. Em geral, os obstáculos que se interpõem à compreensão de livros difíceis não são de ordem fisiológica ou psicológica. As dificuldades surgem porque o leitor não sabe o que fazer quando tem um livro difícil – e compensador – em mãos. Ele não conhece as regras de leitura; ele não sabe como se preparar intelectualmente para a tarefa. A despeito da velocidade de leitura, ele não se sairá melhor caso não saiba o que está procurando e se o encontrou.

Quanto à velocidade de leitura, o ideal não é apenas saber ler mais rápido, mas saber ler a *diferentes velocidades* – e saber quando é apropriado usar uma velocidade ou outra. A leitura inspecional deve ser executada rapidamente, mas não porque você lê rapidamente, embora esse até seja o caso; a leitura inspecional é rápida porque você lê poucos trechos do livro e os lê com outros intuitos em mente. A leitura analítica é tipicamente bem mais lenta que a leitura inspecional, mas mesmo assim você não lerá todo o livro na mesma velocidade. Todo livro, a despeito de sua dificuldade intrínseca, contém material intersticial que pode e deve ser lido rapidamente; e todo bom livro também contém trechos difíceis, que devem ser lidos bem lentamente.

## FIXAÇÕES E RETROCESSOS

Os cursos de leitura dinâmica alardeiam com muita propriedade – conhecemos esse fenômeno há pelo menos meio século ou mais – que a maioria das pessoas continua a subvocalizar mesmo anos depois de ter aprendido a ler. Além disso, registros de movimentos ópticos mostram que os olhos dos jovens e das pessoas destreinadas "fixam-se" até cinco ou seis vezes no decorrer da leitura de uma linha. (O olho que se movimenta torna-se cego; ele só é capaz de ver quando está parado.) Assim, palavras isoladas ou grupos de duas ou três palavras são lidos de uma só vez, em saltos. Pior ainda, os olhos dos leitores incompetentes retrocedem frequentemente duas ou três linhas – isto é, eles retornam às frases lidas anteriormente.

Esses hábitos são totalmente dispendiosos e sacrificam a velocidade da leitura. São dispendiosos porque a mente, ao contrário do olho, não precisa "ler" somente uma palavra ou frase curta de uma vez. A mente é um instrumento fabuloso e consegue captar uma frase ou mesmo um parágrafo inteiro em um só "relance" – embora apenas os olhos lhe forneçam as informações necessárias para tal. Assim, a tarefa primordial – admitida por todos os cursos de leitura dinâmica – é corrigir as fixações e retrocessos que tanto prejudicam os leitores. Felizmente, essa é uma tarefa fácil. Assim que tais falhas são corrigidas, o aluno está apto a ler tão rapidamente quanto sua mente permitir, e não tão lentamente quanto seus olhos permitirem.

Há vários dispositivos que ajudam a eliminar as fixações ópticas, alguns complicados, outros simples. De maneira geral, não há dispositivo mais engenhoso do que sua própria mão, a qual você poderá seguir cada vez mais rapidamente ao longo da página. Você mesmo pode fazer isso. Junte dois dedos e faça uma varredura com esse ponteiro ao longo de uma linha, um pouco mais rapidamente do que seus olhos estão acostumados a ler. Force-se a acompanhar sua mão. Continue praticando à medida que aumenta a velocidade da mão e, antes que perceba, você já terá duplicado ou triplicado sua velocidade de leitura.

## A QUESTÃO DA COMPREENSÃO

Mas qual a vantagem de se aumentar significativamente a velocidade da leitura? Sim, você poupa tempo – mas e quanto à compreensão? Ela também melhorou, ou, pelo contrário, saiu prejudicada?

Não há curso de leitura dinâmica que não prometa um aumento correspondente no grau de compreensão dos textos. De maneira geral, há algum fundamento nessa tese. O fato de a mão (ou outro dispositivo) ser usada como controlador de tempo não apenas tende a aumentar a velocidade da leitura, mas também promove um aumento na concentração sobre aquilo que se está lendo. À medida que você segue sua mão, é difícil adormecer, sonhar ou deixar sua mente vagando por aí. Até aí, tudo bem. Concentração é outro nome para aquilo que chamamos de atividade. O bom leitor lê ativamente, de maneira concentrada.

Mas a concentração não afeta diretamente a compreensão propriamente dita. A compreensão é muito mais que a capacidade de responder a perguntas simples sobre um texto. Esse tipo limitado de compreensão não passa, na realidade, de uma habilidade rudimentar em responder à pergunta "O que diz o livro?". Há muitas outras perguntas que os cursos de leitura dinâmica não formulam, já que teriam de ensinar níveis superiores de compreensão, muito além daquilo que comumente ensinam.

Vamos tomar um exemplo típico: a Declaração de Independência dos Estados Unidos. Ela ocupa pouco menos de três páginas cheias. Em quanto tempo você conseguiria lê-la?

O segundo parágrafo da Declaração termina com a frase: "Para prová-lo, permitam-nos submeter os fatos a um mundo cândido". As duas páginas seguintes de "fatos", alguns dos quais, a propósito, são bastante dúbios, podem ser lidas rapidamente. Não é necessário mais do que uma vaga ideia do *tipo* dos fatos que Jefferson está citando, a não ser, é claro, que você seja um acadêmico interessado nas circunstâncias históricas nas quais ele escreveu. Mesmo o parágrafo final, que termina com a célebre declaração de que "empenhamos mutuamente nossas vidas, nossas fortunas e nossa sagrada honra" pode ser lido rapidamente. Trata-se de um floreio retórico, que merece apenas a atenção que qualquer retórica merece. Mas os primeiros dois parágrafos da Declaração de Independência exigem muito mais do que uma rápida leitura.

Duvidamos que exista alguém capaz de ler os dois primeiros parágrafos a uma taxa superior a vinte palavras por minuto. De fato, há palavras isoladas no segundo parágrafo – "inalienável", "direitos", "liberdade", "felicidade", "consentimento", "justos poderes" – que pedem que nos debrucemos sobre elas. Se lidas com o devido esmero, ou seja, se lidas com o objetivo de obter-se delas uma compreensão ampla e profunda, os primeiros dois parágrafos da Declaração talvez exijam dias, semanas, ou até mesmo anos.

A questão da leitura dinâmica, portanto, envolve compreensão. Em termos práticos, a questão reside em se definirem os diversos níveis de compreensão para além do elementar. Os cursos de leitura dinâmica, em sua maioria, não almejam esse objetivo. Assim sendo, este livro tem por objetivo melhorar sua compreensão durante a leitura. Você não conseguirá compreender um livro se não o ler analiticamente; a leitura analítica, conforme notamos, é desempenhada primeiramente em função da compreensão (ou entendimento).

## RESUMO DA LEITURA INSPECIONAL

E agora, eis algumas palavras que resumem este capítulo. Não existe velocidade ideal de leitura; o ideal é aprender as diferentes velocidades e saber empregá-las no momento certo. Ler rapidamente é uma habilidade duvidosa; ela só tem valor se o que você estiver lendo exige essa velocidade. Um método melhor é este: *Nenhum livro deve ser lido mais lentamente do que merece, e nenhum livro deve ser lido mais rapidamente do que seu aproveitamento e compreensão exigirem*. De qualquer maneira, a questão da velocidade – lenta ou rápida – é apenas uma pequena parte dos problemas de leitura da maioria das pessoas.

A sondagem ou pré-leitura de um livro é sempre uma boa ideia – é uma prática necessária quando você não sabe se o livro merece uma leitura mais precisa e cuidadosa. Você saberá sondando-o. Em geral, a sondagem é uma prática importante mesmo naqueles livros que você já tenciona ler analiticamente, para ter uma noção de sua forma e estrutura.

Por fim, não tente entender toda palavra ou página de um livro difícil pela primeira vez. Essa é a regra mais importante, é a essência da leitura inspecional. Não tenha receio de ser, ou parecer, superficial. Leia rapidamente até mesmo o mais difícil dos livros. Só então você estará preparado para lê-lo melhor pela segunda vez.

Damos por encerrada nossa discussão sobre o segundo nível de leitura – a leitura inspecional. Voltaremos ao assunto na Parte 4, na qual enfatizaremos o papel importante que a leitura inspecional desempenha na leitura sintópica – o quarto e mais elevado nível de leitura.

Porém, cabe notar que a leitura inspecional também desempenha um papel importante na leitura analítica – o terceiro nível de leitura –, a ser descrita na segunda parte deste livro. Os dois estágios da leitura inspecional aqui delineados podem ser considerados como uma espécie de antessala para a leitura analítica. O primeiro estágio de leitura inspecional – o estágio que chamamos de sondagem sistemática – serve para preparar o leitor analítico para responder às perguntas que devem ser feitas durante o primeiro estágio dessa leitura. A sondagem sistemática, em outras palavras, antecipa a compreensão da estrutura do livro. O segundo estágio da leitura inspecional – o estágio que chamamos de leitura superficial – servirá ao leitor no segundo estágio da leitura analítica. A leitura superficial é o primeiro passo necessário para a interpretação do conteúdo do livro.

Antes de nos embrenharmos na leitura analítica, vamos mais uma vez ponderar sobre a natureza da leitura como atividade. Há certas ações que o leitor ativo ou exigente deve realizar para que possa ler bem. Elas serão discutidas no próximo capítulo.

# 5. A ARTE DA LEITURA EXIGENTE

Se deseja ler com o intuito de dormir, as regras são muito mais fáceis de seguir do que aquelas destinadas a manter-se desperto durante a leitura. Deite-se em posição confortável, certifique-se de que a luz ambiente é fraca o bastante para causar vista cansada, escolha um livro terrivelmente difícil ou chato – qualquer livro que você não faça questão de ler – e, em poucos minutos, estará dormindo. Esses especialistas em leitura relaxante não precisam nem esperar o anoitecer. Basta uma cadeira confortável na biblioteca e pronto.

Infelizmente, as regras para manter-se desperto durante a leitura não são apenas o contrário das regras para dormir. É perfeitamente *possível* manter-se desperto enquanto se lê numa cadeira confortável ou mesmo na cama, e há muita gente que consegue se forçar a ler mesmo de madrugada, à meia-luz. Como as pessoas que liam à luz de velas conseguiam ficar acordadas? A resposta gira em torno de um fator essencial: elas realmente *liam* os livros que se propunham a ler.

Ficar acordado depende diretamente do objetivo da leitura. Se o seu objetivo é aproveitar o livro – crescer em mente ou espírito –, você terá de ficar acordado. Isso significa ler tão ativamente quanto possível. Isso significa esforçar-se – um esforço do qual pretende ser recompensado.

Bons livros – de ficção ou não ficção – merecem esse esforço. Fazer do livro um sedativo é um tremendo desperdício. Adormecer ou, o que dá na mesma, distrair-se mentalmente durante as horas programadas para a leitura ativa – isto é, a leitura para entendimento – é obviamente uma perda de tempo.

Mas o triste é ver gente que sabe distinguir entre proveito e prazer – entre entendimento, por um lado, e entretenimento ou vã curiosidade, por outro –, mas não sabe como elaborar um plano de leitura. Eles falham mesmo que saibam qual livro serve para entendimento e qual serve para entretenimento. Isso porque não sabem como ser leitores exigentes, como manter a mente focada e ativa naquilo que é necessário para que extraiam algum lucro.

# A ESSÊNCIA DA LEITURA ATIVA: AS QUATRO PERGUNTAS BÁSICAS

Já comentamos bastante a leitura ativa nos capítulos anteriores. Dissemos que essa é a melhor leitura e observamos que a leitura inspecional é sempre ativa. É uma tarefa que exige esforço. Mas ainda não mencionamos a prescrição principal da leitura ativa: *Faça perguntas enquanto lê – perguntas às quais você mesmo deve tentar responder ao longo da leitura.*

Quaisquer perguntas? Não. A arte de ler em qualquer nível acima do elementar consiste no hábito de fazer as perguntas certas na ordem certa. Há quatro perguntas centrais que você deve fazer a respeito de qualquer livro.[1]

1. O LIVRO FALA SOBRE O QUÊ? Você deve tentar descobrir o tema central do livro, bem como a maneira pela qual o autor desenvolve esse tema, por meio da organização e da subdivisão dos temas e tópicos essenciais.
2. O QUE EXATAMENTE ESTÁ SENDO DITO, E COMO? Você deve tentar descobrir as ideias, afirmações e argumentos principais que constituem a mensagem particular do autor.
3. O LIVRO É VERDADEIRO, EM TODO OU EM PARTE? Você só conseguirá responder a essa pergunta se já tiver respondido às duas anteriores. Você precisa saber o que está sendo dito antes de decidir se é verdadeiro ou falso. Quando você entende um livro, fica obrigado, caso esteja lendo com seriedade, a formar um juízo sobre ele. Conhecer a mente do autor não é o suficiente.
4. E DAÍ? Se o livro lhe forneceu informações novas, você deve pesar a importâncias delas. Por que o autor acha que sua própria mensagem é importante? Ela é importante para você? No entanto, se o livro não apenas lhe forneceu informações, mas o esclareceu em determinados quesitos,

[1] Estas quatro perguntas, da maneira como estão formuladas e juntamente com suas explicações, aplicam-se especialmente às obras expositivas e de não ficção. Porém, se devidamente adaptadas, podem ser aplicadas a livros de ficção e de poesia. Essas adaptações serão discutidas nos capítulos 14 e 15.

então é necessário investigar e buscar mais, isto é, buscar quais implicações forçosamente se seguem.

Falaremos mais dessas quatro perguntas no restante do livro. Na Parte 2, elas se transformarão nas regras básicas de leitura. Neste capítulo, elas são formuladas em forma de pergunta por uma boa razão. Ler um livro em um nível superior ao elementar é, em essência, um esforço de sua parte em fazer perguntas ao livro (e respondê-las da melhor maneira possível). Jamais se esqueça disso. É por isso que há um abismo entre o leitor exigente e o não exigente. Este não faz perguntas – e, portanto, não obtém respostas.

As quatro perguntas aqui enunciadas resumem a obrigação básica do leitor. Elas se aplicam a tudo o que vale a pena ser lido – desde um livro ou artigo até informes publicitários. A leitura inspecional tende a fornecer respostas mais precisas às duas primeiras perguntas, mas também pode ser útil às outras duas. A leitura analítica não terá sido bem-sucedida enquanto você não tiver respondido às últimas perguntas – enquanto não tiver uma boa noção da veracidade do livro, em todo ou em parte, e de sua importância, nem que seja dentro de seu próprio quadro de referências. A última pergunta – E daí? – é provavelmente a mais importante para a leitura sintópica. Evidentemente, você terá de responder às três primeiras perguntas antes de tentar responder à quarta.

Saber quais são as quatro perguntas não é o bastante. Você deve se lembrar de perguntá-las à medida que lê. O *hábito* de perguntá-las é a marca do leitor exigente. Ainda mais importante do que perguntá-las, você deve ser capaz de respondê-las corretamente e com precisão. A habilidade em fazer isso consiste na *arte* de ler.

As pessoas não dormem lendo bons livros só porque não desejam se esforçar, mas porque elas não sabem *como* se esforçar. Os bons livros, por natureza, estão acima dos conhecimentos delas; é exatamente por isso que eles são bons. Um bom livro as esgotará, a não ser que consigam alcançá-lo e subir até o seu nível. Não é a tentativa de alcançá-lo que cansa, mas a frustração em não alcançá-lo porque não se domina a técnica adequada. A leitura ativa exige não apenas vontade, mas habilidade – a arte que as ensinará a subir até o nível dos livros que, a princípio, estão acima dos seus conhecimentos.

# A ARTE DE TOMAR POSSE DE UM LIVRO

Se você tem o hábito de fazer perguntas ao livro durante a leitura, é um leitor melhor do que aqueles que não as fazem. Porém, conforme já mencionamos, fazer as perguntas não é o bastante. Você deve tentar respondê-las. Teoricamente, embora isso possa ser feito apenas na sua mente, é muito mais fácil fazê-lo com um lápis à mão. O lápis será o símbolo da vivacidade da sua leitura.

Um velho ditado diz que devemos "ler nas entrelinhas" para que possamos extrair o máximo possível de um livro. As regras de leitura são uma maneira formal de dizer isso. Mas nós queremos persuadi-lo a "escrever nas entrelinhas" também. Você não fará uma leitura eficiente se não agir assim.

Quando você compra um livro qualquer, estabelece uma relação de posse com ele. Isso vale para roupas ou móveis: você os compra pagando por eles. Mas o ato de comprar é, na realidade, apenas o prelúdio da posse total do livro. A propriedade completa sobre o livro só se estabelecerá quando ele passar a fazer parte de você, e a melhor maneira de você fazer parte do livro – o que dá no mesmo – é escrevendo nele.

Por que é indispensável anotar num livro? Em primeiro lugar, essa atividade o manterá desperto – não apenas consciente, mas verdadeiramente alerta. Em segundo lugar, ler é pensar, e o pensamento tende a se expressar em palavras – faladas ou escritas. A pessoa que diz que sabe o que pensa, mas não consegue expressar-se em palavras, na verdade, não sabe o que pensa. Em terceiro lugar, anotar suas reações ajuda-o a se lembrar das ideias e dos pensamentos do autor.

A leitura do livro tem de ser uma conversa entre você e o autor. Presume-se que ele sabe mais do que você sobre o assunto em questão; se não fosse assim, provavelmente não estariam conversando. Mas o entendimento é uma operação de mão dupla; o aprendiz deve perguntar a si próprio e a seu mestre. Ele pode até discutir com o mestre, mas desde que tenha entendido o que o mestre lhe disse. As anotações são, literalmente, a expressão das concordâncias e discordâncias que o leitor teve com o autor. É a melhor mostra de respeito do leitor para com o autor.

Há uma série de técnicas de anotação inteligentes e proveitosas. Eis algumas que lhe poderão ser úteis:

1. Sublinhar os trechos principais, sejam os mais importantes, sejam os mais contundentes.
2. Traçar linhas verticais nas margens. A ideia é enfatizar trechos já sublinhados ou destacar passagens longas demais para serem sublinhadas.
3. Fazer asteriscos ou outras marcas nas margens. O intuito é fazer uso esporádico deles a fim de enfatizar os dez ou doze trechos ou parágrafos mais importantes do livro. Talvez você queira fazer uma pequena orelha no canto das páginas onde constam tais marcas, ou ainda inserir um pedaço de papel junto a elas. De qualquer maneira, o objetivo é que você seja capaz de tirar o livro da estante e localizar rapidamente os trechos mais importantes e necessários.
4. Inserir números nas margens. Eles são úteis para indicar os passos de um raciocínio ou argumento.
5. Inserir números de outras páginas nas margens. O objetivo é apontar para outros trechos do livro que contenham os mesmos raciocínios ou argumentos contidos na página que recebe a anotação, ou mesmo contrapontos e contradições. Além disso, a prática ajuda na "amarração" do livro, no sentido de que páginas muito distantes entre si podem ser facilmente correlacionadas. Muitos leitores referenciam as páginas com a sigla "cf." (confira).
6. Circular palavras-chave ou frases. O intuito é o mesmo de sublinhar.
7. Escrever nas margens da página. O objetivo é registrar perguntas (e, se possível, respostas) que porventura sejam despertadas pelo trecho em questão; reduzir uma questão complicada a uma frase; registrar a sequência de pontos centrais. As páginas finais podem ser usadas para a composição de um índice pessoal o qual contenha os argumentos principais do autor por ordem de apresentação.

Os anotadores profissionais de livros gostam especialmente das páginas iniciais. Algumas pessoas reservam tais páginas para o "ex-libris", mas isso é mero sinal de propriedade material. As páginas iniciais são mais bem aproveitadas com o registro do seu próprio raciocínio. Ao término da leitura do livro e após a composição do índice pessoal nas páginas finais, tente delinear o livro nas páginas iniciais, não página a página ou ponto a ponto (você já fez isso nas páginas finais), mas a estrutura integrada em um perfil básico, por ordem de partes. Essa estrutura será a medida do seu entendimento; ao contrário de um "ex-libris", essa estrutura será o sinal da sua propriedade intelectual sobre o livro.

## OS TRÊS TIPOS DE ANOTAÇÃO

Existem três tipos bem diferentes de anotações a serem feitas no livro e sobre o livro. Cada tipo dependerá do nível de leitura que estiver realizando.

A leitura inspecional concede pouco tempo para fazer anotações; conforme vimos, essa leitura está sempre limitada pelo tempo. Apesar disso, perguntas importantes poderão surgir ao longo dessa atividade, e é sempre uma boa pedida registrar as respostas nesse momento, uma vez que ainda estão frescas na memória.

As perguntas respondidas na leitura inspecional são: (1) que tipo de livro é este? (2) o que ele diz, de modo geral? (3) qual a ordem estrutural pela qual o autor desenvolve seus conceitos e entendimentos do assunto? Você pode, e provavelmente deve, tomar nota das respostas a essas perguntas, especialmente se sabe que levará dias ou meses até que o leia analiticamente. O melhor lugar para anotar essas respostas é o sumário, ou talvez a folha de rosto, que ainda não foi utilizada no plano apresentado.

A questão é que essas notas devem estar mais voltadas à estrutura do livro, e não propriamente à substância – pelo menos não aos detalhes. *Essas anotações são chamadas, portanto, de anotações estruturais.*

Durante a leitura inspecional, sobretudo se o livro for longo e difícil, talvez lhe ocorram *insights* relacionados às ideias do autor sobre o assunto. Frequentemente, porém, você não os terá, e isso vai forçá-lo a adiar qualquer julgamento a respeito da veracidade ou plausibilidade das afirmações ali contidas, até que tenha lido o livro com a devida atenção e cuidado. Assim, durante a leitura analítica, você terá de elaborar respostas às perguntas sobre a veracidade e importância do livro. As anotações que fizer ao longo dessa leitura não serão estruturais, mas *conceituais*. Elas se ocupam dos conceitos do autor, bem como de seus próprios conceitos, à medida que forem se aprofundando e alargando durante a leitura.

Há uma diferença óbvia entre anotações estruturais e conceituais. Que tipo de notas você tomará quando estiver lendo vários livros sintopicamente – quando estiver lendo mais de um livro sobre um mesmo assunto? Essas anotações tenderão a ser conceituais; as anotações em determinada página poderão referenciar não apenas outras páginas do livro, mas outras páginas de outros livros.

Existe, porém, um passo além desse, e um verdadeiro especialista em leitura o dará quando estiver lendo vários livros sintopicamente. São as notas sobre o *perfil do debate* – debate no qual todos os autores estão engajados, mesmo que não saibam disso. Por razões que se tornarão mais claras na Parte 5, preferimos chamar essas anotações de *anotações dialéticas*. Dado que essas anotações versam sobre vários livros, e não apenas um, elas frequentemente têm de ser registradas em papéis (ou em um papel) separados. Aqui, a estrutura dos conceitos está implícita: a ordem das afirmações e perguntas sobre um assunto em particular. Retomaremos esse tipo de anotação no capítulo 20.

## FORMANDO O HÁBITO DA LEITURA

Toda arte ou habilidade somente é adquirida pelas pessoas que formaram o hábito de realizar suas regras específicas. É assim que o artista e o operário diferem daqueles que não possuem suas habilidades.

Ora, não há outra maneira de formar um hábito senão realizando-o. É por isso que se diz que ninguém aprende senão fazendo. A diferença entre a mesma atividade realizada antes e depois de formado o hábito é a diferença na facilidade e prontidão. Depois de praticar, você conseguirá fazer a mesma coisa muito melhor do que antes. É por isso que se diz que a prática leva à perfeição. Aquilo que você faz de maneira muito imperfeita no começo, gradualmente começará a fazer com um automatismo quase perfeito, por instinto.

Você fará essa coisa como se tivesse nascido para ela, como se a atividade fosse tão natural quanto andar ou comer. É por isso que se diz, também, que o hábito é nossa segunda natureza.

Conhecer as regras de uma arte não é o mesmo que possuir o hábito de praticá-las. Quando dizemos que uma pessoa está apta para desempenhar determinada tarefa, não significa que ela conheça as regras de execução dessa tarefa, mas que ela possui o hábito de executá-las. É verdade, sem dúvida, que conhecer as regras, mesmo que superficialmente, é uma condição para adquirir a habilidade de executá-las. Ninguém consegue seguir regras que desconhece. Tampouco se adquire um hábito artístico – uma habilidade ou técnica – sem seguir suas regras. A arte, como algo que se ensina, consiste em regras a serem seguidas e executadas. A arte, como algo aprendido e adquirido, consiste no hábito que resulta na execução de acordo com as regras.

A propósito, nem todos entendem que ser um artista consiste em executar operações de acordo com regras. As pessoas apontam um pintor ou escultor altamente criativos e dizem: "Ele não segue regras. Está fazendo uma obra de arte totalmente original, algo que nunca foi feito antes, algo para o qual não há regras". Mas elas falham ao não perceberem as regras que o artista está seguindo. Não há regras finais, inquebrantáveis, estritamente falando, para se fazer uma pintura ou escultura. Mas há regras que o pintor e o escultor precisam seguir, sob pena de não conseguirem fazer aquilo que planejaram. Não importa a originalidade da obra de arte, não importa se poucas "regras" parecem ser obedecidas na execução da obra – o que importa é que o artista tem de estar apto a produzi-la. E essa é a arte – a habilidade ou técnica – da qual estamos falando.

## MUITAS REGRAS EM UM HÁBITO

Ler é como esquiar. Quando realizadas corretamente, quando praticadas por um especialista, tanto ler quanto esquiar se tornam atividades elegantes, harmoniosas. Quando realizadas por um iniciante, ambas se tornam esquisitas, frustrantes e lentas.

Aprender a esquiar é provavelmente uma das experiências mais humilhantes para um adulto (uma boa razão, aliás, para se começar quando jovem). Afinal, o adulto sabe andar desde criança; ele sabe onde seus pés estão; ele sabe como posicionar um pé adiante do outro para chegar a algum lugar. Mas é só calçar esquis e ele retorna ao tempo em que aprendia a andar. Ele escorrega pateticamente, cai, tem dificuldade para se levantar, cruza os esquis, tomba de novo – parece um bobo.

Mesmo que o melhor instrutor esteja por perto, ele será de pouca ajuda nessa hora. A facilidade com que o instrutor executa as ações que diz serem simples, mas que o aluno secretamente sabe que são impossíveis, chega a ser insultante. Ora, como é possível lembrar-se de tudo que o instrutor diz que você tem de lembrar? Dobre os joelhos. Olhe colina abaixo. Concentre seu peso nos esquis. Mantenha as costas retas, mas não muito inclinadas para a frente. As advertências são inúmeras – como é possível pensar nelas e esquiar ao mesmo tempo?

O propósito do esqui, evidentemente, não é que você fique pensando nos atos isolados que, em conjunto, constituem o esqui em zigue-zague ou a série de *slalom* – em vez disso, deveria apenas olhar para baixo e adiante, antecipar os obstáculos e demais esquiadores, desfrutar o delicioso frescor do vento nas bochechas, sorrir ao sabor do delicioso deslizar do corpo ao longo da montanha. Em outras palavras, você tem de aprender a esquecer cada passo em separado a fim de executá-los todos, ou cada um, corretamente. Mas *para esquecê-los como passos separados você deve primeiro aprendê-los como passos separados*. Só então você será capaz de reuni-los e se tornar um bom esquiador.

A mesma coisa vale para a leitura. Provavelmente você já lê há muitos anos, e recomeçar a aprender a ler pode ser uma experiência humilhante. No entanto, assim como no esqui, você jamais conseguirá aglutinar os diversos passos necessários à leitura em uma atividade harmoniosa, única e complexa até que tenha se tornado especialista em cada um deles. Você não conseguirá condensar e entrelaçar as diversas partes da tarefa em um amálgama perfeito. Cada passo requer sua máxima atenção à medida que o executa. Após ter praticado cada passo, você não apenas será capaz de executá-los com mais facilidade e menos atenção, mas será capaz de paulatinamente agregá-los em um todo coerente e consistente.

Até aqui, o que dissemos vale para qualquer habilidade a ser aprendida. Enfatizamos essa questão porque queremos que você entenda que aprender a ler é no mínimo tão complexo quanto aprender a esquiar, digitar ou jogar tênis. Tente relembrar com que paciência teve de aprender outras habilidades e então provavelmente será mais tolerante com os instrutores que em breve lhe ensinarão uma série de regras para leitura.

A pessoa que já passou pela experiência de aprender uma habilidade complexa não se sentirá intimidada pela lista inicial de regras para aprender uma nova habilidade. Ela sabe que não precisa temer os vários passos nos quais terá de se especializar para executar a habilidade pretendida.

A multiplicidade de regras indica a complexidade do hábito a ser formado, e não a pluralidade de hábitos distintos. As partes naturalmente se aglutinam e se condensam na medida em que atingem o estágio da execução automática. Quando todos os passos isolados começarem a ser executados de maneira mais ou menos automática, você terá formado o hábito de executá-los em conjunto. Você poderá passear, então, por aquela pista de esqui, ou ler aquele livro que nunca foi capaz de ler. No início, o aprendiz presta mais atenção em si mesmo e nos passos isoladamente. Quando os passos perderem sua característica isolada e começarem a ser vistos como um todo, o aprendiz conseguirá prestar atenção ao objetivo e menos às técnicas que adquiriu para alcançá-lo.

Esperamos tê-lo encorajado com estas palavras. É difícil aprender a ler com eficácia. Não apenas a leitura – especialmente a leitura analítica – é algo extremamente complexo – muito mais complexo do que esquiar –, mas é também uma atividade muito mais mental. O patinador principiante tem de pensar nos passos físicos a serem dados para executar a tarefa como um todo de maneira automática. É relativamente mais fácil pensar em atos físicos e deles se conscientizar. É muito mais difícil pensar em atos mentais, exatamente o que o leitor analítico principiante terá de fazer; de certa maneira, ele tem de pensar em seus próprios pensamentos. A maioria das pessoas não está acostumada a fazer isso. Contudo, é algo que pode ser aprendido e executado com perfeição.

# PARTE 2

# O TERCEIRO NÍVEL DA LEITURA: A LEITURA ANALÍTICA

# 6. A CLASSIFICAÇÃO DE UM LIVRO

Dissemos no início deste livro que as instruções aqui fornecidas poderão ser aplicadas a todo tipo de literatura. Porém, ao estabelecermos as regras da leitura analítica nesta Parte 2, passaremos a impressão de que estamos ignorando essa promessa. Em geral, se não sempre, nos referiremos à leitura de livros inteiros. Por quê?

A resposta é simples. Somente a leitura de um livro inteiro, especialmente um livro longo e difícil, é capaz de apresentar ao leitor os problemas mais desafiadores que terá de enfrentar. A leitura de um conto é quase sempre mais fácil do que a leitura de um romance; a leitura de um artigo é quase sempre mais fácil do que a leitura de um livro sobre o mesmo assunto. Se você consegue ler um poema épico ou um romance, conseguirá ler um poema lírico ou um conto. Se você consegue ler uma obra expositiva – um livro de história, filosofia ou um tratado científico –, conseguirá ler um artigo ou um texto resumido sobre o mesmo assunto.

Por conseguinte, tudo o que dissermos sobre a leitura de livros se aplicará também à leitura de outros textos semelhantes. Quando nos referirmos à leitura de livros, você poderá aplicar as mesmas regras às obras menos complexas e mais fáceis de entender. Às vezes, as regras não são perfeitamente aplicáveis aos textos mais fáceis, ou, pelo menos, não são aplicáveis da mesma maneira que aos livros inteiros. Apesar disso, é fácil adaptar as regras às obras mais simples.

## A IMPORTÂNCIA DA CLASSIFICAÇÃO DE LIVROS

A primeira regra da leitura analítica pode ser expressa desta forma:

REGRA 1. VOCÊ TEM DE SABER QUAL TIPO DE LIVRO ESTÁ LENDO E DEVE SABER O MAIS CEDO POSSÍVEL; ANTES DE COMEÇAR A LÊ-LO, DE PREFERÊNCIA.

Você tem de saber, por exemplo, se está lendo uma obra de ficção – um romance, uma peça, um épico, um poema lírico – ou se é uma obra expositiva. Praticamente qualquer leitor sabe o que é uma obra de ficção quando vê uma. Ou pelo menos é o que parece – mas não é sempre o caso. *Complexo de Portnoy* (*Portnoy's Complaint*, de Philip Roth) é um romance ou um estudo de psicanálise? *Almoço Nu* (*Naked Lunch*, de William Burroughs) é uma obra de ficção ou um tratado contra o uso de drogas, similar aos livros que contam histórias de alcoólatras para exortação moral dos leitores? *E o Vento Levou* (*Gone with the Wind*, de Margaret Mitchell) é um romance ou uma história do sul dos Estados Unidos antes e durante a Guerra de Secessão? *Rua Principal* (*Main Street*, de Sinclair Lewis) e *As Vinhas da Ira* (*The Grapes of Wrath*, de John Steinbeck) pertencem à categoria da literatura ou ambos são estudos sociológicos, o primeiro sobre experiências urbanas, o último sobre a vida no campo?

Todos eles são romances; todos se encontram na seção de ficção da lista dos livros mais vendidos. Mas as nossas perguntas não são absurdas. Só pelos títulos, seria muito difícil dizer de *Rua Principal* (de Sinclair Lewis) e *Middletown* (de Robert S. Lynd e Helen M. Lynd) qual é ficção e qual é sociologia. Há tanta sociologia em algumas obras de ficção e tanta ficção em tantas obras de sociologia, que se torna difícil separá-las. Mas há outros tipos de ciência – física e química, por exemplo – em livros como *O Enigma de Andrômeda* (*The Andromeda Strain*, de Michael Crichton) ou nos romances de Robert Heinlein ou Arthur C. Clarke. E um livro como *O Universo e o Dr. Einstein* (de Lincoln Barnett), embora obviamente não seja de ficção, é praticamente tão "legível" quanto um romance e provavelmente mais "legível" do que alguns romances de, digamos, William Faulkner.

Livros expositivos são aqueles que transmitem sobretudo e, de modo geral, "conhecimento". Qualquer livro que consista principalmente em opiniões, teorias, hipóteses ou especulações, dos quais dizemos de maneira mais ou menos explícita que são verdadeiros, transmitem conhecimento – entendido desta maneira mais geral – e são obras expositivas. Assim como a ficção, as pessoas identificam uma obra expositiva com relativa facilidade. O problema, porém, não é distinguir ficção de não ficção, mas reconhecer e identificar os diversos tipos de livros expositivos. Não é mera questão de saber quais livros são instrutivos, mas quais são os tipos de instrução que transmitem. O tipo de informação ou esclarecimento fornecido por uma obra de história não é o mesmo disponível em outra, de filosofia. Os problemas abordados pelo autor em um livro de física e em um de moral não são os mesmos, nem os métodos empregados para resolver esses problemas são os mesmos.

Assim, a primeira regra da leitura analítica, embora se aplique a todos os livros, é particularmente voltada às obras expositivas. Como cumprir a regra, em especial a última parte dela?

Conforme já sugerimos, você a cumprirá inspecionando o livro – por meio da leitura inspecional. Você lerá o título, o subtítulo, o sumário e, no mínimo, dará uma lida no prefácio ou introdução e no índice remissivo. Não deixe de ler os textos de capa e contracapa, se existirem. Estes serão os sinais com que o autor lhe acena para indicar para onde o vento está soprando. Não é culpa dele se você não parar, olhar e escutar.

## O QUE VOCÊ PODE APRENDER COM O TÍTULO DO LIVRO

Há mais leitores que não prestam atenção aos sinais do que você imagina. Temos passado por essa experiência inúmeras vezes com nossos alunos. Nós lhes perguntamos: o livro é sobre o quê? Perguntamos, em termos gerais, que tipo de livro é aquele. É uma boa maneira – uma maneira quase indispensável, diríamos – para começar o debate sobre um livro. Apesar disso, é difícil obtermos qualquer tipo de resposta a essas perguntas.

Vejamos dois exemplos desse tipo de confusão. Em 1859, Darwin publicou um livro muito famoso. Um século mais tarde, o mundo inteiro celebrava a publicação desse livro. Ele foi discutido inúmeras vezes e sua influência pôde ser avaliada por comentaristas especializados e não especializados. O livro era sobre a teoria da evolução, e a palavra "espécies" estava no título. Qual era o título?

Provavelmente você pensou em *A Origem das Espécies* (*The Origin of Species*). Acertou. Mas talvez tivesse dito outra coisa. Talvez tivesse dito que o título era *A Origem da Espécie* (*The Origin of the Species*). Recentemente, perguntamos a 25 pessoas relativamente cultas qual é o título do livro de Darwin. Mais da metade respondeu *A Origem da Espécie* (*The Origin of the Species*). A razão para o erro é óbvia: a maioria nunca leu o livro e imagina que ele aborda o desenvolvimento da espécie humana. Na realidade, o livro tem pouco ou nada a ver com esse assunto. Darwin tratou da questão em outro livro chamado *A Descendência do Homem* (*The Descent of Man*). *A Origem das Espécies* versa sobre aquilo que o título indica – a proliferação no mundo natural de uma vasta quantidade de espécies de plantas e animais a partir de um número muito menor de espécies, graças sobretudo ao princípio da seleção natural. Mencionamos esse erro bastante comum porque muitos pensam que conhecem o título do livro, embora poucos efetivamente tenham lido o título com atenção e saibam o que significa.

Vejamos outro exemplo. Neste caso, não pediremos que você recorde um título, mas que pense em seu significado. Gibbon escreveu um famoso – e longo – livro sobre o Império Romano. Ele o chamou de *Declínio e Queda do Império Romano* (*The Decline and Fall of the Roman Empire*). Quase todos que tomam contato com o livro reconhecem o título de algum lugar; e muitos, mesmo sem o livro em mãos, já ouviram falar do título. Na realidade, a expressão "declínio e queda" já se tornou quase proverbial. No entanto, quando perguntamos às mesmas 25 pessoas por que o primeiro capítulo se chama "A Extensão e a Força Militar do Império na Era dos Antoninos" ("The Extent and Military Force of the Empire in the Age of the Antonines"), elas não tinham a menor ideia. Elas não perceberam que se o livro se chama *Declínio e Queda*, então a narrativa tinha de começar no ponto mais alto do Império Romano e prosseguir até seu fim. Inconscientemente, elas traduziram "declínio e queda" por "ascensão e queda". Ficaram surpresas ao descobrir que não havia relatos sobre a República Romana, que terminou um século e meio antes da Era dos Antoninos. Se tivessem lido o título com atenção, teriam associado a Era dos Antoninos com o ponto mais alto do Império, mesmo que não soubessem disso antes. Em outras palavras, a leitura do título poderia ter fornecido informações essenciais sobre o livro antes mesmo que começassem a lê-lo; mas falharam nessa tarefa, assim como a maioria das pessoas falha até mesmo quando lida com um livro totalmente desconhecido.

Uma das razões para as pessoas ignorarem os títulos e os prefácios é que elas não acham importante classificar o livro que estão lendo. Elas não cumprem a primeira regra da leitura analítica. Se a seguissem, seriam gratas ao autor por tê-las ajudado. Obviamente, o autor acha importante que o leitor saiba que tipo de livro está lendo. É por essa razão que o autor se dá ao trabalho de deixar isso claro no prefácio, além de normalmente intitular – ou subintitular – o livro de maneira descritiva. É por isso que Einstein e Infeld, no prefácio de seu *A Evolução da Física* (*The Evolution of Physics*), dizem esperar dos leitores que eles saibam que "um livro científico, mesmo que seja popular, não deve ser lido da mesma maneira que um romance". Eles também compuseram um índice analítico com o intuito de alertar os leitores quanto aos detalhes de sua investigação. De qualquer maneira, os cabeçalhos dos capítulos servem para amplificar o entendimento do título principal.

O leitor que ignorar tudo isso só poderá culpar a si próprio caso se sinta incapaz de responder à pergunta "Que tipo de livro é este?". A tendência é que fique cada vez mais perplexo. Se ele não conseguir responder à pergunta, se nunca perguntar isso a si próprio, será incapaz de responder às muitas outras perguntas que o livro lhe fará.

Embora seja algo importante, a leitura dos títulos não é tudo. Os melhores títulos do mundo, os melhores índices do mundo, nada disso lhe será útil na classificação do livro, a não ser que já tenha em mente os tipos gerais de classificação.

Você será incapaz de saber em que sentido os *Elementos de Geometria* de Euclides e os *Princípios de Psicologia* de William James são livros do mesmo tipo se não souber que psicologia e geometria são ciências – a propósito, se não souber que "elementos" e "princípios" significam praticamente a mesma coisa nos dois títulos (embora não em geral), você também não será capaz de distingui-los a não ser que saiba que são tipos diferentes de ciência. De maneira similar, no caso da *Política* de Aristóteles e da *Riqueza das Nações* de Adam Smith, você só será capaz de dizer o que há de semelhante e diferente entre esses livros se souber o que é um problema prático e que diferentes tipos de problemas práticos existem.

Os títulos às vezes ajudam no agrupamento dos livros. Todos conseguem perceber que os *Elementos* de Euclides, a *Geometria* de Descartes e os *Fundamentos de Geometria* de Hilbert são livros de matemática, mais ou menos relacionados entre si. Mas nem sempre a técnica funciona. Pode não ser tão fácil perceber, por exemplo, que *A Cidade de Deus* de Santo Agostinho, o *Leviatã* de Hobbes e *O Contrato Social* de Rousseau são tratados políticos, embora uma leitura cuidadosa dos títulos dos capítulos revele quais os problemas comuns abordados por eles.

Porém, agrupar livros do mesmo tipo ainda não é o bastante; cumprir a primeira regra exige que se saiba *de que tipo eles são*. O título não lhe dirá isso, nem mesmo as contracapas, e às vezes nem mesmo o livro inteiro: você deve dispor de antemão de algumas categoriais, para aplicá-las inteligentemente. Em outras palavras, essa regra tem de ser interpretada de modo mais inteligível caso decida cumpri-la com inteligência. Ela só ganhará em inteligibilidade se você for capaz de extrair distinções, criando assim categorias que façam sentido e resistam ao tempo.

Já mencionamos uma classificação rudimentar. A principal distinção, dissemos, era entre obras de ficção, por um lado, e obras que transmitem conhecimento, ou obras expositivas, por outro. Entre as obras expositivas, distinguimos história de filosofia, e ambas de ciência e de matemática.

Até aqui, tudo bem. Esse é um esquema classificatório razoavelmente claro e compreensível, e a maioria das pessoas não enfrentaria grandes dificuldades em classificar os livros na categoria certa – mas não todos os livros, em todas as categorias.

O problema é que, até aqui, não formulamos princípios de classificação. Abordaremos esses princípios à medida que avançarmos nossa discussão sobre os níveis superiores de leitura. Por ora, desejamos nos restringir à distinção mais básica, isto é, à distinção que se aplica a todas as obras expositivas, sem exceção. É a distinção entre obras teóricas e obras práticas.

## LIVROS PRÁTICOS *VERSUS* LIVROS TEÓRICOS

Todos usam as palavras "teórico" e "prático", mas nem todos sabem o que significam, muito menos o mais "prático" dos indivíduos, aquele que despreza todos os teóricos, especialmente se estão no governo. Para tais pessoas, "teórico"significa visionário ou até mesmo místico; "prático" significa algo que funciona, algo que dê retorno financeiro imediato. Há um fundo de verdade nisso. O prático realmente tem a ver com aquilo que funciona, no curto ou no longo prazo. O teórico ocupa-se com coisas a serem vistas ou entendidas. Se refinarmos ainda mais a verdade crua aqui exposta, chegaremos à distinção entre conhecimento e ação como os dois fins que um autor pode ter em mente.

Mas – você poderia redarguir – ao lidarmos com livros expositivos, não estaríamos lidando com livros que transmitem conhecimento? Onde entra a ação nessa história? A resposta, obviamente, é que toda ação inteligente depende de conhecimento. O conhecimento pode ser usado de muitas maneiras, não apenas para controlar a natureza e inventar máquinas ou instrumentos úteis, mas também para direcionar a conduta humana e regular as operações do homem em diversos campos e habilidades. O que temos em mente aqui é exemplificado pela distinção entre ciência pura e aplicada, ou, conforme às vezes se diz imprecisamente, entre ciência e tecnologia.

Alguns livros e professores interessam-se somente pelo conhecimento em si. Isso não quer dizer, no entanto, que eles neguem sua utilidade ou que insistam em que o conhecimento é bom *somente* como fim em si mesmo. Eles apenas limitam-se a um tipo de comunicação ou ensinamento, deixando o outro tipo a cargo de outras pessoas. Essas outras pessoas se interessam por problemas que estão além do conhecimento: elas ocupam-se com problemas da vida humana que o conhecimento pode ajudar a resolver. Elas também comunicam conhecimento, mas sempre enfatizando e buscando a sua aplicação.

Para tornar o conhecimento algo prático, temos de convertê-lo em regras de operação. Temos de passar do *qual a causa* para *o que fazer com isso se quisermos chegar a algum lugar*. Podemos resumir esse raciocínio na distinção entre conhecer *o que* e conhecer *como*. Livros teóricos ensinam *o que* é assim ou assado. Livros práticos ensinam *como* fazer algo que você quer fazer ou pensa que deveria fazer.

Este livro é prático, e não teórico. Todo guia é um livro prático. Todo livro que lhe diga o que *deveria* fazer ou *como* fazer é prático. Portanto, perceba que a classe dos livros práticos inclui todas as obras sobre artes a serem aprendidas, todos os manuais práticos de qualquer área, tais como engenharia ou medicina ou culinária, todos os livros sobre problemas econômicos, éticos ou políticos. Explicaremos mais tarde por que este último grupo de livros, mais apropriadamente chamado de "normativo", constitui uma categoria muito especial de livros práticos.

Provavelmente ninguém questionaria seriamente o fato de termos classificado os livros sobre artes a serem aprendidas e todos os manuais como "práticos". Mas o homem "prático" ao qual nos referimos poderia opor-se à noção de que um livro sobre ética, digamos, ou um livro sobre economia, seja prático. Ele poderia dizer que tais livros não são práticos porque não são verdadeiros ou porque não funcionam.

Na realidade, isso é irrelevante para a questão, embora um livro sobre economia que não seja verdadeiro seja um mau livro. Estritamente falando, toda obra sobre ética nos ensina como viver, diz o que devemos e não devemos fazer e frequentemente nos informa sobre as recompensas e os castigos associados a cada caso. Assim, concordemos ou não com suas conclusões, toda obra desse tipo é prática. (Alguns estudos sociológicos modernos relatam simplesmente os comportamentos dos homens, sem julgá-los. Esses livros não são nem éticos, nem práticos. São obras teóricas – obras científicas.)

O mesmo vale para os livros sobre economia. Exceto os estudos investigativos, matemáticos e estatísticos sobre comportamentos econômicos, que são mais teóricos do que práticos, tais livros normalmente nos ensinam como organizar nossa vida econômica, seja individualmente, seja em sociedade ou no Estado. Dizem-nos o que devemos e não devemos fazer, além de nos informarem sobre as penalidades envolvidas se não fizermos o que se deve fazer. Também neste caso poderíamos discordar do conteúdo dos livros, mas nossa discórdia não tornaria o livro teórico.

Immanuel Kant escreveu duas famosas obras filosóficas: *A Crítica da Razão Pura* e *A Crítica da Razão Prática*. A primeira trata sobre o que existe e como o conhecemos – bem como sobre o que pode e não pode ser conhecido. É um livro teórico por excelência. *A Crítica da Razão Prática* versa sobre como os homens devem conduzir-se e sobre o que constitui uma conduta reta e virtuosa. Esse livro enfatiza o dever como base de toda ação correta e tal ênfase poderia ser algo repulsivo a muitos leitores modernos, que poderiam dizer que aceitar o dever como um conceito ético útil é uma coisa "nada prática". O que eles querem dizer, obviamente, é que Kant está errado, em sua opinião, no que concerne à sua abordagem básica, mas isso não quer dizer que esse livro seja menos prático no sentido que adotamos aqui.

Exceto os manuais e tratados morais (em sentido amplo), outro tipo de livro prático deve ser mencionado. A oratória – discursos políticos ou exortações morais – por certo tenta lhe dizer o que você deveria fazer ou como deveria se sentir a respeito de algo. Qualquer pessoa que escreva de maneira prática sobre qualquer coisa busca não apenas aconselhar, mas também persuadir o leitor a seguir seu conselho. Assim, há sempre um elemento de oratória ou exortação em qualquer tratado moral. Esse elemento também está presente nos livros que buscam ensinar uma arte, como este que você tem em mãos. Assim, além de procurar ensiná-lo a ler melhor, nosso propósito também é persuadi-lo a se esforçar para isso.

Embora todo livro prático seja oratório e encorajador, disso não se segue que a oratória e a exortação sejam inseparáveis da prática. Há uma diferença entre um discurso político e um tratado sobre política, entre propaganda econômica e uma análise de problemas econômicos. O *Manifesto Comunista* é uma peça de oratória, mas O *Capital* de Marx é muito mais do que isso.

Às vezes, é possível detectar se um livro é prático já pelo título. Se o título contiver expressões como "a arte de" ou "como", você já identificará prontamente. Se o título apresentar nomes de áreas que você souber de antemão que são práticas, tais como ética ou política, engenharia ou negócios, e em muitos casos economia, direito ou medicina, então já se torna possível classificar o livro quase de imediato.

Os títulos podem revelar muito mais. John Locke escreveu dois livros com títulos parecidos: o *Ensaio sobre o Entendimento Humano* (*An Essay Concerning Human Understanding*) e o *Tratado sobre a Origem, a Duração e o Fim do Governo Civil* (*A Treatise Concerning the Origin, Extent, and End of Civil Government*, publicado no Brasil como *Tratado sobre o Governo Civil*). Qual deles é teórico, e qual é prático?

Somente pelos títulos, podemos concluir que o primeiro é teórico, pois qualquer análise sobre o entendimento seria teórica, e o segundo é prático, pois problemas governamentais são em si práticos. Mas poderíamos ir ainda mais longe. Poderíamos empregar as técnicas de leitura inspecional que aprendemos. Locke escreveu uma introdução ao livro sobre o entendimento. Nela, ele expressa sua intenção de investigar a "origem, a certeza e a extensão do conhecimento humano". Essa expressão assemelha-se ao título do livro sobre o governo, mas com uma diferença importante. Locke estava preocupado com a *certeza* ou *validade* do conhecimento em um caso, e com o *fim* ou propósito do governo em outro. Questões sobre a validade de algo são teóricas, ao passo que investigar o fim de algo, o propósito a que serve, é prático.

Quando descrevemos a arte da leitura inspecional, ensinamos que você não deveria se limitar a ler a capa e o índice. É preciso ler trechos do livro que lhe pareçam resumir a obra. Você também deve ler o começo e o fim do livro, bem como suas partes principais.

Isso se faz necessário quando é impossível classificar o livro com base no título e nas demais informações superficiais – como frequentemente ocorre. Nesse caso, você terá de se apegar a sinais que poderão ser encontrados ao longo do livro. Prestar atenção às palavras e lembrar-se das principais categorias deverá bastar para que você seja capaz de classificar o livro sem ler demais.

Um livro vai revelar sua natureza prática por meio de expressões como "deve" e "tem de", "bom" e "mau", "fins" e "meios". A frase característica de um livro prático é aquela que diz que algo deve ser feito, ou que este é o jeito certo de fazer algo, ou que isto é melhor do que aquilo como fim a ser buscado ou como meio a ser preferido. Em contrapartida, um livro teórico diz que algo "é", e não que "deve" ou "tem de". Ele tentará demonstrar que algo é verdadeiro, que tais e quais são os fatos, não que as coisas serão melhores se forem feitas desta ou daquela maneira.

Antes de voltarmos aos livros teóricos, é importante alertá-lo de que a questão não é tão fácil quanto dizer se o que estamos bebendo é café ou leite. O que estamos fazendo aqui é apenas sugerir alguns sinais por meio dos quais você poderá começar a discriminar os livros. Quanto mais entender do que está envolvido na distinção entre teoria e prática, mais você conseguirá fazer uso dos sinais.

Em primeiro lugar, você terá de aprender a desconfiar deles, isto é, terá de ser prudente na classificação dos livros. Comentamos há pouco que embora a economia seja um assunto primordialmente prático, há, contudo, livros sobre economia que são puramente teóricos. De maneira similar, embora o entendimento seja algo primordialmente teórico, há livros (a maioria deles péssima) que têm em vista ensinar-lhe a pensar. Além disso, você vai deparar com autores que não sabem a diferença entre teoria e prática, assim como há romancistas que não sabem a diferença entre ficção e sociologia. Você encontrará livros que são parte uma coisa, parte outra, como a *Ética* de Espinosa. Contudo, mesmo assim você terá o desafio de detectar de que maneira o autor aborda o assunto.

## TIPOS DE LIVROS TEÓRICOS

A subdivisão tradicional de livros teóricos os classifica em história, ciência e filosofia. Todo mundo, bem ou mal, sabe a diferença. É só quando você tenta refinar o óbvio e conferir precisão às distinções, é que as dificuldades aparecem. Por enquanto, buscaremos contornar esse perigo, deixando que as aproximações deem conta do recado.

No caso dos livros de história, o título normalmente já se denuncia. Se a palavra "história" não constar do título, é provável que o resto da capa traga algum detalhe anunciando que o livro é sobre algo que aconteceu no passado – não necessariamente em um passado remoto, obviamente, pois pode ser algo que aconteceu ontem mesmo. A essência da história é a narração. A história é o conhecimento de eventos ou coisas particulares que não apenas existiram no passado, mas sofreram uma série de mudanças ao longo do tempo. O historiador narra esses acontecimentos e frequentemente acrescenta à sua narrativa comentários ou pontos de vista sobre a importância dos eventos.

A história é cronotópica. *Chronos* é tempo em grego, e *topos* é lugar. A história sempre lida com coisas que existiram ou eventos que aconteceram em um tempo e em um lugar específicos. A palavra "cronotópica" ajudará a lembrar esse fato.

A ciência não se ocupa do passado como tal. Ela lida com situações que podem ocorrer a *qualquer* tempo e em *qualquer* lugar. O cientista busca por leis ou generalizações. Seu objetivo é descobrir como as coisas acontecem, no todo ou em parte, e não descobrir, como o historiador, como eventos específicos aconteceram num dado tempo e em dado lugar no passado.

O título de uma obra científica não é tão evidente quanto o de um livro de história. A palavra "ciência" às vezes aparece, mas o mais comum é aparecer o nome de algum assunto científico, como "psicologia", "geologia" ou "física". A seguir, devemos saber se o assunto pertence ao campo do cientista, como a geologia, ou do filósofo, como a metafísica. O problema é que há casos não tão óbvios, tais como física e psicologia, que têm sido reivindicados tanto por cientistas quanto por filósofos. Mesmo as palavras "filosofia" e "ciência" são duvidosas, pois são usadas das mais variadas maneiras. Aristóteles dizia que sua *Física* era um tratado científico, embora atualmente ela seja classificada como obra filosófica, ao passo que Newton intitulou sua obra-prima como *Princípios matemáticos de filosofia natural*, embora hoje em dia considere-se essa obra como científica.

A filosofia é semelhante à ciência e distinta da história no sentido de que busca verdades gerais em vez de relatos de eventos específicos, seja no passado recente, seja no remoto. Mas o filósofo não faz as mesmas perguntas de um cientista, nem emprega o mesmo tipo de método para respondê-las.

Uma vez que títulos e nomes de assuntos não nos ajudam a determinar se um livro é de filosofia ou de ciências, o que nos ajudará? Acreditamos haver um critério que sempre funciona, embora seja necessário ler vários trechos do livro antes de aplicá-lo. Se um livro teórico enfatizar aspectos que estão fora do escopo de sua experiência diária, então provavelmente se trata de um livro científico. Caso contrário, deve ser um livro de filosofia.

Essa distinção às vezes pode surpreender. Vamos ilustrá-la melhor. (Lembre-se de que esse critério vale apenas para livros científicos ou filosóficos, mas nunca para livros que não são nem uma coisa nem outra.) As *Duas Novas Ciências* de Galileu exigem que você imagine, ou reproduza em laboratório, certas experiências com planos inclinados. A *Óptica* de Newton cita experiências em quartos escuros com prismas, espelhos e, sobretudo, com raios de luz controlados. Tais experiências talvez não tivessem sido reproduzidas por ele em laboratório. Os fatos que Darwin relatou na *Origem das Espécies* foram observados por ele no decurso de muitos anos de experiências em campo. São fatos que podem ser (e foram) verificados por outros observadores em condições semelhantes. No entanto, não são fatos que possam ser verificados por pessoas comuns em seu dia a dia.

As obras tipicamente filosóficas não apelam, entretanto, para fatos ou observações que se situam fora do escopo experimental de um homem comum. O filósofo apela apenas para as experiências comuns e normais dos homens, a fim de corroborar ou apoiar o que quer que o autor tenha a dizer. Dessa maneira, o *Ensaio sobre o Entendimento Humano*, de Locke, é uma obra filosófica de psicologia, ao passo que muitas das obras de Freud são científicas. Os argumentos de Locke são sempre respaldados pelas experiências mentais que todos nós somos capazes de reproduzir. Freud argumenta respaldado apenas nas observações clínicas de seu consultório de psicanálise.

Outro grande psicólogo, William James, adotou uma postura intermediária. Ele relata diversos exemplos com base em experiências específicas que somente um observador treinado poderia obter, mas frequentemente convida o leitor a julgar, com base em seu próprio bom-senso, se o que diz é verdadeiro ou não. Portanto, o livro *Princípios de Psicologia* de James é uma obra tanto científica quanto filosófica, embora seja primordialmente científica.

A distinção aqui proposta baseia-se no senso popular, dado que a ciência é tipicamente vista como algo que depende de experimentos e observações em laboratório, ao passo que a filosofia é considerada uma atividade puramente mental. O contraste não deve ser visto como algo ruim. Certos problemas, muitos dos quais importantíssimos, podem ser resolvidos pela via puramente mental por aqueles que são capazes de pensar neles à luz da experiência humana comum. Mas há outros problemas que nem toda a atividade mental do mundo seria capaz de resolver. Para resolvê-los, é necessária uma dose de investigação – experiências em laboratório ou pesquisas de campo – que amplie o escopo da mera experiência comum e rotineira. É necessária alguma experiência especial.

Isso não quer dizer que o filósofo é um ser puramente pensante e o cientista um ser puramente observador. Ambos têm de observar e pensar, mas eles pensam sobre tipos muito diferentes de observações. E embora ambos possam chegar às conclusões que originalmente tentavam provar, atuam de maneiras diferentes: o cientista aponta os resultados de suas experiências específicas, ao passo que o filósofo aponta as experiências que são comuns a todos.

Essa diferença metodológica sempre emerge nos livros filosóficos e científicos, e é dessa maneira que você será capaz de dizer que tipo de livro está lendo. Se prestar atenção no tipo de experiência a que o autor está se referindo, você saberá se o livro é científico ou filosófico.

É importante notar esse detalhe, pois, além de diferirem nas suas experiências, cientistas e filósofos não pensam exatamente da mesma maneira. Seus estilos de argumentação são diferentes. Você tem de ser capaz de encontrar os termos e proposições – estamos nos adiantando um pouco no assunto – que constituem as diferenças argumentativas.

O mesmo vale para a história. As afirmações históricas são diferentes das científicas e filosóficas. Um historiador argumenta e interpreta fatos de maneira diferente. Além disso, os livros de história são tipicamente narrativos. Uma narrativa é uma narrativa, não importa se é fato ou ficção. O historiador deve escrever poeticamente, ou seja, deve obedecer às regras para contar uma boa história. A despeito de suas virtudes, nem o *Ensaio sobre o Entendimento Humano* de Locke nem os *Princípios* de Newton são boas histórias.

A esta altura, talvez você esteja se perguntando se não estamos exagerando nesse assunto de classificação de livros, pelo menos até que os leiamos efetivamente. Será que essa questão é realmente tão importante?

Só conseguiremos responder a essa indagação de maneira satisfatória chamando sua atenção para um fato óbvio. Se você entrasse em uma sala durante a aula, provavelmente conseguiria dizer, em pouco tempo, se aquela aula era de história, ciências ou filosofia. Você conseguiria colher indícios suficientes com base nos tipos de palavras usadas, no tipo de argumentação, nos problemas propostos e nos tipos de respostas esperados dos alunos. Isso seria o bastante para que você identificasse a qual departamento aquele professor pertence. Ademais, descobrir essa informação lhe seria muito útil, caso você se decidisse a escutá-lo de maneira inteligente e atenta.

Em suma, há diferentes métodos para ensinar diferentes assuntos. Todo professor sabe disso. Exatamente por causa das diferenças de métodos e assuntos, os filósofos preferem alunos que não foram previamente ensinados por outros professores, ao passo que os cientistas preferem alunos já previamente ensinados por outros professores. E assim por diante.

Ora, assim como há diferenças na arte de ensinar em diferentes campos de conhecimento, também há diferenças na arte de ser ensinado. A atitude do aluno deve ser responsiva em relação à atitude do instrutor. A relação entre livros e leitores é semelhante à relação entre professores e alunos. Por conseguinte, assim como livros são diferentes em relação aos tipos de conhecimento que comunicam, eles nos instruem de maneiras diferentes; e, se estamos dispostos a segui-los, temos de aprender a ler cada tipo apropriadamente.

# 7. COMO RADIOGRAFAR O LIVRO

Todo livro tem um esqueleto por trás da capa. A tarefa do leitor analítico é encontrá-lo.

Um livro sempre chegará às suas mãos com a carne cobrindo os ossos e com roupas por sobre a carne. Ele vem todo vestido. Você não vai ter de despi-lo ou arrancar sua pele para captar a estrutura rígida que está por trás da superfície, mas terá de ler o livro com visão de raios X, pois entender a estrutura é parte essencial na apreensão de qualquer livro.

O reconhecimento da necessidade de enxergar a estrutura de um livro implica a descoberta da segunda e da terceira regras para a leitura de qualquer livro. Nós dissemos "qualquer livro". Essas regras aplicam-se à poesia tanto quanto às ciências e a qualquer tipo de obra expositiva. Sua aplicação será obviamente diferente, de acordo com o tipo de livro em questão. A unidade de um romance não é igual à unidade de um tratado sobre política; nem suas partes são do mesmo tipo, ou ordenadas da mesma maneira. Mas todo livro que valha a pena ser lido, sem exceção, possui uma unidade e uma organização de suas partes. Um livro que não as possuísse seria uma verdadeira bagunça. Seria ilegível, como são em geral os livros ruins.

Enunciaremos essas duas regras da maneira mais simples possível. A seguir, iremos explicá-las e ilustrá-las.

A segunda regra da leitura analítica é expressa desta forma:

REGRA 2. EXPRESSE A UNIDADE DO LIVRO EM UMA ÚNICA FRASE, OU NO MÁXIMO EM ALGUMAS POUCAS FRASES (UM PARÁGRAFO CURTO).

Isso significa que você tem de responder, tão brevemente quanto possível, a esta pergunta: "O livro, como um todo, é sobre o quê?". Dizer "sobre o quê" não equivale a dizer qual o tipo de livro em questão. (Já lidamos com isso na Regra 1.) Talvez a palavra "sobre" seja um pouco confusa. Por um lado, um livro é *sobre* determinado assunto. Se você sabe o assunto, então sabe de que *tipo* de livro se trata. Mas, por outro lado, a palavra "sobre" admite um sentido mais coloquial, no sentido de descobrir o *tema* ou *ponto* principal de um livro.

Um livro é uma obra de arte. (Novamente, queremos alertá-lo contra uma visão muito estreita da palavra "arte". Com "arte", não queremos dizer somente "belas-artes". Um livro é o produto de alguém que tem certa habilidade em fazê-lo. Ele é um fazedor de livros, que fez este ou aquele livro para nosso proveito.) Na medida em que é bom, seja um livro, seja outra obra de arte, ele possuirá uma unidade mais perfeita, mais profunda. Isso vale para músicas e pinturas, para romances e peças teatrais; também vale para livros que transmitem conhecimento.

Não basta, porém, reconhecermos esse fato de maneira vaga. É preciso apreender a unidade de maneira definitiva. Há apenas uma maneira de descobrir se você saiu-se bem: tem de ser capaz de dizer a si mesmo, ou a outras pessoas, qual é a unidade do livro, e em poucas palavras. (Se forem necessárias muitas palavras, você não captou a unidade, mas uma multiplicidade.) Não se satisfaça com um mero "sentimento de unidade" que não consegue expressar. O leitor que diz "Eu sei do que se trata, só não consigo dizê-lo", provavelmente não consegue enganar nem a si próprio.

A terceira regra pode ser enunciada desta forma:

REGRA 3. EXPONHA AS PARTES PRINCIPAIS DO LIVRO E MOSTRE COMO ELAS ESTÃO ORDENADAS EM RELAÇÃO AO TODO, ORDENANDO-AS UMAS ÀS OUTRAS E À UNIDADE DO TODO.

A razão dessa regra é óbvia. Se uma obra de arte fosse absolutamente simples, ela não teria partes, é claro. Mas nunca é assim. Nenhum ente sensível, físico, é absolutamente simples, assim como nenhuma obra humana. Todas são unidades complexas. Você não apreende uma unidade complexa apenas sabendo *que ela é única*. Você também tem de saber *como ela é múltipla*, mas não uma multiplicidade que consiste numa série de coisas separadas, e sim uma multiplicidade organizada. Se as partes não forem organicamente relacionadas, o todo que elas compõem não será uno. Estritamente falando, não haverá todo algum, mas uma mera coleção.

Há uma diferença enorme entre uma pilha de tijolos e uma casa. Há uma diferença entre uma única casa e um conjunto de casas. Um livro é como uma casa. É como se fosse uma mansão composta de muitos cômodos, distribuídos por vários andares e de diferentes tamanhos, formatos, aparências e utilidades. Os cômodos são relativamente independentes. Cada um possui sua própria estrutura e sua própria decoração. Mas eles não chegam a ser absolutamente independentes e separados. Eles se conectam por portas, arcadas, corredores e escadas, ou seja, por aquilo que os arquitetos chamam de "elementos de circulação". Dado que estão todos interconectados, a função parcial de cada cômodo contribui para a função da mansão como um todo. Se não fosse assim, a casa seria inabitável.

A analogia é quase perfeita. Um bom livro, assim como uma boa casa, é um arranjo organizado de partes. Cada grande parte possui sua cota de independência. Conforme veremos mais adiante, cada parte também pode possuir uma estrutura interna que lhe seja própria e pode ser decorada de maneira muito diferente das demais. No entanto, cada parte tem de ser conectada às demais – tem de guardar certa relação funcional com elas – pois, do contrário, tal parte não poderia contribuir para o todo com sua cota de inteligibilidade.

Assim como as casas são mais ou menos habitáveis, assim também os livros são mais ou menos legíveis. Quanto mais legível um livro, tanto mais feliz terá sido o autor em seu planejamento arquitetônico. Os melhores livros são aqueles que possuem a melhor e mais inteligente estrutura interna. Embora sejam mais complexos que os livros ruins, sua complexidade também lhes confere certa simplicidade, já que suas partes estão mais bem organizadas e unificadas.

É por essa e por outras razões que os melhores livros são também os mais legíveis. Obras inferiores são também tediosas, difíceis de ler. No entanto, mesmo assim, é preciso que nos esforcemos em encontrar nelas uma estrutura, uma planta. É verdade que o autor poderia ter deixado a planta mais visível, mais evidente. Porém, se suas partes estão ali, juntas, e se elas formam uma unidade complexa e não apenas um amontoado de partes desconexas, então é porque há ali uma planta, uma estrutura, e você tem de encontrá-la.

# TRAMAS E COMPLÔS:
# COMO EXPRESSAR A UNIDADE DE UM LIVRO

Vamos retornar à segunda regra, a qual exige que você expresse a unidade do livro. Algumas comparações serão úteis para que você entenda e coloque em prática essa regra.

Comecemos com uma história famosa. Você provavelmente leu a *Odisseia*, de Homero, na escola. Se não leu, provavelmente deve saber que se trata da história de Odisseus (ou Ulisses, como os romanos o chamavam), o homem que levou dez anos para retornar do cerco de Troia e encontrou sua fiel esposa Penélope assediada por pretendentes. Homero conta essa história de maneira elaborada, cheia de excitantes aventuras em terra e mar, repleta de episódios dos mais variados tipos e com uma trama um tanto conturbada. Porém, há nela uma unidade singular de ação, uma trama principal que "amarra" toda a obra.

Aristóteles, em sua *Poética*, insiste em que essa é precisamente a marca de *todo* conto, romance ou peça teatral de qualidade. No intuito de defender seu argumento, Aristóteles mostra como a unidade da *Odisseia* pode ser resumida em poucas frases.

> Um homem solitário vagueia, durante anos, em terras estrangeiras; ele é vigiado pelo ciumento Possêidon, que o impede de voltar, e fica desolado. Em casa, os pretendentes de sua esposa lhe devoram os bens e ameaçam a vida de seu filho. Quando, finalmente, consegue regressar, ele revela a alguns sua identidade, ataca e destrói os inimigos com as próprias mãos e salva-se.[1]

"Eis a parte essencial", diz Aristóteles; "tudo o mais são episódios".

Depois que tomar conhecimento da trama e, por meio dela, da unidade da narrativa, você conseguirá alocar as partes em seus devidos lugares. Talvez queira fazer alguns exercícios desse tipo com os romances que já leu.

[1] Trecho do parágrafo 104, parte XVII, da *Poética* de Aristóteles. (N. T.)

Tente com os melhores, tais como *Tom Jones*, de Fielding, ou *Crime e Castigo*, de Dostoiévski, ou mesmo a moderna *Ulisses*, de Joyce. A trama de *Tom Jones*, por exemplo, pode ser reduzida à velha fórmula: garoto conhece garota, garoto perde garota, garoto recupera garota. Tal é, na verdade, a trama de todo romance. Reconhecer esse fato significa reconhecer que há poucas tramas no mundo. A diferença entre as histórias boas e ruins que possuem essencialmente a mesma trama é o que os autores fazem com ela, como eles revestem os ossos.

Nem sempre você terá de descobrir sozinho a unidade do livro. Frequentemente o autor ajudará. Às vezes, o título já diz tudo. No século XVIII, os escritores tinham o hábito de elaborar títulos longos, de maneira que o leitor já captava a unidade do livro em sua leitura. Eis, por exemplo, um título de Jeremy Collier, bispo inglês que atacava o que ele chamava de obscenidades – diríamos hoje "pornografia" – dos dramas da Restauração de maneira muito mais culta do que faríamos hoje: *Breve Panorama da Imoralidade e do Palavreado do Teatro Inglês, com a Opinião da Antiguidade sobre esse Argumento*. Só de ler o título, já conseguimos inferir que Collier reúne vários flagrantes de abuso moral e defende seus protestos citando textos de autores antigos que, a exemplo de Platão, diziam que o palco corrompe a juventude, ou, a exemplo dos Padres da Igreja, que as peças de teatro são seduções da carne e do diabo.

Às vezes, o autor expressa a unidade da obra no prefácio. Nesse aspecto, as obras expositivas são radicalmente diferentes das obras de ficção. Um escritor científico ou filosófico não tem por que fazer suspense. Na realidade, quanto menos suspense se fizer, tanto mais provavelmente você continuará se esforçando na leitura. A exemplo de um artigo de jornal, um livro expositivo pode muito bem resumir-se logo no primeiro parágrafo.

Não seja orgulhoso a ponto de rejeitar a ajuda do autor caso ele a ofereça, mas também não confie cegamente no que ele diz no prefácio. Os melhores planos autorais sempre apresentam falhas. Sinta-se livre para seguir o prospecto do autor, mas lembre-se de que é sua obrigação encontrar a unidade do livro, assim como é obrigação ao autor criar tal unidade. Somente depois de ler todo o livro é que você poderá cumprir essa obrigação.

O parágrafo introdutório da história de Heródoto sobre a guerra entre gregos e persas dá uma excelente ideia de como deve ser o resumo estrutural de um livro.

> Estas são as pesquisas de Heródoto de Halicarnasso, as quais ele publica na esperança de preservar do esquecimento o que os homens fizeram e de assegurar que as ações grandiosas e maravilhosas dos gregos e dos bárbaros recebam sua devida glória; e de, ainda, registrar quais eram seus respectivos territórios.

Eis um belo começo para você, leitor. Aqui está, de maneira sucinta, a que veio o livro.

No entanto, não se contente só com isso. Depois de ler as nove partes da história de Heródoto, você provavelmente vai se sentir tentado a expandir esse resumo, buscando fazer justiça à obra. Talvez você queira mencionar os reis persas – Ciro, Dário e Xerxes – e os heróis gregos da guerra – principalmente Temístocles –, bem como os principais acontecimentos – a travessia do Helesponto e as batalhas mais importantes, a saber, a das Termópilas e a de Salamina.

Os demais detalhes, por mais fascinantes que sejam, poderão ser deixados de lado. Observe que a unidade de uma história é um filamento singular da trama, exatamente como nas ficções. Em termos de unidade, essa regra se aplica igualmente à história e às ficções.

Mais algumas ilustrações serão úteis. Vejamos um livro mais prático. A unidade da *Ética* de Aristóteles pode ser enunciada desta forma:

> Trata-se de uma investigação sobre a natureza da felicidade humana e uma análise das condições sob as quais a felicidade pode ser adquirida ou perdida, deixando claro o que os homens devem fazer e pensar para se tornarem felizes ou evitarem a infelicidade. A ênfase principal está no cultivo das virtudes, tanto morais quanto intelectuais, embora outros bens também sejam reconhecidos como necessários à felicidade, tais como riqueza, saúde, amizade e uma sociedade justa onde viver.

*A Riqueza das Nações*, de Adam Smith, também é um livro prático. Nele, o leitor é levado pelo autor a delinear o "plano da obra" desde o início. A unidade do livro pode ser brevemente expressa desta forma:

> Esta é uma investigação sobre a fonte da riqueza nacional em qualquer economia que seja erigida sobre as bases da divisão do trabalho, levando-se em conta as relações entre os salários pagos, os lucros adquiridos a partir do capital e a renda obtida pelo proprietário como fatores primários na composição dos preços das mercadorias. A obra também discute as várias maneiras nas quais o capital pode ser empregado com vistas a ganhar de maneira mais ou menos eficiente, e estabelece uma relação entre, por um lado, a origem e o uso da moeda, e, por outro lado, a acumulação e o emprego do capital. Examinando o desenvolvimento da opulência em diversas nações e sob diferentes condições, a obra compara vários sistemas de economia política e defende a benevolência intrínseca do livre comércio.

Se um leitor for capaz de captar a unidade de *A Riqueza das Nações* de maneira semelhante à descrita aqui e conseguir fazer o mesmo com *O Capital*, de Karl Marx, então estará a um passo de estabelecer uma relação entre dois dos mais influentes livros dos últimos dois séculos.

*A Origem das Espécies*, de Darwin, é um bom exemplo de unidade de um livro científico teórico. Eis a sua síntese:

> Trata-se de um relato sobre a mutação dos seres vivos no decurso de inúmeras gerações e sobre a maneira pela qual tal mutação resulta em novos grupos de plantas e animais; o relato versa sobre a mutação de animais domésticos e sobre a mutação sob condições naturais, mostrando como fatores como a luta pela existência e a seleção natural operam para engendrar e sustentar tais grupos; o relato também defende a ideia de que as espécies não são grupos fixos e imutáveis, mas meras variedades em transição de um *status* menos marcante e permanente para um *status* mais marcante e permanente, fazendo uso de evidências de animais ex-

tintos encontrados na crosta terrestre, bem como da embriologia e da anatomia comparadas.

Pode parecer um resumo eloquente, mas aos leitores do século XIX o livro pareceu ainda mais eloquente, talvez porque não tenham se dado ao trabalho de descobrir do que ele realmente tratava.

Por fim, tomemos o *Ensaio sobre o Entendimento Humano* de Locke como exemplo de livro teórico em filosofia. Você deve lembrar que o próprio Locke resumia seu livro dizendo tratar-se de "uma investigação sobre a origem, a certeza e a extensão do conhecimento humano, bem como sobre os graus de crença, opinião e certeza humanas". Não vamos aqui oferecer uma alternativa a tão belo resumo de plano de obra, apenas adicionar duas qualificações que farão justiça à primeira e à terceira partes do ensaio: ele mostra que não existem ideias inatas, mas que todo conhecimento humano é adquirido a partir da experiência; além disso, a linguagem será discutida como meio de expressão do pensamento e seus usos e abusos serão apontados.

Há dois aspectos que, antes de prosseguirmos, merecem sua atenção. O primeiro é que frequentemente o autor, especialmente um bom autor, o ajudará a expressar o plano da obra. A despeito desse fato, a maioria dos leitores sente-se totalmente perdida se lhes pedirmos que descrevam brevemente o livro como um todo. Acreditamos que parte dessa dificuldade origina-se na falta de habilidade dos leitores em expressar-se concisamente. Outra parte se deve ao seu desprezo por essa regra de leitura. Mas isso também deixa claro que muitos leitores simplesmente não prestam atenção às frases introdutórias do autor, assim como, em geral, também não prestam atenção ao título.

O segundo aspecto é um aviso. Não tome os exemplos de resumo que demos aqui como se fossem formas absolutas e bem acabadas das unidades dos livros. Uma unidade pode ser expressa de muitas maneiras. Não há uma maneira única e certa de fazer isso. Uma frase é melhor que outra, obviamente, isso em termos de brevidade, precisão e abrangência. Mas frases bem diferentes podem ser igualmente boas, ou igualmente ruins.

Expressamos a unidade desses livros de maneiras bem diferentes daquelas utilizadas pelos próprios autores, e sem pedir-lhes desculpas. Ora, as suas unidades também poderão ser diferentes das nossas. Afinal, um livro é diferente para cada leitor. Não será nada surpreendente se essa diferença se expressar na maneira como o leitor sintetiza sua unidade. Isso não quer dizer, é claro, que qualquer coisa serve. Embora os leitores sejam diferentes entre si, o livro é o mesmo e sempre há pontos cruciais e objetivos cuja menção não pode ficar de fora de uma síntese expressa com precisão e fidelidade.

## DOMINANDO A MULTIPLICIDADE: A ARTE DE DELINEAR UM LIVRO

Vamos nos voltar agora à outra regra estrutural, aquela que exige a exposição das principais partes do livro em sua devida ordem e relação. Essa terceira regra está intimamente relacionada à segunda. Uma unidade bem expressa contém em si as principais partes que compõem o todo; você não será capaz de compreender o todo sem ver suas partes. Mas também é verdade que, sem ter uma boa ideia da organização de suas partes, você não será capaz de conhecer o todo com a devida abrangência.

Por que, então, há duas regras e não apenas uma? Em primeiro lugar, é uma questão de conveniência. É mais fácil captar uma estrutura complexa e unificada em dois passos do que apenas em um. A segunda regra dirige sua atenção para a unidade, ao passo que a terceira focaliza a complexidade. Mas há ainda outra razão para a existência das duas regras em vez de uma. As principais partes de um livro podem ser vislumbradas no momento em que se capta sua unidade. Mas essas partes, em si, são suficientemente complexas a ponto de terem elas mesmas sua própria estrutura interna. Por conseguinte, a terceira regra implica muito mais que uma mera enumeração de suas partes. Ela sugere que devemos delineá-las, ou seja, tratar as partes do livro como se fossem "todos" subordinados, cada um contendo sua própria unidade e complexidade.

Há uma fórmula geral para se trabalhar com essa terceira regra. Ela o guiará, em linhas gerais. De acordo com a segunda regra, tínhamos de dizer: O livro como um todo é sobre isto e aquilo. Feito isso, podemos cumprir a terceira regra dizendo assim: (1) O autor cumpre esse plano em cinco partes; a primeira parte é sobre isto, a segunda sobre aquilo, a terceira sobre aquilo outro, a quarta sobre outra coisa e a quinta sobre ainda outra coisa diferente; (2) A primeira dessas partes é dividida em três seções; a primeira considera X, a segunda Y e a terceira Z; (3) Na primeira seção da primeira parte, o autor expressa quatro pontos; o primeiro é A, o segundo é B, o terceiro é C e o quarto é D. E assim por diante.

Talvez você não goste desse delineamento. Levaria uma vida inteira para ler um livro desse jeito, mas lembre-se de que essa é apenas uma fórmula. A regra sugere uma quantidade interminável de trabalho. Na realidade, o bom leitor cumpre habitualmente essa regra e, portanto, de maneira fácil e natural. Ele não precisa escrever tudo. Ele nem mesmo precisará, no momento da leitura, explicitar tudo verbalmente, mas se ele for chamado a explicar a estrutura do livro, fará algo que se aproximará dessa fórmula.

A palavra "aproximação" deve aliviar um pouco a sua ansiedade. Uma boa regra sempre descreve o desempenho ideal, mas uma pessoa pode muito bem ter talento em determinada arte sem ser um artista ideal. Ela pode ser um bom praticante, caso apenas se aproxime da regra. A regra expressa um ideal. Você deve se sentir satisfeito mesmo que apenas se aproxime do que é exigido.

Mesmo quando estiver mais experiente, você certamente não vai querer ler todo livro com o mesmo grau de esforço – concluirá que não vale a pena investir toda a sua destreza em alguns livros. Mesmo os melhores leitores buscam se aproximar das exigências dessa regra quando se trata de alguns poucos livros. Na maioria deles, basta uma ideia geral da estrutura do livro. O grau de proximidade varia conforme o perfil do livro e a razão em lê-lo. A despeito dessa variabilidade, a regra continua a mesma. Você terá de aprender a cumpri-la, mesmo que seja apenas vagamente.

É preciso entender que o cumprimento dessa regra não se limita apenas a questões de tempo e esforço. Você é uma criatura finita e mortal; o livro também é finito e, se não é mortal, é certamente falho na medida em que os homens são falhos. Nenhum livro merece um delineamento perfeito porque nenhum livro é perfeito. Você só pode ir até onde ele vai. Afinal, essa regra não exige que você acrescente coisas ao livro que o próprio autor não incluiu previamente. O delineamento é do livro em si, e não do assunto tratado por ele. Talvez o delineamento de um assunto pudesse se estender indefinidamente, mas não o seu delineamento do livro em questão, o qual dá ao assunto apenas um tratamento mais ou menos definitivo. Por isso, você não deve se sentir encorajado a ser displicente com essa regra. Você não conseguiria fazer um delineamento perfeito, mesmo que quisesse.

O aspecto amedrontador da fórmula para se ordenarem e inter-relacionarem as partes principais de um livro pode ser atenuado por alguns exemplos da regra. Infelizmente, é muito mais difícil exemplificar essa regra do que exemplificar a regra anterior, sobre a unidade do livro. Afinal, uma unidade pode ser expressa em uma ou duas frases, ou um parágrafo, na pior das hipóteses. Mas no caso de um livro longo e complexo, um delineamento cuidadoso e adequado das partes, e das partes das partes, e das partes das partes das partes, até a unidade estrutural minimamente detectável, ocuparia muitas e muitas páginas.

Teoricamente, o delineamento pode se tornar maior que a obra original. Os grandes comentários medievais sobre a obra de Aristóteles *são* mais extensos que a obra em si. Eles abarcam, obviamente, muito mais do que simples comentários, pois pretendem interpretar o autor frase por frase. O mesmo vale para alguns comentários modernos, tais como os grandes comentários sobre *A Crítica da Razão Pura*, de Kant. Uma edição comentada de uma peça de Shakespeare, que também inclua um delineamento exaustivo, é aproximadamente dez vezes maior que a obra original. Procure alguns comentários desse tipo para saber até onde a perfeição pode chegar. Tomás de Aquino, por exemplo, inicia cada seção de seu comentário com um belo delineamento das ideias de Aristóteles sobre aquele trecho e sempre deixa claro de que maneira aquela parte se encaixa na estrutura do todo, especialmente em relação às partes imediatamente anteriores e posteriores.

Consideremos algo mais fácil do que um tratado de Aristóteles, provavelmente o mais compacto dos escritores em prosa; é de esperar que os delineamentos de suas obras sejam maiores e mais complexos que as próprias obras.

Vamos combinar, desde já, que não iremos nos esforçar em chegar a tal perfeccionismo, uma vez que não temos muitas páginas disponíveis para isso.

A Constituição dos Estados Unidos, por exemplo, é um documento interessante e, além de prática, é muito bem organizada. Se você a examinar, não sentirá grande dificuldade em encontrar suas partes principais. Elas vêm explicitamente indicadas, embora mesmo assim você tenha de se esforçar um pouco para criar as divisões principais. Eis uma sugestão de delineamento:

PRIMEIRO: O preâmbulo, que apresenta o(s) propósito(s) da Constituição;

SEGUNDO: O primeiro Artigo, que versa sobre o departamento legislativo do governo;

TERCEIRO: O segundo Artigo, que versa sobre o departamento executivo do governo;

QUARTO: O terceiro Artigo, que versa sobre o departamento judiciário do governo;

QUINTO: O quarto Artigo, que versa sobre a relação entre os governos estaduais e o governo federal;

SEXTO: O quinto, o sexto e o sétimo Artigos, que versam sobre as emendas à Constituição, seu *status* como lei suprema do país e provisões para suas ratificações;

SÉTIMO: As primeiras dez emendas, que constituem a *Bill of Rights* (Carta de Direitos);

OITAVO: As demais emendas, até os dias de hoje.

Essas são as divisões principais. Vamos agora delinear uma delas, a *Segunda*, que abarca o primeiro Artigo da Constituição. A exemplo dos demais Artigos, ele divide-se em Seções. Eis uma sugestão de delineamento:

II, 1: Seção 1, estabelece os poderes legislativos em um Congresso dos Estados Unidos, divididos em duas casas, um Senado e uma Câmara dos Representantes;

II, 2: Seções 2 e 3, respectivamente, descrevem a composição da Câmara e do Senado, fornecendo as qualificações de seus membros. Além disso, afirma que a Câmara tem o direito exclusivo de indiciar os crimes de responsabilidade (*impeachments*), enquanto o Senado tem o direito exclusivo de propor esses crimes de responsabilidade (*impeachments*);

II, 3: Seções 4 e 5, versam sobre a eleição dos membros das duas casas do Congresso e sobre a organização e os assuntos internos de cada uma;

II, 4: Seção 6, estabelece os pré-requisitos e emolumentos dos membros das duas casas, e estabelece limites para a nomeação de cargos públicos;

II, 5: Seção 7, define a relação entre os departamentos legislativo e executivo do governo e descreve o poder de veto do presidente;

II, 6: Seção 8, estabelece os poderes do Congresso;

II, 7: Seção 9, estabelece alguns limites para o exercício dos poderes mencionados na Seção 8;

II, 8: Seção 10, estabelece limites para os poderes dos estados e a medida em que devem delegar determinados poderes ao Congresso.

Poderíamos continuar delineando todas as demais divisões e, finda esta tarefa, delinear por sua vez as Seções. Algumas delas, como a Seção 8 do Artigo I, requer a identificação de vários tópicos e subtópicos.

Obviamente, esta é apenas uma das maneiras de cumprir a tarefa. Há muitas outras. Os primeiros três Artigos poderiam ter sido agrupados em uma divisão principal, por exemplo; ou, em vez de duas divisões sobre as emendas, algumas divisões adicionais poderiam ter sido introduzidas, agrupando as emendas de acordo com os problemas abordados. Sugerimos que você tente dividir a Constituição em suas partes principais. Tente ir ainda mais longe e estabeleça as partes das partes também. Talvez você já tenha lido a Constituição, mas, se nunca aplicou antes esta regra, descobrirá coisas que ainda não tinha visto.

Vamos citar mais um breve exemplo. Já tivemos a oportunidade de expressar a unidade da *Ética* de Aristóteles. Vamos buscar agora dividir a obra em suas partes principais. A primeira parte versa sobre a felicidade como o fim (o objetivo) da vida e sobre sua relação com os demais bens práticos; a segunda parte versa sobre a natureza da ação voluntária e sua relação com a formação de bons e maus hábitos; a terceira parte discute as diversas virtudes e vícios, tanto morais quanto intelectuais; a quarta parte versa sobre os estados morais que não são nem virtuosos nem viciosos; a quinta parte versa sobre a amizade; e a sexta e última parte fala sobre o prazer, complementando a explicação sobre felicidade humana iniciada na primeira parte.

Essas divisões obviamente não correspondem aos dez livros da *Ética*. A primeira parte é coberta no primeiro livro; a segunda parte ocupa o Livro II e a primeira metade do Livro III; a terceira parte estende-se do restante do Livro III até o fim do Livro VI; a discussão sobre o prazer acontece no Livro VII e, novamente, no início do Livro X.

Fizemos isso para que você entenda que não é absolutamente necessário seguir a estrutura aparente de um livro, isto é, sua divisão original em capítulos. Talvez a estrutura em capítulos seja melhor que a estrutura formulada por você, mas talvez seja pior; de qualquer maneira, a questão é que você tem de delinear o livro. O autor dividiu o livro pensando em escrever um bom livro. Você tem de dividir o livro à sua maneira para lê-lo e entendê-lo bem. Se ele fosse um escritor perfeito e você um leitor perfeito, então ambas as estruturas seriam iguais. À medida que você e ele se afastam da perfeição, todo tipo de discrepância inevitavelmente acabará surgindo.

Isso não quer dizer que você esteja livre para ignorar os capítulos e as demais subseções criadas pelo autor; não os ignoramos em nossa análise da Constituição, embora também não os tenhamos seguido tão descaradamente. Eles foram feitos para ajudar, exatamente como os títulos e os prefácios. No entanto, você deve usá-los como guias para a sua própria atividade, e não confiar cegamente neles. Poucos autores executam seus planos com perfeição, mas frequentemente é possível encontrar mais utilidade em um plano do que perceberíamos à primeira vista. As aparências enganam. Você deve ser capaz de ver através delas com atenção e descobrir a estrutura real do livro.

Mas será que é importante descobrir a estrutura real? Nós achamos que é muito importante. Outra maneira de responder a essa pergunta é afirmando que a Regra 2 – "você deve expressar a unidade do livro" – não pode ser cumprida com rigor sem que a Regra 3 seja cumprida – "você deve delinear as partes que compõem a unidade". Talvez, em um primeiro relance, você consiga formular uma estrutura adequada em duas ou três frases. Mas não tem condições de saber ao certo se tal estrutura é mesmo adequada. Alguém que leu o livro melhor do que você pode até parabenizá-lo pelo seu esforço. Mas, do seu ponto de vista, terá sido apenas um bom chute. É por isso que a terceira regra é absolutamente necessária como complemento da segunda.

Um breve exemplo deixará claro o que queremos dizer. Uma criança de dois anos de idade que tenha aprendido a falar pode muito bem dizer: "dois mais dois é igual a quatro". Objetivamente, trata-se de uma afirmação verdadeira; mas estaríamos errando feio se concluíssemos que a criança sabe matemática. Na realidade, a criança provavelmente não sabe o que está falando e, portanto, embora a afirmação em si esteja certa, ainda assim diríamos que a criança precisa estudar e aprender matemática. Similarmente, você pode até estar correto na estrutura que criou para o livro, mas ainda assim precisa aprender a mostrar *como* e *por que* fez o que fez. A exigência de que você delineie as partes de um livro, mostrando como elas se desenvolvem até o tema principal do livro, é portanto parte integrante da sua expressão da unidade desse livro.

## LER E ESCREVER: AS ARTES RECÍPROCAS

Em geral, parece que as duas regras que estivemos discutindo aqui também se aplicariam à escrita. E se aplicam mesmo. Escrever e ler são artes recíprocas, assim como ensinar e aprender. Se autores e professores não organizarem suas comunicações, se eles não forem bem-sucedidos em unificar e ordenar as partes, não faria sentido exigir dos leitores e dos ouvintes que detectassem a unidade e revelassem a estrutura do todo.

Contudo, embora as regras sejam recíprocas, elas não devem ser cumpridas da mesma maneira. O leitor tentará *revelar* o esqueleto que o livro oculta. O autor começa com o esqueleto e tentará *ocultá-lo*. Seu objetivo será esconder o esqueleto de maneira artística, ou, em outras palavras, adicionar carne aos ossos. Se ele for um bom escritor, não buscará ocultar um esqueleto fraco sob uma massa enorme de gordura; porém, a carne não poderá ser magra demais, sob pena de os ossos começarem a aparecer. Se a carne for espessa o bastante, mas evitando gorduras localizadas, as articulações poderão ser detectadas e o movimento das partes as revelará.

Mas por quê? Por que um livro expositivo, isto é, um livro que apresenta conhecimentos de maneira ordenada, não se limitaria apenas a esboçar o assunto? A razão não está apenas no fato de que a maioria dos leitores não consegue ler esboços, e que um livro desses seria repulsivo a leitores dignos que, se sabem que têm de fazer sua parte, exigem que o autor faça a sua. A razão é mais profunda. A carne de um livro faz parte do livro tanto quanto o esqueleto. Isso vale tanto para livros quanto para animais e seres humanos. A carne – a expressão do esboço – confere uma dimensão adicional à leitura. Ela dá vida, no caso dos animais. De maneira similar, escrever um livro a partir do esboço, a despeito do nível de detalhamento desse esboço, é dar vida à obra que, de outra maneira, ela não teria.

Podemos resumir tudo isso lembrando-nos daquele velho preceito: todo texto tem de ter unidade, clareza e coerência. De fato, esse é o princípio de toda boa escrita. As duas regras que discutimos neste capítulo se aplicam a esse preceito. Se o texto tem unidade, temos de encontrá-la. Se o texto tem clareza e coerência, temos de contemplá-la detectando a distinção e a ordem de suas partes. A clareza se percebe pelas divisões do esboço. A coerência se percebe pela disposição coesa e ordenada das partes.

Essas duas regras podem, portanto, ser usadas para separar os livros bons dos ruins. Se você estiver bem treinado e, mesmo assim, depois de muito esforço, a unidade do livro não estiver clara e as partes não estiverem suficientemente coesas e ordenadas entre si, então é muito provável que o livro seja realmente ruim, apesar da reputação que possa ter. Você não deve se apressar em chegar a uma conclusão dessas; talvez a falha esteja em você, e não no livro. Porém, em algum momento você *terá de* chegar a uma conclusão, ou seja, em algum momento certamente perceberá que a falha está no livro, e não em você. Na realidade, a despeito das suas fraquezas como leitor, o defeito normalmente está no livro, pois a maioria deles – a grande maioria deles – são livros ruins, uma vez que seus autores não os escrevem de acordo com tais regras.

Essas duas regras também podem ser usadas para ler qualquer parte importante de uma obra expositiva, e não apenas a obra inteira. Se a parte escolhida constituir uma unidade suficientemente independente e complexa, então sua unidade e complexidade poderão ser separadas do restante do livro. Neste ponto, percebe-se a grande diferença que há entre os livros que transmitem conhecimento e as obras poéticas, as peças teatrais e os romances. As partes das obras expositivas são muito mais autônomas que as partes das obras poéticas. A pessoa que diz que "leu o suficiente desse romance para ter uma ideia dele" não sabe o que está falando. Ela não pode ter razão, já que, se o romance tiver qualquer coisa de bom, a ideia certamente estará no todo, e nunca em uma ou algumas de suas partes. Você pode, porém, ter uma ideia da *Ética* de Aristóteles ou da *Origem das Espécies* de Darwin lendo apenas algumas partes com o devido cuidado e esmero; mas, nesse caso, você não será capaz de cumprir a Regra 3.

## COMO DESCOBRIR AS INTENÇÕES DO AUTOR

Há outra regra que gostaríamos de apresentar neste capítulo. Ela pode ser esboçada brevemente, pois não exige grandes explicações ou ilustrações. No fundo, ela apenas repete aquilo que você já fez caso tenha cumprido as Regras 2 e 3. Mas é uma repetição útil porque apresentará o todo e suas partes sob um ângulo diferente.

A quarta regra pode ser expressa desta maneira:

REGRA 4. DESCUBRA QUAIS FORAM OS PROBLEMAS DO AUTOR. O autor começa um livro com uma pergunta (ou com um conjunto de perguntas). O livro nada mais é do que sua resposta (ou suas respostas).

Talvez o autor não lhe diga quais eram as perguntas nem dê as respostas que são fruto da sua obra. Mesmo que não as forneça, o leitor tem a obrigação de formular as perguntas o mais precisamente possível. Você terá de ser capaz de expressar a principal pergunta que o livro tenta responder, além de ser capaz de expressar as perguntas subordinadas a ela, caso a pergunta principal seja muito complexa e contenha muitas partes. Você não apenas terá de ser capaz de apreender as perguntas, mas terá também de expressá-las de maneira inteligível. Quais são as principais? Quais são as secundárias? Quais perguntas devem ser respondidas em primeiro lugar, se as demais ficarem para depois?

Você já deve ter percebido que essa regra, de certa maneira, duplica o trabalho que você já teve em expressar a unidade e encontrar suas partes. Mas, na realidade, essa regra poderá ajudá-lo a cumpri-las. Em outras palavras, cumprir a quarta regra é um instrumento útil e opera em conjunto com as duas regras anteriores.

Dado que essa regra não é tão familiar quanto as outras, ela pode ser ainda mais útil quando aplicada a livros difíceis. O que queremos com isso é que você não caia no erro dos críticos que cometem falácias intencionais. Trata-se da falácia de tentar descobrir o que estava na mente do autor quando ele escreveu o livro. Isso se aplica particularmente às obras literárias; é um erro muito grave, por exemplo, tentar psicanalisar Shakespeare a partir das evidências de *Hamlet*. Contudo, mesmo em uma obra poética, é frequentemente útil buscar dizer aquilo que o autor estava tentando fazer. No caso das obras expositivas, a regra tem méritos evidentes. No entanto, a maioria dos leitores, a despeito de suas qualificações, com frequência se esquece de observar essa regra. O resultado é que seus conceitos sobre os temas principais do livro podem se tornar extremamente deficientes e, por isso, seu esboço da estrutura poderá ser simplesmente caótico. Eles serão incapazes de vislumbrar a unidade do livro porque não conseguem enxergar *por que o livro tem a unidade que tem*; faltará à percepção da estrutura esquelética do livro a compreensão do *fim a que serve*.

Se você sabe os tipos de perguntas que qualquer pessoa pode fazer sobre qualquer coisa, então talvez se torne especialista em detectar os problemas do autor. As perguntas podem ser formuladas de maneira breve: Existe algo? Que tipo de coisa é? O que causou sua existência, ou sob quais condições ela pode existir, ou por que ela existe? A quais propósitos serve? Quais as consequências de sua existência? Quais são suas propriedades características, seus traços típicos? Quais suas relações com as outras coisas semelhantes, ou diferentes? Como se comporta? *Trata-se de perguntas teóricas*. Quais fins busca? Quais meios devem ser escolhidos para determinado fim? Que passos devem ser tomados para atingir-se determinado objetivo, e em que ordem? Sob tais condições, qual a coisa certa a fazer, ou qual a coisa melhor a fazer? *Trata-se de perguntas práticas*.

Essa lista de perguntas está longe de ser exaustiva, mas ela representa os tipos mais frequentes de perguntas formuladas na busca de conhecimento teórico ou prático. Talvez elas ajudem na descoberta dos problemas que o livro tenta resolver. As perguntas terão de ser adaptadas se forem aplicadas à literatura imaginativa, e mesmo nela serão úteis.

## O PRIMEIRO ESTÁGIO DA LEITURA ANALÍTICA

Conhecemos, então, as primeiras quatro regras de leitura. Embora sejam regras da leitura analítica, vale lembrar que inspecionar adequadamente um livro antes da leitura ajudará a aplicá-las depois.

É importante deixarmos claro que essas quatro regras formam um grupo cujo objetivo é o mesmo. Juntas, elas fornecem ao leitor que as aplica o conhecimento da estrutura do livro. Quando as tiver aplicado a um livro, ou a qualquer texto relativamente longo e difícil, você terá cumprido o primeiro estágio da leitura analítica.

Não se deve encarar o termo "estágio" de maneira cronológica, a não ser, talvez, no começo da experiência como leitor analítico. Ou seja, não é necessário ler um livro de cabo a rabo para então aplicar as quatro regras, e depois ler o livro novamente para aplicar as demais regras. O leitor experiente cumprirá todos os estágios de uma vez só. No entanto, você tem de perceber que conhecer a estrutura de um livro constitui um estágio para lê-lo analiticamente.

Outra maneira de dizer isso é que a aplicação das primeiras quatro regras permitirá responder à primeira pergunta básica sobre o livro. Lembra-se dela?

*Este livro é sobre o quê?* Talvez você recorde que isso significa descobrir o tema principal do livro e como o autor desenvolve esse tema ordenadamente, subdividindo-o em temas ou tópicos subordinados essenciais. Evidentemente, as quatro primeiras regras fornecerão quase tudo o que você precisa para responder a essa pergunta – mas sua resposta será ainda melhor e mais precisa se prosseguir aplicando as demais regras e respondendo às demais perguntas.

Já que descrevemos o primeiro estágio da leitura analítica, vamos fazer uma pausa e reescrever as primeiras quatro regras em ordem, com os títulos apropriados, a título de revisão.

### O PRIMEIRO ESTÁGIO DA LEITURA ANALÍTICA, OU AS REGRAS PARA DESCOBRIR SOBRE O QUE É O LIVRO

1. Classifique o livro de acordo com título e assunto.
2. Expresse a unidade do livro da maneira mais breve possível.
3. Enumere suas partes principais em ordem e relação, e esboce essas partes assim como esboçou a unidade.
4. Defina o problema ou os problemas que o autor busca resolver.

# 8. CHEGANDO A UM ACORDO COM O AUTOR

O primeiro estágio da leitura analítica cumpriu-se quando você aplicou as quatro regras listadas no fim do capítulo anterior, as quais, juntas, permitem que expresse o assunto do livro e esboce sua estrutura. Agora, está pronto para prosseguir ao próximo estágio, o qual também se compõe de quatro regras de leitura. A primeira delas denominamos, a título de brevidade, "chegar a um acordo".

Chegar a um acordo é, em geral, a última etapa de uma negociação comercial. Só falta assinar na linha um "x". No entanto, na leitura analítica de um livro, chegar a um acordo é o primeiro passo depois do esboço. Se o leitor não chegar a um acordo com o autor, a transmissão de conhecimento de um para o outro não ocorrerá, pois *um acordo é o elemento fundamental do conhecimento transmissível*.

## PALAVRAS *VERSUS* TERMOS

Um *termo* não é uma *palavra* – pelo menos não apenas uma palavra. Se termo e palavra fossem a mesma coisa, jamais poderíamos concordar acerca dos termos de um contrato. Mas uma palavra pode ter muitas acepções, especialmente as palavras importantes. Se o autor usa uma palavra em um sentido e o leitor a lê em outro, as palavras passaram entre os dois, mas um acordo não chegou a ser firmado. Quando há ambiguidades não resolvidas na comunicação, não há comunicação, ou, na melhor das hipóteses, a comunicação permanece incompleta.

Basta pensarmos na palavra "comunicação" por um instante. Sua raiz está relacionada com a palavra "comum". Falamos de comunidade como grupo de pessoas que têm algo em comum. A comunicação é um esforço por parte de uma pessoa em compartilhar algo com outra pessoa (ou com animais ou máquinas): seu conhecimento, suas decisões, seus sentimentos. Ela somente será bem-sucedida se surgir algo em comum, tal como uma informação ou um conhecimento que as duas partes compartilhem.

Quando há ambiguidade na comunicação de conhecimento, tudo o que há em comum são as palavras que uma pessoa fala ou escreve e a outra ouve ou lê. Se a ambiguidade persistir, não haverá significado em comum entre o escritor e o leitor. Para que a comunicação seja perfeita, é necessário, portanto, que as duas partes usem as mesmas palavras *com os mesmos significados* – em suma, que os termos do contrato sejam mutuamente acordados. Quando isso acontece – quando a comunicação acontece – ocorre o milagre de duas mentes sustentarem um mesmo e único pensamento.

Um termo pode ser definido como uma palavra sem ambiguidade. Não é uma definição muito precisa, pois, estritamente falando, não existem palavras inambíguas. Teria sido melhor se disséssemos que um termo é uma palavra *usada de maneira não ambígua.* O dicionário está cheio de palavras. Quase todas são ambíguas, no sentido de que quase todas têm vários sentidos. Mas uma palavra que tenha vários sentidos só pode ser usada com um sentido de cada vez. Quando escritor e leitor usam, em determinado período, uma palavra com o mesmo sentido, então, durante esse período, eles terão entrado em acordo sobre os termos do contrato.

Você nunca encontrará termos em dicionários, embora os materiais para produzi-los estejam todos ali. Os termos só ocorrem durante o processo de comunicação. Eles ocorrem quando um escritor tenta evitar ambiguidades e o leitor o ajuda buscando seguir o uso que o autor deu às palavras. Há, evidentemente, diversos graus de sucesso nessa empreitada e entrar em acordo é o ideal ao qual escritor e leitor devem almejar. Dado que essa é uma das realizações principais da arte de escrever e ler, podemos definir os termos como *o uso experiente das palavras em prol da comunicação de conhecimento*.

A esta altura, deve estar claro que falamos, aqui, exclusivamente de autores e obras expositivas. A poesia e a ficção não se preocupam tanto em usar as palavras de maneira não ambígua quanto as obras expositivas – obras que transmitem *conhecimento* no sentido amplo da palavra, o que temos empregado até aqui. Poderíamos até mesmo dizer que a melhor poesia é aquela que apresenta as ambiguidades mais ricas e que o melhor poeta é aquele que é por vezes intencionalmente ambíguo em seus textos. Trata-se de um *insight* importante sobre poesia, o qual examinaremos detidamente mais tarde. Obviamente, essa é uma das principais diferenças entre o campo da poesia e o das obras expositivas ou científicas, na arte literária.

Estamos prontos para declarar a quinta regra de leitura (de uma obra expositiva). De maneira geral, é esta: você deve localizar as palavras importantes do livro e descobrir como o autor as utiliza. Mas podemos tornar essa explicação mais precisa e elegante:

REGRA 5. ENCONTRE AS PALAVRAS IMPORTANTES E, POR MEIO DELAS, ENTRE EM ACORDO COM O AUTOR. Note que a regra tem duas partes. A primeira parte significa localizar as palavras importantes, isto é, as palavras que se destacam qualitativamente. A segunda consiste em determinar o sentido dessas palavras, conforme são usadas, com precisão.

Eis aí, portanto, a primeira regra do segundo estágio da leitura analítica, cujo objetivo não é delinear a estrutura do livro, mas interpretar seu conteúdo ou mensagem. As demais regras deste estágio, a serem discutidas no próximo capítulo, são semelhantes a esta em um aspecto importante. Elas também exigem que você dê dois passos: um diz respeito à linguagem em si, enquanto o outro passo supera a linguagem e vai até o pensamento que está por trás dessa linguagem.

Se a linguagem fosse um meio puro e perfeito, esses passos não seriam necessários. Se toda palavra tivesse um e apenas um sentido, então as palavras nunca seriam usadas de maneira ambígua; se, em suma, toda palavra fosse um termo ideal, a linguagem seria um meio diáfano. O leitor seria capaz de enxergar o conteúdo da mente do autor de maneira direta, sem refrações nem turvações. Se fosse assim, o segundo estágio da leitura analítica não seria necessário. A interpretação seria totalmente desnecessária.

Mas, é claro, as coisas nunca são assim. Não haveria utilidade para ela nem para projetos irreais de línguas perfeitas, como o filósofo Leibniz e seus seguidores tentaram criar. Na realidade, se eles tivessem conseguido, não haveria mais poesia. Portanto, a única coisa a fazer quando se quiser transmitir ou receber conhecimento, no caso das obras expositivas, é usar a linguagem da maneira mais inteligente possível.

Uma vez que a língua é um meio imperfeito para transmitir conhecimento, ela também funciona como obstáculo para a comunicação. As regras de leitura interpretativa servem justamente para superar esse obstáculo. O mínimo que podemos esperar do escritor é que ele se esforce ao máximo para superar a barreira que a língua inevitavelmente representa, mas jamais devemos esperar que o autor faça tudo sozinho. Precisamos encontrá-lo no meio do caminho. Nós, leitores, temos de cavar o túnel a partir do nosso lado, na esperança de encontrar o túnel aberto pelo autor do lado dele, no meio do trajeto. A probabilidade de que as mentes se encontrem *por meio* da linguagem depende da vontade de leitor e autor trabalharem juntos. Assim como o ensino não beneficia ninguém, a não ser que haja uma *atividade recíproca ao ensino*, assim também nenhum autor, a despeito de sua capacidade como escritor, conseguirá fazer-se comunicar sem uma *atividade recíproca por parte dos leitores*. Se não fosse assim, as habilidades de escrita e leitura jamais conseguiriam reunir mentes – não importa se foi feito muito ou pouco esforço para isso –, assim como duas pessoas que abrissem um túnel em lados opostos de uma montanha jamais se encontrarão se não entrarem em acordo sobre os princípios de engenharia que irão seguir.

Conforme comentamos anteriormente, cada regra de leitura interpretativa possui dois passos. Se fôssemos mais "técnicos", diríamos que tais regras possuem um aspecto gramatical e um aspecto lógico. O aspecto gramatical lida com as palavras. O passo lógico lida com os sentidos ou, mais precisamente, com os termos. Ambos os passos são necessários para haver comunicação. Se a linguagem for usada, mas não houver pensamento, então nada terá sido comunicado. E pensamentos ou conhecimentos não podem ser transmitidos sem linguagem. A gramática e a lógica são artes que se ocupam da linguagem em relação ao pensamento e do pensamento em relação à linguagem. É por isso que as habilidades de leitura e escrita são adquiridas por meio dessas artes.

Essa questão de linguagem e pensamento – especialmente a distinção entre palavras e termos – é tão importante que vamos até correr o risco de parecer repetitivos. A questão é que *uma* palavra pode ser o veículo para *muitos* termos, ao passo que *um* termo pode ser expresso por *muitas* palavras. Vamos ilustrar essa questão de maneira mais esquemática. A palavra "leitura" foi usada em muitos sentidos ao longo desta discussão. Tomemos três desses sentidos: a palavra "leitura" quer dizer (1) leitura para entretenimento; (2) leitura para obtenção de informações e (3) leitura para adquirir entendimento.

Simbolizemos a palavra "leitura" com a letra *X*, e seus três sentidos com as letras *a*, *b* e *c*. Assim sendo, os símbolos *Xa*, *Xb* e *Xc* não são três palavras, pois *X* permanece o mesmo. Eles são três termos, com a condição de que você, como leitor, e nós, como escritores, saibamos quando *X* está sendo usado em um sentido ou em outro. Se escrevêssemos *Xa* em determinado ponto e você lesse *Xb*, estaríamos escrevendo e você estaria lendo a mesma palavra, mas não da mesma maneira. A ambiguidade impede, ou ao menos dificulta, a comunicação. Somente quando você pensar a palavra que nós pensamos é que teremos um só pensamento entre nós. Nossas mentes não conseguem se encontrar em *X*, mas somente em *Xa*, *Xb* e *Xc*. Somente aí teremos entrado em acordo.

## COMO ENCONTRAR AS PALAVRAS-CHAVE

Chegou a hora de aprendermos a pôr a "mão na massa" e encontrar os termos. Como fazer isso? Como encontrar as palavras-chave de um livro?

Tenha certeza de uma coisa: nem todas as palavras que o autor utiliza são importantes. E mais: a maioria das palavras não é importante. Somente as palavras que ele utiliza de maneira especial são importantes para ele e para nós, leitores. Não é uma questão absoluta, evidentemente, mas é uma questão de grau. As palavras podem ser mais ou menos importantes. Nossa única preocupação, no entanto, é que algumas palavras em um livro são mais importantes que as outras. De um lado, há as palavras que o autor usa da mesma maneira utilizada pelas pessoas comuns. Já que o autor as usa de maneira coloquial, o leitor não terá dificuldade com elas. Ele está familiarizado com suas ambiguidades e cresceu acostumado com a diversidade de sentidos que aparecem neste ou naquele contexto.

Por exemplo, a palavra "leitura" aparece no livro *A Natureza do Mundo Físico* (*The Nature of the Physical World*), de A. S. Eddington. O autor fala de "leitura de ponteiros", isto é, da leitura de mostradores e medidores em instrumentos científicos. Usa a palavra "leitura" em sentido coloquial. Para ele, não se trata de uma palavra técnica. Ele confia no uso coloquial da palavra para transmitir seu pensamento ao leitor. Mesmo que tivesse utilizado a palavra "leitura" em outro ponto do livro com um sentido diferente – digamos, uma expressão como "natureza da leitura" –, ele poderia continuar confiando na habilidade do leitor em detectar a mudança de sentido. O leitor que não conseguisse fazer isso não conseguiria conversar com seus amigos ou conduzir sua vida cotidiana.

Mas Eddington não consegue usar a palavra "causa" de maneira tão despreocupada. A palavra até pode ser comum, do ponto de vista de seu uso cotidiano, mas ele a utiliza com um sentido totalmente especial quando aborda a teoria da causação. A maneira como a palavra tem de ser entendida é algo que autor e leitor têm de considerar seriamente. É exatamente por isso que a palavra "leitura" é importante neste livro. É inviável prosseguirmos simplesmente utilizando-a de maneira coloquial.

Todo autor usa a imensa maioria das palavras de maneira coloquial, confiando que o leitor saberá qual o sentido correto a ser entendido. Estar ciente desse fato é algo que ajudará você a detectar as palavras mais importantes de um livro. Porém, não devemos nos esquecer de que as palavras não são igualmente familiares quando usadas em diferentes épocas e lugares. Escritores contemporâneos empregarão a maioria das palavras da maneira como são usadas *hoje*, e você certamente saberá quais são essas palavras simplesmente porque está vivo hoje. Mas a leitura de livros publicados no passado poderá se mostrar uma tarefa mais complicada, já que não será tão fácil detectar as palavras que o autor utiliza da maneira que a maioria das pessoas utilizava na época e no lugar em que escreveu. O fato de alguns autores empregarem intencionalmente palavras arcaicas, ou sentidos arcaicos para essas palavras, complica ainda mais, assim como acontece na tradução de livros escritos em outras línguas.

Apesar disso, não deixa de ser verdade que a maioria das palavras de qualquer livro pode ser lida da mesma maneira utilizada numa conversa com amigos.

Escolha qualquer página deste livro e conte as palavras que utilizamos dessa maneira: todas as preposições, conjunções e artigos, bem como a maioria dos verbos, substantivos, advérbios e adjetivos. Até agora, neste capítulo, poucas palavras são realmente importantes: "palavra", "termo", "ambiguidade", "comunicação", e talvez uma ou outra palavra além dessas. De todas elas, "termo" é certamente a mais importante; as demais são importantes quando relacionadas a ela.

É impossível localizar as palavras-chave sem que você se esforce em entender os trechos em que aparecem. Essa situação é paradoxal. Se você entender o trecho, então obviamente saberá quais palavras são as mais importantes. Se não entender plenamente o trecho, então provavelmente não saberá a maneira como o autor faz uso de certas palavras. Se assinalar as palavras que o incomodam, é provável que encontre exatamente as palavras que o autor usa de maneira especial. Isso acontece porque você não enfrentou dificuldade com as palavras que o autor usa de maneira coloquial.

Do seu ponto de vista de leitor, portanto, as mais importantes são *as palavras que mais o incomodam*. É muito provável que essas palavras também sejam importantes para o autor. Ou talvez não.

Pode acontecer de algumas palavras importantes para o autor não o incomodarem, exatamente porque você as entendeu. Nesse caso, você chegou a um acordo com o autor. Somente nas palavras em que ainda não chegou a um acordo com o autor ainda lhe resta trabalho a fazer.

## PALAVRAS TÉCNICAS E VOCABULÁRIOS ESPECIAIS

Até aqui, procedemos de maneira negativa, isto é, eliminamos as palavras coloquiais. Você descobriu algumas palavras importantes pelo simples fato de que elas *não são coloquiais para você*. Eis por que elas o incomodam. Mas será que há outra maneira de localizar palavras importantes? Será que há sinais positivos que as identificam?

Há vários. O primeiro e mais óbvio sinal é a ênfase explícita que um autor confere a determinadas palavras e não a outras. Há várias maneiras de fazer isso.

O autor pode fazer uso de sinais tipográficos como aspas ou itálicos para destacar uma palavra. Ele também pode chamar sua atenção para determinada palavra discutindo seus vários sentidos, indicando a maneira como ele a usará aqui e ali. Ou, ainda, poderá enfatizar a palavra definindo a coisa a que a palavra dá nome.

Ninguém consegue ler Euclides sem saber que palavras como "linha", "plano", "ângulo", "paralela" etc. são de extrema importância. Essas palavras dão nome às entidades geométricas definidas por Euclides. Há outras palavras importantes como "igual", "todo" e "parte", mas elas não dão nome a nada definido. Você saberá que são importantes pelo simples fato de que aparecem nos axiomas. Euclides ajuda o leitor expondo suas proposições principais logo no início. Você adivinhará que os termos que compõem essas proposições são basilares e servirão para lhe enfatizar as palavras que expressam esses termos. Talvez você não enfrente nenhuma grande dificuldade com essas palavras, pois são de uso cotidiano, e Euclides parece usá-las exatamente dessa maneira.

Você deve estar pensando que se todos os autores escrevessem como Euclides, esse negócio de leitura seria muito mais fácil. Mas, obviamente, isso não é possível, embora algumas pessoas tenham pensado que qualquer assunto poderia ser exposto de maneira geométrica. O procedimento – o método expositivo e provativo – que se adota na matemática não é aplicável em todos os campos de conhecimento. De qualquer maneira, vamos nos concentrar naquilo que é comum a todo tipo de exposição. *Todo campo de conhecimento possui seu próprio vocabulário técnico*. Euclides deixa isso bem claro logo no início. O mesmo vale para qualquer autor que, como Galileu e Newton, escreve geometricamente. Nos demais livros dos demais campos de conhecimento, o vocabulário técnico tem de ser descoberto pelo próprio leitor.

Se o autor não deixou claro quais são as palavras, o leitor poderá localizá-las por meio de seu próprio conhecimento prévio sobre o assunto. Se ele souber algo de biologia ou economia antes de ler Darwin ou Adam Smith, isso certamente lhe servirá de baliza para encontrar as palavras técnicas. As regras de análise da estrutura do livro podem ser úteis a esta altura. Se você souber que tipo de livro está lendo, o que ele focaliza como um todo e quais suas partes principais, então a tarefa de distinguir o vocabulário técnico do vocabulário trivial será bastante facilitada. Os títulos do livro e dos capítulos e o prefácio poderão ser úteis nessa empreitada.

Você saberá de antemão que "riqueza" é uma palavra técnica para Adam Smith, assim como "espécie" é para Darwin. Dado que uma palavra técnica sempre leva a outra, não lhe restará alternativa senão descobrir as demais palavras técnicas. Em pouco tempo, você conseguirá compor uma lista das palavras importantes usadas por Adam Smith: trabalho, capital, propriedade, salário, lucro, aluguel, mercadoria, preço, câmbio, produtivo, improdutivo, moeda etc. E estas são algumas palavras usadas por Darwin: variedade, gênero, seleção, sobrevivência, adaptação, híbrido, aptidão, criação etc.

Quando um campo de conhecimento possuir um vocabulário consagrado, a tarefa de localizar as palavras importantes em um livro desse campo será relativamente mais fácil. Você conseguirá encontrá-las *positivamente* pelo fato de ter alguma intimidade com o campo, ou *negativamente* pelo fato de saber quais palavras devem ser técnicas por não serem coloquiais. Infelizmente, há muitos campos nos quais não há um vocabulário técnico consagrado.

Os filósofos são famosos por terem vocabulários particulares. Algumas palavras, evidentemente, possuem crédito tradicional na filosofia. Embora não sejam usadas da mesma maneira por todos os autores, mesmo assim são consideradas palavras técnicas quando empregadas em determinados problemas. Mas frequentemente os filósofos se veem forçados a elaborar novas palavras ou tomar emprestadas palavras de uso coloquial e *transformá-las em palavras técnicas*. Esse procedimento se revela "traiçoeiro" para o leitor que supõe, de antemão, que a palavra mantém aí seu sentido coloquial. Porém, a maioria dos bons autores, na tentativa de evitar esse tipo de confusão, é explícita ao alertar o leitor quando esse procedimento é adotado.

A esse respeito, uma pista interessante para encontrar palavras importantes é observar quando o autor discorda de outros autores e entra em discussão sobre elas. Quando perceber que o autor está tentando lhe dizer como uma palavra qualquer foi usada por outros autores e por que ele escolheu usá-la de outra maneira, você poderá ter certeza de que essa palavra é importante para ele.

Até aqui, enfatizamos a noção de vocabulário técnico, mas você não deve abordá-la de modo limitado. O número relativamente pequeno de palavras que expressam as ideias principais de um autor, seus conceitos centrais, constitui seu vocabulário especial. Elas são as palavras que portam sua análise, seu argumento. Se o autor estiver comunicando algo importante, especial, ele provavelmente fará uso dessas palavras, embora possa utilizar outras que se tornaram consagradas no meio. De qualquer maneira, essas palavras são as mais importantes *para ele*. Mas elas também devem ser importantes *para você*, além das demais palavras cujo sentido não estiver claro.

O problema com a maioria dos leitores é que eles não prestam atenção às palavras a ponto de serem capazes de apontar suas dificuldades. Eles não destacam as palavras que não entendem suficientemente das palavras que entendem. Tudo aquilo que sugerimos para ajudá-lo a encontrar as palavras importantes de um livro não será de nenhuma utilidade se você não se esforçar deliberadamente para notar as palavras nas quais deve se concentrar para encontrar os termos que tentam transmitir. O leitor que não conseguir marcar as palavras que não entende estará fadado ao fracasso.

Se você estiver lendo um livro que pode aumentar seu conhecimento, então logicamente nem todas as palavras lhe serão perfeitamente inteligíveis. Se fingir que todas as palavras são coloquiais, que são todas do mesmo nível de inteligibilidade das palavras de um artigo de jornal, não fará progressos no entendimento do livro. Você terá mais sucesso lendo jornais, pois os livros não lhe serão úteis se não tentar entendê-los.

A maioria das pessoas está viciada na leitura passiva. A principal falha do leitor passivo é sua desatenção em relação às palavras e, consequentemente, sua incapacidade em chegar a um acordo com o autor.

## COMO ENCONTRAR OS SENTIDOS

Localizar as palavras importantes é apenas o começo da tarefa. Até aqui, só indicamos os locais do texto nos quais você terá de se esforçar. Há outra parte da quinta regra de leitura que ainda não resolvemos. Vamos nos concentrar nela agora. Suponhamos que você tenha marcado as palavras que o incomodam. E agora?

Há duas possibilidades principais. Ou o autor está usando essas palavras com um mesmo sentido ao longo do texto, ou com dois ou mais sentidos, alternando-os aqui e ali. Na primeira alternativa, a palavra corresponde a um único termo – e um bom exemplo disso podemos encontrar em Euclides. Na segunda alternativa, a palavra corresponde a vários termos.

À luz dessas alternativas, seu procedimento deverá ser este: primeiro, procure determinar se a palavra possui um ou mais sentidos; se tiver mais de um sentido, tente descobrir como eles se relacionam; por fim, anote os trechos onde a palavra é usada com este ou aquele sentido e tente descobrir, pelo contexto, qual razão levou o autor a alternar o sentido. Isso permitirá acompanhar a palavra em sua mudança de sentido com a mesma flexibilidade com que o autor a emprega.

Porém, a esta altura você poderá observar: tudo está muito claro, exceto o principal. Como se descobrem os sentidos? A resposta, embora possa parecer insatisfatória, é simples. É necessário paciência e prática. A resposta é que *você tem de descobrir o sentido de uma palavra que não entende por meio do significado de todas as palavras que você entende no contexto*. Esse é o caminho, não importa que ele pareça circular e infrutífero de início.

A maneira mais fácil de ilustrar essa resposta é considerarmos as definições. Uma definição se expressa em palavras. Se não conhecer alguma palavra usada na definição, então obviamente não conseguirá entender o significado da palavra que dá nome à coisa definida. A palavra "ponto" é uma palavra básica em geometria. Talvez você saiba o que ela quer dizer (em geometria), mas Euclides quer ter certeza de que você vai usá-la de uma única maneira. Primeiro, ele lhe informa o significado definindo a coisa que é nomeada por tal palavra: "Um ponto é aquilo que não tem partes".

Como isso o ajudará a chegar a um acordo com ele? Ele admite que você saiba com precisão o que significam as demais palavras usadas na definição. Você sabe que qualquer coisa que tenha partes é um todo complexo. Você sabe que o contrário de complexo é simples. Simplicidade é o mesmo que ausência de partes. Você sabe que o uso das palavras "é" e "aquilo que" significam que a coisa referida deve ser uma entidade de algum tipo. A propósito, segue-se de tudo isso que, se não existem coisas físicas sem partes, um ponto, conforme definiu Euclides, não pode ser algo físico.

Essa ilustração é típica do processo pelo qual você deverá passar para adquirir significados. Você opera com significados que já conhece. Se toda palavra que foi usada em uma definição tivesse de ser definida, então nada poderia ser definido. Se todas as palavras de um livro lhe fossem totalmente estranhas, como num livro escrito em uma língua estrangeira desconhecida, você seria incapaz de fazer qualquer progresso.

É exatamente isso que as pessoas querem dizer quando afirmam que alguém "está falando grego". Elas simplesmente não tentaram entender essa pessoa, justificando, assim, a ideia de que esteja realmente "falando grego". Mas a maioria das palavras em qualquer livro em nossa língua é conhecida. Elas cercam as palavras estranhas, as palavras técnicas, as palavras que podem causar confusão. As palavras circunvizinhas são o *contexto* das palavras a serem interpretadas. O leitor tem a faca e o queijo na mão para executar a tarefa.

Não estamos querendo fingir que a tarefa é fácil. Estamos apenas insistindo em que ela não é impossível. Se fosse, ninguém conseguiria ler livros a fim de obter conhecimento. O fato de que um livro pode fornecer novos *insights* ou esclarecer determinado assunto indica que, provavelmente, ele contém palavras que não são prontamente compreensíveis. Se você não pudesse entender essas palavras por meio de seus próprios esforços, então o tipo de leitura sobre o qual estamos conversando seria impossível, como também seria impossível passar de um nível inferior de entendimento a outro superior por seus próprios méritos.

Não há uma regra mastigada e pronta. O processo é semelhante ao método de tentativa e erro usado quando se monta um quebra-cabeça. Quanto mais pecinhas estiverem reunidas, mais fácil será encontrar o lugar certo das peças restantes pelo simples fato de que poucas delas ainda restam. Um livro sempre contém uma grande quantidade de palavras no lugar. *Uma palavra no lugar é um termo.* Seu lugar é determinado pelo sentido que você e o autor compartilham sobre ela. As palavras restantes têm de ser colocadas no lugar. Você só vai obter êxito se tentar colocá-las desta ou daquela maneira. Quanto melhor captar a imagem parcialmente revelada pelas palavras que já estão no lugar, mais fácil será completar a imagem chegando a um acordo sobre os termos das palavras restantes. Cada palavra colocada no lugar torna a próxima mais fácil de ser ajustada.

É claro que você cometerá erros durante o processo. Pensará ter descoberto o lugar correto da palavra, só para descobrir depois que a próxima peça exige o reajuste de algumas peças já anteriormente posicionadas. Os erros serão corrigidos, pois, enquanto não forem detectados, a imagem não se completará. À medida que adquirir experiência em descobrir os termos dos autores, logo será capaz de avaliar a si próprio. Saberá se foi bem-sucedido ou não. Você não vai se deixar enganar facilmente.

Ao compararmos um livro a um quebra-cabeça, fizemos uma suposição que não é verdadeira. Um bom quebra-cabeça é, evidentemente, um todo cujas partes se encaixam. A figura pode ser perfeitamente recomposta. O mesmo vale para um livro idealmente bom, mas há um detalhe: esse livro não existe. À proporção que os livros sejam bons, seus termos serão tão bem expostos e concatenados pelo autor que o leitor não sentirá dificuldade em interpretá-los com o devido proveito. Aqui, como em qualquer outra regra de leitura, livros ruins são menos legíveis que livros bons. As regras não conseguem ser aplicadas a eles, exceto para deixar claro o quanto são realmente ruins. Se o autor usar palavras ambíguas, não será possível descobrir o que ele está tentando dizer. Você só vai descobrir que ele não é um sujeito muito preciso.

Todavia, talvez você esteja se perguntando se um autor que usa uma palavra em mais de um sentido não é, afinal, ambíguo. Não é uma prática comum os autores usarem palavras em vários sentidos, especialmente no caso das palavras mais importantes?

A resposta à primeira pergunta é *não*; à segunda pergunta, a resposta é *sim*. Usar uma palavra ambiguamente é usá-la em vários sentidos sem distingui-los ou relacioná-los. (Por exemplo, provavelmente usamos a palavra "importante" ambiguamente neste capítulo, pois nem sempre ficou claro se queríamos dizer "importante para o autor" ou "importante para você".) O autor que age dessa maneira não criou termos sobre os quais o leitor possa entrar em acordo. Mas o autor que distingue os diversos sentidos de uma palavra crítica, permitindo ao leitor que os discrimine positivamente, está expressando seus termos.

Não se esqueça de que uma palavra pode representar diversos termos. Há uma maneira fácil de lembrar isso: basta fazer a distinção entre o *vocabulário* do autor e sua *terminologia*. Se você fizer uma lista das palavras importantes em uma coluna e uma lista dos significados em outra, poderá vislumbrar a relação entre vocabulário e terminologia.

Mas há complicações adicionais. Em primeiro lugar, uma palavra pode conter diversos significados que poderão ser usados em um sentido simples ou em uma combinação de sentidos. Vejamos, por exemplo, a palavra "leitura" novamente. Em alguns pontos, ela foi usada aqui para a leitura de um livro qualquer. Em outros casos, foi usada para livros que instruem em vez de apenas entreterem. Ainda em outros casos, foi usada para a leitura que esclarece em vez de apenas informar.

Ora, se simbolizássemos, como fizemos anteriormente, esses três sentidos distintos de "leitura" por *Xa*, *Xb* e *Xc*, então o primeiro uso mencionado seria *Xabc*, o segundo seria *Xbc* e o terceiro *Xc*. Em outras palavras, se vários significados estão inter-relacionados, a mesma palavra pode se relacionar a todos os significados de uma vez, somente a alguns ou somente a um. Dado que cada uso seja bem convencionado e definido, a palavra assim utilizada será um termo.

Em segundo lugar, há a questão dos sinônimos. A repetição constante de uma mesma palavra é algo esquisito e chato, exceto nos textos matemáticos, de maneira que os bons autores frequentemente substituem as palavras importantes por palavras que contenham significados similares. É exatamente o contrário do que acontece quando uma palavra refere-se a diversos termos; aqui, o mesmo termo é representado por duas ou mais palavras que atuam como sinônimos.

Expressemos essa situação simbolicamente. Considere *X* e *Y* duas palavras diferentes, tais como "esclarecimento" e "compreensão". Considere *a* o mesmo significado que ambas expressam, ou seja, aumento de entendimento. Assim sendo, *Xa* e *Ya* representam o mesmo termo, embora sejam palavras diferentes. Quando nos referimos à leitura para "compreensão" e à leitura para "esclarecimento", nos referimos ao mesmo tipo de leitura, pois as duas palavras são usadas em um mesmo sentido. As palavras são diferentes, mas há somente um termo a ser percebido pelo leitor.

Trata-se de algo muito importante. Se você pensa que toda vez que um autor muda de palavra está alterando os termos, trata-se de um erro tão grande quanto achar que toda vez que um autor usa as mesmas palavras os termos permanecem os mesmos. Lembre-se sempre disso quando listar o vocabulário e a terminologia de um autor em colunas separadas. Você encontrará duas relações. A primeira é que uma mesma palavra pode estar relacionada a vários termos. A outra é que um mesmo termo pode estar relacionado a várias palavras.

Em terceiro e último lugar, há a questão das expressões. Se uma expressão é uma unidade, isto é, se ela é um todo que pode ser o sujeito ou o predicado de uma frase, então é como se ela fosse uma palavra. Assim como uma palavra isolada, a expressão pode se referir a algum tipo de comunicação específica.

Conclui-se disso que um termo pode ser expresso por uma expressão ou por uma palavra – e todas as relações que existem entre palavras e termos também existem entre expressões e termos. Duas expressões podem expressar o mesmo termo, e uma frase pode expressar diversos termos, de acordo com a maneira pela qual as palavras que a constituem são usadas.

Em geral, a probabilidade de uma expressão ser ambígua é menor que a probabilidade de uma palavra ser ambígua. A expressão é um grupo de palavras, cada uma das quais inserida no contexto das demais, por isso é mais provável que as palavras isoladas possuam, aí, significados restritos. Assim, talvez o autor queira substituir uma palavra isolada por uma expressão, caso queira ter certeza de que você vai captar o sentido buscado por ele.

Um exemplo deve ser suficiente para deixarmos claro o que queremos dizer. Para nos assegurarmos de que você captaria os termos certos sobre leitura, substituímos a palavra isolada "leitura" por expressões como "leitura para esclarecimento". Para termos certeza absoluta, poderíamos ter feito a substituição por uma expressão mais elaborada, como "o processo de passagem de um entendimento inferior para um entendimento superior por meio do esforço concentrado de sua mente sobre determinado livro". Há somente um termo nessa expressão e ele se refere ao tipo de leitura que este livro aborda em sua maior parte. Mas repare que o mesmo termo foi expresso por uma palavra, por uma expressão curta e por uma expressão longa.

Este capítulo foi difícil de escrever e, acreditamos, sua leitura também foi difícil. A razão é óbvia. A regra de leitura que abordamos aqui só poderia ser apresentada de maneira plenamente inteligível se todas as explicações gramaticais e lógicas sobre as palavras e os termos fossem expostas.

Na realidade, explicamos muito pouco aqui. Para que realmente pudéssemos dar conta dessas questões, muitos capítulos seriam necessários. Nós apenas demos uma pincelada sobre os pontos essenciais do assunto. Nossa esperança é que tudo o que dissemos seja o suficiente para que você aplique a regra, na prática. Quanto mais aplicá-la, mais dominará os detalhes e as minúcias do problema. Você vai querer saber mais sobre o uso literal e metafórico das palavras, sobre a distinção entre palavras abstratas e concretas e entre nomes próprios e comuns. Você se interessará cada vez mais pela questão das definições: a diferença entre definir palavras e definir coisas; por que algumas palavras são indefiníveis apesar de possuírem significados definidos etc. Você se interessará pelo "uso emotivo das palavras", isto é, pelo emprego de palavras que despertam emoções, transformando os sentimentos das pessoas e fazendo-as agir, o que é algo bem diferente de transmissão de conhecimento. E você provavelmente se interessará pela relação entre o discurso comum "racional" e o discurso "louco" ou "bizarro" – o discurso típico das pessoas mentalmente perturbadas, no qual quase todas as palavras portam conotações esquisitas e inesperadas, embora identificáveis.

Se a prática da leitura analítica despertar esses interesses em você, mate a curiosidade lendo livros específicos sobre o assunto. Você aproveitará muito mais dessas leituras porque o que o levou até elas foram as perguntas que surgiram a partir de sua própria experiência. O estudo da gramática e da lógica, as ciências que fundamentam tais regras, só se tornará algo realmente prático à medida que estiver relacionado com a prática.

Talvez você não queira ir tão longe. Mesmo que seja esse o caso, perceba que sua compreensão de qualquer livro aumentará muito se você se der ao trabalho de encontrar as palavras importantes, identificar os significados alternativos e descobrir os termos. Há poucas ocasiões em que uma mudança tão pequena de hábito leva a um efeito tão grande e tão produtivo.

# 9. COMO ESPECIFICAR A MENSAGEM DO AUTOR

O mundo dos negócios tem outro aspecto em comum com o mundo dos livros, além da definição dos termos de um contrato: a apresentação de propostas. O que os compradores e vendedores querem dizer com "proposta" é uma espécie de oferta ou assentimento. Nas negociações honestas, a pessoa que faz uma proposta está, nesse sentido, declarando sua intenção de agir de determinada maneira. Uma negociação bem-sucedida requer muito mais que honestidade. A proposta tem de ser clara e, obviamente, tem de ser atraente. Assim as partes podem chegar a um acordo.

A proposta de um livro também é uma declaração, ou seja, é uma expressão do julgamento do autor sobre alguma coisa. Ele afirma algo que julga ser verdade, ou nega algo que julga ser falso. Ele confirma este ou aquele fato. Uma proposta desse tipo é como uma declaração, mas de conhecimentos, e não de intenções. O autor talvez nos informe suas intenções no começo do prefácio, por exemplo. Mas, para descobrirmos se ele manteve sua promessa, temos de procurar suas propostas.

Em geral, a ordem de leitura é inversa em relação à ordem de negociação. Os executivos normalmente chegam a um acordo depois de entrarem em contato com a proposta, mas o leitor tem de chegar a um acordo com o autor antes de descobrir o que este está propondo, qual julgamento está declarando. É por isso que a quinta regra de leitura analítica aborda palavras e termos, e a sexta, que vamos expor logo a seguir, refere-se a frases e propostas.

Há uma sétima regra estreitamente relacionada com a sexta. Talvez o autor tenha sido honesto ao expressar-se sobre questões factuais ou de conhecimento. Em geral, nós confiamos nele. Mas, a não ser que estejamos interessados apenas na personalidade do autor, não devemos nos satisfazer apenas com suas opiniões. *As propostas de um autor não passam de sua opinião, a não ser que sejam fundamentadas por boas razões.* Se estamos interessados no livro e no assunto do livro, e não apenas no autor, então vamos querer conhecer não apenas suas propostas, mas *por que ele acha que devemos nos deixar persuadir e aceitá-las.*

A sétima regra versa, portanto, sobre os argumentos e seus tipos. Existe uma grande quantidade de raciocínios, ou seja, uma grande quantidade de maneiras de se fundamentar o que se diz. Às vezes, é possível argumentar que algo é verdadeiro; às vezes, só é possível defender uma probabilidade. Mas todo tipo de argumento consiste em declarações que se relacionam de determinada maneira. Diz-se isto *por causa* daquilo. A expressão "por causa" sinaliza justamente uma razão, uma explicação.

A presença de argumentos é indicada por algumas outras palavras que relacionam declarações, tais como: *se* isto é assim, *então* aquilo; ou, *dado que* isto, *portanto* aquilo; ou disto *segue-se* aquilo. Nos capítulos anteriores deste livro surgiram muitas palavras como essas. Sabemos por experiência que as pessoas que não estão mais na escola, se querem continuar aprendendo e descobrindo, precisam que os livros continuem lhes ensinando. Nesse caso, *se* as pessoas querem continuar aprendendo, *então* precisam saber como continuar aprendendo com os livros, já que os professores estão ausentes.

Um argumento nada mais é do que uma série de afirmações ou declarações que fornece os fundamentos ou razões para aquilo que se está concluindo. É necessário um parágrafo, portanto, ou pelo menos uma série de frases, para expressar um argumento. As premissas (ou princípios) de um argumento nem sempre são declaradas de início, no entanto são sempre a *fonte* das conclusões. Se o argumento é válido, então das premissas segue-se a conclusão. Isso não quer dizer que a conclusão seja necessariamente verdadeira, dado que todas ou algumas premissas podem ser falsas.

Há um aspecto lógico e um aspecto gramatical na ordem dessas regras de interpretação. Progredimos de termos para propostas e destas para argumentos, progredindo de palavras (e expressões) para frases e destas para uma série de frases (ou parágrafos). Em suma, estamos progredindo de unidades mais simples para unidades mais complexas. O elemento menos significativo de um livro é, obviamente, a palavra. Seria verdadeiro, embora não adequado, dizer que um livro consiste em palavras. Ele também consiste em um grupo de palavras, que são em si unidades, e consiste em um grupo de frases, que também são em si uma unidade. O leitor ativo está atento não apenas às palavras, mas às frases e aos parágrafos. Não há outra maneira de descobrir os termos, as propostas e os argumentos de um autor.

A esta altura da leitura analítica – *em que a interpretação é nosso objetivo* – você deve ter percebido que a direção que estamos tomando é contrária à direção do primeiro estágio – *quando o objetivo era esboçar uma estrutura*. No primeiro estágio, partimos do livro como um todo e fomos descendo até suas partes principais, depois às divisões dessas partes etc. Como você deve suspeitar, os dois movimentos se encontram em algum lugar. As partes principais de um livro e as divisões dessas partes contêm muitas propostas e, normalmente, vários argumentos. Se você continuasse dividindo o livro em partes, teria condições de dizer afinal: "Nesta parte, as seguintes ideias são expostas". Ora, cada uma dessas "ideias" é provavelmente uma proposta, e algumas delas, se tomadas em conjunto, perfazem um argumento.

Desse modo, os dois processos de esboçar e interpretar encontram-se no nível das propostas e argumentos. Você chega às propostas e aos argumentos dividindo o livro em suas partes. Vai aos argumentos observando sua composição em propostas e, em última instância, em termos. Quando tiver completado os dois processos, então poderá dizer com segurança que realmente conhece o conteúdo do livro.

## FRASES *VERSUS* PROPOSIÇÕES

Já notamos anteriormente um aspecto das regras que vamos abordar neste capítulo. Como no caso da regra sobre palavras e termos, também estamos lidando aqui com a relação entre linguagem e pensamento. Frases e parágrafos são unidades gramaticais. São unidades de linguagem. Proposições e argumentos são unidades lógicas, ou unidades de pensamento e conhecimento.

Teremos de encarar um problema semelhante àquele que encaramos no capítulo anterior. Dado que a linguagem não é um meio perfeito de expressão do pensamento, pois uma palavra pode ter vários significados e duas ou mais palavras podem ter o mesmo significado, vimos como era complexa a relação entre o *vocabulário* do autor e sua *terminologia*. Uma palavra pode representar diversos termos, e um termo pode ser representado por diversas palavras.

Os matemáticos chamam a relação entre os botões de um paletó benfeito e as casas desses botões de "relação de um para um" ou *biunívoca*. Há um botão para cada casa, e uma casa para cada botão. Ora, a questão é que essa relação *não* se verifica entre palavras e termos. O erro mais grave que você pode cometer ao aplicar essas regras é supor que exista uma relação de um para um entre os elementos da linguagem e os elementos de pensamento ou conhecimento.

Na realidade, nem mesmo entre botões e suas casas seria tão fácil fazer uma relação dessas. As mangas da maioria das camisas masculinas trazem botões que não têm sua própria casa. E se a camisa estiver bem gasta, talvez haja nela casas sem seus respectivos botões.

Vamos transpor essa situação para o caso das frases e propostas. Nem toda frase de um livro expressa uma proposição. Primeiro, algumas frases expressam perguntas, ou seja, elas expõem problemas em vez de respostas. *Proposições são as respostas às perguntas*. Elas são declarações de conhecimento ou opinião. É por isso que algumas frases são chamadas de declarativas enquanto outras são chamadas de interrogativas. Há ainda frases que expressam desejos ou intenções. Elas podem nos informar sobre o propósito do autor, mas não transmitem o conhecimento que ele está tentando expor.

Além do mais, nem toda frase declarativa pode ser lida como se expressasse uma proposição. Há pelo menos duas razões para isso. A primeira é o fato de que palavras são ambíguas e podem ser usadas em várias frases. Assim, é possível que a mesma frase expresse diferentes proposições se houver uma mudança nos termos que as palavras expressam. "Ler é aprender" é uma frase simples; mas se em determinado ponto quisermos dizer que "aprender" é adquirir informação e em outro ponto quisermos dizer que é desenvolver o entendimento, a proposição não será a mesma, pois os termos são diferentes. Embora, claro, a frase seja a mesma.

A segunda razão é que nem todas as frases são tão simples quanto "ler é aprender". Quando suas palavras são usadas sem ambiguidade, uma frase simples *normalmente* expressa uma proposição simples. No entanto, mesmo quando suas palavras são usadas assim, sem ambiguidade, uma frase complexa expressa duas ou mais proposições. Uma frase complexa é, na realidade, uma coleção de frases, conectadas por palavras como "e" ou "se ... então" ou "não apenas ... mas também". Você está certo se pensou que a linha que separa uma longa frase complexa de um parágrafo curto é muito tênue. Uma frase complexa pode expressar proposições relacionadas entre si na forma de um argumento.

Essas frases podem ser extremamente difíceis de interpretar. Como exemplo, vamos considerar esta interessante frase de *O Príncipe*, de Maquiavel:

> Um príncipe tem de inspirar temor de tal maneira que, se ele não angariar amor, que evite o ódio; porque ele pode resistir muito bem sendo temido enquanto não for odiado, o que se dará na medida em que se abstenha da propriedade de seus cidadãos e de suas mulheres.

Gramaticalmente, trata-se de uma *única* frase, embora seja extremamente complexa. O ponto e vírgula e o "porque" indicam as principais modificações da frase. A primeira proposição é que um príncipe tem de inspirar temor de certa maneira.

A partir do "porque", dá-se início a uma nova frase. (Ela poderia ter sido simplificada para: "A razão para isso é que ele pode resistir" e assim por diante.) Essa frase expressa pelo menos duas proposições: (1) a razão pela qual o príncipe tem de inspirar temor, de tal maneira que resista sendo temido na medida em que não seja odiado; (2) ele pode evitar ser odiado respeitando as propriedades de seus cidadãos e suas mulheres.

É importante distinguir as diversas proposições contidas em uma frase longa e complexa. Para que você concorde com Maquiavel ou discorde de suas ideias, é preciso antes entender o que ele está dizendo. Ocorre que ele está dizendo três coisas em uma frase só. Você pode discordar de uma e concordar com as demais. Pode até pensar que Maquiavel está errado quando propõe terrorismo a um príncipe; mas talvez você possa reconhecer sua sagacidade quando diz que é melhor que o príncipe não desperte ódio junto ao temor, e talvez você também possa concordar em que abster-se das propriedades de seus súditos e de suas mulheres é uma condição indispensável para não ser odiado. A não ser que detecte as diversas proposições de uma frase complexa, você jamais conseguirá fazer um julgamento adequado a respeito do que o autor está dizendo.

Os advogados conhecem muito bem esse fato. Eles devem examinar as frases com grande esmero para descobrir o que está sendo alegado pelo acusador ou negado pela defesa. A frase "Fulano assinou a escritura de aluguel em 24 de março" parece bem simples, mas ainda assim diz muitas coisas, algumas das quais podem ser verdadeiras ou falsas. Fulano pode até ter assinado a escritura, mas não em 24 de março, e esse fato pode ser importante. Em suma, mesmo em uma frase gramaticalmente simples, às vezes estão expressas duas ou mais proposições.

Cremos que já dissemos o suficiente para indicar a diferença entre frases e proposições. Elas não se relacionam de maneira "um para um". Uma frase simples pode expressar diversas proposições, seja por ambiguidade, seja por complexidade, mas uma proposição também pode ser expressa por duas ou mais frases diferentes. Se você captar nossos termos por meio das palavras e expressões que usamos como sinônimos, você saberá que estamos dizendo a mesma coisa nas frases "Ensinar e ser ensinado são funções correlatas" e "Transmitir e receber comunicação são processos correlatos".

Vamos agora parar de explicar as questões gramaticais e lógicas e passar às regras. A dificuldade deste capítulo é a mesma do anterior: parar de explicar. Em vez disso, vamos supor que você saiba um pouco de gramática. Isso não quer dizer que precisa saber tudo sobre sintaxe, mas que ao menos conhece a ordem correta das palavras nas frases e as suas correlações. Um pouco de conhecimento gramatical é indispensável para um leitor. Você nem conseguirá começar a lidar com termos, proposições e argumentos – os elementos do pensamento – enquanto não for capaz de mergulhar para além da superfície linguística. Uma vez que palavras, frases e parágrafos continuem intocados e opacos, representarão uma barreira, e não um meio, para a comunicação. Você lerá palavras, mas não receberá conhecimento.

Eis as regras. A quinta regra de leitura, como você deve estar lembrado, era:

Regra 5. Encontre as palavras importantes e, por meio delas, entre em acordo com o autor.

Então, a sexta regra pode ser expressa assim:

Regra 6. Marque as frases mais importantes do livro e descubra as proposições que elas contêm.

E eis a sétima regra:

Regra 7. Localize ou formule os argumentos básicos do livro com base nas conexões entre frases.

Você logo entenderá por que não dissemos "parágrafos" nesta regra.

A propósito, tanto estas novas regras quanto aquela que recomenda entrar em acordo com o autor valem primordialmente para as obras expositivas. As regras sobre proposições e argumentos são bem diferentes quando estamos lendo uma obra poética – romance, peça teatral ou poema. Mais tarde trataremos das alterações necessárias para que as regras sejam aplicadas nesses casos.

## COMO ENCONTRAR AS FRASES-CHAVE

Como se localizam as frases mais importantes de um livro? E depois, como se interpretam essas frases para nelas detectar as proposições que contêm?

Mais uma vez estamos enfatizando aquilo que é importante. Dizer que há relativamente poucas frases importantes em um livro não quer dizer que você não precise prestar atenção ao resto. Obviamente, você tem de entender todas as frases. Mas a maioria das frases, assim como a maioria das palavras, não lhe trará dificuldades. Conforme dissemos em nossa discussão sobre leitura dinâmica, você as lerá rapidamente. Do seu ponto de vista de leitor, as frases mais importantes *para você* são aquelas que exigem esforço interpretativo, porque, à primeira vista, não são perfeitamente inteligíveis. Você as entende, mas sabe que há mais para ser entendido. São frases que você lê muito mais devagar e cuidadosamente do que as demais. Talvez elas não sejam as frases mais importantes *para o autor*, mas provavelmente são, pois é possível que você tenha mais dificuldades justamente nas coisas mais importantes que o autor tenha a dizer.

Nem é preciso ressaltar que são elas as coisas mais importantes nas quais você deve prestar atenção.

Do ponto de vista do autor, as frases mais importantes são aquelas que expressam os julgamentos sobre os quais o livro se baseia. Normalmente, um livro contém muito mais do que as frases cruas de um argumento ou um mero conjunto de argumentos. O autor talvez explique como chegou a certa conclusão ou por que seu posicionamento implica as consequências que alega. Talvez ele discuta as palavras que utilizou. Talvez comente as obras de outros autores. Talvez se aprofunde nos mais variados tipos de discussões e considerações. Mas *o coração da comunicação reside nas principais afirmações e negações, e nas razões que fornece para sustentá-las*. Portanto, para ser bem-sucedido, você precisa enxergar as frases principais como se elas saltassem da página, em alto-relevo.

Alguns autores podem ajudá-lo nessa tarefa. Eles grifam para você as frases mais importantes. Ou dizem explicitamente que o ponto em questão é importante, ou usam outros dispositivos tipográficos para destacar as frases centrais. É claro que nada vai realmente adiantar para as pessoas que não ficam acordadas durante a leitura. Conhecemos muitos alunos e leitores que simplesmente não prestavam atenção a esses sinais. Eles preferiam continuar lendo em vez de se deterem e examinarem as frases importantes com o devido cuidado.

São poucos os livros cujos autores destacam as frases fazendo-as ocupar um lugar especial na ordem e no estilo de exposição. Euclides, novamente, fornece o exemplo mais óbvio desse caso. Ele não apenas afirma suas definições, postulados e axiomas – suas principais proposições – no início, mas também rotula todas as proposições a serem provadas. Talvez você não entenda todos os enunciados. Talvez não consiga acompanhar todos os argumentos. Mas jamais perderá as frases ou grupos de frases importantes para o enunciado das provas.

Outro exemplo no qual as frases principais são destacadas pelo estilo da exposição é a *Suma Teológica* de Santo Tomás de Aquino. Cada seção vem precedida por uma questão. Há vários indícios da resposta que o autor busca defender. São enunciadas várias objeções à resposta. O local onde Santo Tomás começa a argumentar seu ponto de vista é marcado pelas palavras "Eu respondo que". Não há desculpa para não encontrar as frases importantes em um livro desses – as frases que expressam as razões e as conclusões –, embora, mesmo assim, o livro continue sendo uma grande confusão para os leitores que tratam tudo que leem como se fosse igualmente importante – e leem tudo na mesma velocidade. No final das contas, tudo acaba sendo igualmente desimportante.

À parte os livros cujos estilos chamam a atenção para os trechos que mais precisam de interpretação por parte do leitor, a localização das frases importantes é sua tarefa exclusiva. Há muitas coisas que ele pode fazer. Se for perspicaz o bastante, conseguirá captar a diferença entre os trechos que entende prontamente e os trechos que não entende, e então facilmente terá localizado as frases que mais o desafiam. Talvez, a esta altura, você esteja começando a perceber como é importante, para a leitura, *ficar perplexo e saber disso*. O espanto é o começo da sabedoria, seja aprendendo por meio de livros, seja aprendendo com a natureza. Se você nunca se questionar sobre o sentido de determinado trecho, então nunca poderá esperar que o livro lhe forneça qualquer *insight* que ainda não possua.

Outra pista para encontrar os trechos importantes está nas palavras que os compõem. Se você já marcou as palavras importantes, elas provavelmente o levarão até as frases que merecem sua atenção. Assim, o primeiro passo da leitura interpretativa o prepara para o segundo. Mas o inverso também pode ser verdadeiro. Pode acontecer de você marcar determinadas palavras somente depois de ficar confuso diante do sentido de uma frase. O fato de termos enunciado essas regras em determinada ordem não significa que você tenha de segui-las exatamente nessa ordem. Termos constituem proposições. Proposições contêm termos. Se você conhece os termos que as palavras expressam, é porque captou a proposição da frase. Se você entender a proposição transmitida por uma frase, terá captado os termos também.

Esse fato sugere mais uma pista para localizarmos as principais proposições. Elas pertencem aos principais argumentos do livro. Elas podem ser premissas ou conclusões. Assim, se você consegue detectar essas frases que parecem formar uma sequência, uma sequência na qual há um começo e um fim, então provavelmente terá apontado precisamente as frases que são importantes.

Dissemos "uma sequência na qual há um começo e um fim". Todo argumento que os homens expressam em palavras leva certo tempo para ser enunciado. Talvez você até consiga dizer uma frase de um só fôlego, mas há sempre pausas em um argumento. Você tem de dizer algo primeiro, depois outra coisa, e assim por diante. Um argumento começa em um lugar, passa por outro lugar e chega ainda a outro lugar. É um movimento do pensamento. Ele pode começar pelas conclusões e proceder fornecendo as razões dela. Ou pode começar com a evidência e as razões para conduzi-lo até a conclusão.

Evidentemente, assim como em outras situações, a pista não será útil a não ser que você saiba usá-la. Você tem de identificar um argumento assim que deparar com ele. A despeito de algumas experiências negativas, contudo, persistimos em nossa opinião de que a mente humana é tão naturalmente sensível aos argumentos quanto o olho é sensível às cores. (Deve haver pessoas que são "cegas a argumentos"!) Mas o olho não verá nada se permanecer fechado, assim como a mente não acompanhará um argumento se não estiver desperta.

Muitas pessoas acham que sabem ler só porque sabem ler a velocidades diferentes. Mas elas pausam e leem devagar *nas frases erradas*. Elas pausam nas frases que mais lhes *interessam* em vez de pausarem nas frases que mais as *confundem*. Em verdade, esse é um dos maiores obstáculos para a leitura de livros que não são totalmente contemporâneos. Todo livro antigo contém fatos que são surpreendentes por serem diferentes daqueles que conhecemos, mas a leitura para entendimento não deve se fixar nesse tipo de novidade. O interesse no autor, na sua linguagem ou no mundo em que escreve é uma coisa; o interesse no entendimento de suas ideias é outra coisa bem diferente. As regras aqui abordadas podem ajudar a satisfazer a esse interesse, não à sua curiosidade sobre outras questões.

## COMO ENCONTRAR AS PROPOSIÇÕES

Suponhamos que você tenha localizado as frases principais. A Regra 6 exige que se dê outro passo. Você terá de descobrir a proposição ou as proposições contidas em cada uma dessas frases. É outra maneira de dizer que você deve saber o que a sentença quer dizer. Você descobre termos descobrindo o sentido de determinada palavra naquele contexto. Similarmente, você descobre proposições interpretando todas as palavras que compõem a frase, sobretudo as palavras principais.

Novamente, vale lembrar que você não conseguirá empreender essa tarefa sem conhecer um pouco de gramática. É preciso saber o papel desempenhado por adjetivos e advérbios nas frases, saber como os verbos funcionam em relação aos substantivos, como as locuções restringem ou amplificam o sentido das palavras, e assim por diante. Idealmente, você tem de ser capaz de dissecar uma frase por meio da análise sintática, embora não necessariamente de maneira formal. Apesar da desvalorização da gramática no ensino escolar, hoje em dia, vamos considerar que você conheça o bastante – não é possível que você não conheça, embora possa estar um pouco enferrujado por falta de prática nos rudimentos da arte de ler.

Há somente duas diferenças entre encontrar os termos que as palavras expressam e identificar as proposições que as frases expressam. Uma é que o contexto, no caso das proposições, é mais amplo. Todas as frases vizinhas são levadas em conta para a interpretação da frase em questão, assim como as palavras vizinhas são levadas em conta para a interpretação de determinada palavra. Em ambos os casos, você procede a partir do que entende em direção a uma elucidação gradual daquilo que é, em princípio, relativamente ininteligível.

A outra diferença reside no fato de que as frases complicadas normalmente expressam mais do que uma proposição. Você não terá completado a interpretação de uma frase importante enquanto não tiver separado todas as diferentes proposições, mesmo que elas estejam inter-relacionadas. A habilidade para fazer isso vem com a prática. Encontre algumas frases complicadas neste livro e tente enunciar com suas próprias palavras cada uma das proposições declaradas. Enumere-as e relacione-as entre si.

"Enunciar com suas próprias palavras!" Isso sugere o melhor teste que conhecemos para dizer se você entendeu a proposição ou as proposições de uma frase. Se lhe pedirem que explique o que o autor quis dizer em determinada frase, e você somente conseguir repetir as próprias palavras do autor com algumas poucas alterações, trata-se de um indício de que você não entendeu realmente o que o autor quis dizer. Idealmente, você tem de ser capaz de dizer a mesma coisa com palavras totalmente diferentes. É claro que esse ideal pode ser alcançado em diferentes graus. Mas se ficar claro que você não é capaz de se desfazer das palavras do autor, isso mostra que *somente palavras* lhe foram transmitidas, *não pensamentos ou conhecimento*. Você conhecerá as palavras do autor, mas não sua mente. Ele tentou lhe comunicar conhecimento, mas tudo o que você absorveu foram palavras.

O processo de tradução de uma frase em língua estrangeira para a sua língua é relevante para o teste aqui proposto. Se você não consegue expressar em uma frase em português o que diz uma frase em francês, então sabe que não entende o significado da frase em francês. No entanto, mesmo que consiga, sua tradução poderá permanecer no nível meramente verbal; pois mesmo que tenha conseguido formar uma réplica fiel em português, talvez você não entenda o que o autor quis dizer em francês.

A tradução de uma frase em português para outra língua, porém, não é meramente verbal. A frase recém-formada não é uma réplica verbal da frase original. Se for exata, *ela será fiel somente ao pensamento*. É por isso que esse tipo de tradução é o melhor teste que você poderia aplicar a si próprio, se quiser ter certeza de que digeriu a proposição, e não apenas engoliu as palavras. Se não passar no teste, então terá descoberto uma falha de entendimento. Se disser que sabe o que o autor quer dizer, mas tudo o que consegue fazer é repetir a frase do autor para mostrar que sabe, então não seria capaz de reconhecer a proposição do autor caso tivesse sido apresentada com outras palavras.

Talvez o autor tenha apresentado a mesma proposição com palavras diferentes ao longo do livro. O leitor que não foi capaz de enxergar a proposição através das palavras provavelmente tenderá a tratar as frases equivalentes como se fossem frases que contivessem proposições diferentes. É o mesmo que uma pessoa não saber que "2 + 2 = 4" e "4 – 2 = 2" são notações distintas para a mesma relação aritmética – a relação do número quatro como dobro de dois, ou do número dois como metade de quatro.

Você teria concluído que essa pessoa simplesmente não entendeu a equação. A mesma conclusão se aplica a você ou a qualquer pessoa no caso de frases equivalentes que transmitam a mesma proposição, ou no caso de não conseguir expressar a proposição com frases diferentes daquelas utilizadas pelo autor.

Essas observações têm a ver com a leitura sintópica – a leitura de vários livros sobre um mesmo assunto. Diferentes autores frequentemente dizem a mesma coisa com diferentes palavras, ou diferentes coisas usando praticamente as mesmas palavras. O leitor incapaz de ver através da linguagem os termos e proposições jamais conseguirá comparar livros correlatos. Em sua leitura equivocada, ele provavelmente concluirá que os autores discordam por causa de suas diferenças verbais ou talvez ignore suas diferenças reais por causa de meras semelhanças verbais.

Há ainda outro teste para avaliar se você compreende a proposição de determinada frase. Você consegue indicar alguma experiência pessoal descrita pela proposição, ou na qual a proposição é pelo menos relevante? Você consegue dar um exemplo da regra geral que está sendo enunciada indicando alguma circunstância específica? Imaginar um caso é às vezes tão proveitoso quanto citar um caso real. Se você simplesmente não conseguir exemplificar ou ilustrar determinada proposição, seja imaginativamente, seja apontando uma experiência real, talvez esteja na hora de começar a suspeitar de que não entendeu o que está sendo dito.

Nem todas as proposições são igualmente suscetíveis a esse teste. Talvez seja necessário adquirir a experiência específica que somente um laboratório poderia fornecer. Mas cremos que a questão está clara agora. Proposições não existem no vácuo. Elas se referem ao mundo em que vivem. A não ser que consiga demonstrar certo traquejo com os fatos reais ou possíveis aos quais a proposição se refira ou para os quais seja relevante, você estará *brincando com palavras*, e não lidando com pensamento e conhecimento.

Vamos dar um exemplo de caso assim. Uma proposição básica em metafísica é expressa pelas seguintes palavras: "Nada atua, exceto o que é real". Já ouvimos muitos alunos repetirem essa frase com um ar de autossatisfação intelectual. Eles pensavam estar se desobrigando de seu dever perante nós e o autor só por repetirem verbalmente essa frase. Mas a vergonha vinha à tona assim que lhes pedíamos para expressar a proposição com outras palavras. Raramente diziam, por exemplo, que algo que não existe não pode fazer nada. Mas essa seria uma tradução imediata e evidente – evidente, pelo menos, para quem entendeu a proposição em seu sentido original.

Quando eles se mostravam incapazes de traduzi-la, nós lhes pedíamos um exemplo da proposição. Se algum deles nos dissesse que grama não pode crescer a partir de uma *possível* chuva – ou que contas bancárias não crescem só por causa de um *possível* aumento salarial –, saberíamos que a proposição foi bem entendida.

O vício do "verbalismo" pode ser definido como o mau hábito de usar palavras desprezando o pensamento que deveriam transmitir e sem consciência das experiências às quais deveriam se referir. É brincar com palavras. Como os dois testes indicam, o "verbalismo" é o pecado capital da leitura analítica. Esse tipo de leitor nunca vai além das palavras. O máximo que possui é uma memória verbal que lhe permite recitar palavras de forma vazia. Uma das acusações feitas pelos educadores modernos contra as artes liberais é que elas tendem ao verbalismo, mas ocorre justamente o contrário. O fracasso da leitura – o verbalismo onipresente – por parte daqueles que nunca foram treinados nas artes da gramática e da lógica mostra como o *deficit* nessas disciplinas resulta em escravidão às palavras, e não em domínio sobre elas.

## COMO ENCONTRAR OS ARGUMENTOS

Já falamos o suficiente sobre proposições. Agora está na hora de abordarmos a sétima regra da leitura analítica, a qual requer que lidemos com várias frases. Dissemos anteriormente que havia uma boa razão para não formularmos essa regra de interpretação simplesmente encontrando os parágrafos mais importantes. A razão é simples: não há consenso entre os escritores sobre como os parágrafos devem ser compostos. Grandes escritores como Montaigne, Locke ou Proust compuseram parágrafos extremamente longos; outros, como

Maquiavel, Hobbes ou Tolstói escreveram parágrafos relativamente curtos. Nos tempos modernos, sob a influência do estilo tipicamente jornalístico, a maioria dos autores assumiu a tendência de escrever parágrafos curtos e fáceis de ler. O parágrafo que você está lendo agora, por exemplo, é provavelmente longo demais para os padrões jornalísticos atuais. Se quiséssemos agradar aos leitores, teríamos começado um novo parágrafo em "Grandes escritores".

Não é apenas uma questão de extensão. O que nos incomoda aqui é a relação entre linguagem e pensamento. A unidade lógica para a qual a sétima regra aponta é o argumento – a sequência de proposições, algumas das quais podem levar a outras. Essa unidade lógica não guarda relação exclusiva com nenhuma unidade reconhecível no texto, da maneira como, por exemplo, os termos estão relacionados às palavras e expressões, e as proposições estão relacionadas às frases. Um argumento pode ser expresso em uma frase única e complicada, por exemplo, ou em várias frases que formam apenas uma pequena parte de um parágrafo. Às vezes, pode acontecer de um argumento coincidir exatamente com um parágrafo, mas também pode acontecer de o argumento exigir diversos parágrafos para ser devidamente exposto.

Há ainda outra dificuldade. *Há inúmeros parágrafos em um livro que não expressam absolutamente nenhum argumento* – nem mesmo a pequena parte de um argumento. Eles podem detalhar alguma evidência ou relatar como a evidência foi coletada, mas não são um argumento em si. Assim como há frases cuja importância é secundária, pois são meras digressões ou notas paralelas, assim também há parágrafos desse tipo. Nem precisamos lembrar que esses parágrafos podem ser lidos mais rapidamente que os demais.

Por causa dessas questões, sugerimos que a REGRA 7 seja reescrita assim: ENCONTRE, SE PUDER, OS PARÁGRAFOS QUE EXPRESSAM OS ARGUMENTOS IMPORTANTES DO LIVRO; MAS SE OS ARGUMENTOS NÃO PUDEREM SER ENCONTRADOS DESSA MANEIRA, VOCÊ TERÁ DE CONSTRUÍ-LOS, JUNTANDO FRASES DE DIVERSOS PARÁGRAFOS, ATÉ QUE CONSIGA COMPOR UMA SEQUÊNCIA DE FRASES QUE ENUNCIEM AS PROPOSIÇÕES QUE COMPÕEM O ARGUMENTO.

Após ter detectado quais são as frases principais, a composição dos parágrafos deverá ser algo relativamente simples. Há várias maneiras de fazê-lo.

Você pode escrever em um papel as proposições que, em conjunto, formam um argumento. Mas, em geral, o mais comum é fazer aquilo que sugerimos anteriormente: escrever números nas margens, além de outras marcas e sinais que indiquem os locais onde se encontram as frases que compõem o argumento.

Nem sempre os autores ajudam o leitor nessa tarefa. Os autores que sabem expor seu raciocínio de maneira clara e limpa sempre buscam revelar, e nunca ocultar, seu pensamento. No entanto, nem todos os bons autores fazem isso da mesma maneira. Alguns, como Euclides, Galileu, Newton (autores cujo estilo é eminentemente matemático ou geométrico) chegam perto do ideal de igualar o argumento a apenas um parágrafo. O estilo da maioria dos escritores não matemáticos tende a apresentar dois ou mais argumentos em um só parágrafo, ou apresentar um argumento em vários parágrafos.

Quanto mais displicente for a escrita de um livro, tanto mais difusos os parágrafos tenderão a ser. É muito comum termos de investigar todos os parágrafos de um capítulo para encontrar as frases que constituem o argumento. Alguns livros nos levam a investigar em vão, e outros nem mesmo encorajam a investigação.

Um bom livro normalmente se resume à medida que os argumentos se desenvolvem. Se o autor resumir seus argumentos no final de um capítulo, ou no final de uma seção ou parte, você poderá consultar as páginas anteriores a fim de detectar os trechos que ele reuniu no resumo. Na *Origem das Espécies*, Darwin resume seu argumento para o leitor no último capítulo, chamado "Recapitulação e Conclusão". O leitor que tanto se esforçou ao longo da leitura até que merece essa ajuda; já o leitor que não se esforçou não conseguirá aproveitar o resumo.

A propósito, se você investigou bem o livro antes de começar a lê-lo analiticamente, saberá se os resumos existem e onde estão. Nesse caso, poderá usá-los da melhor maneira possível para interpretar o livro.

Outro sinal de um livro mal escrito é a omissão de passos em um argumento. Às vezes eles podem ser omitidos sem causar danos, pois essas proposições deixadas de lado em geral são compensadas pelo conhecimento médio dos leitores. Mas, em outros casos, a omissão é enganosa, quando não intencionalmente enganosa. Um dos truques mais conhecidos de oratória ou propaganda é não dizer certas coisas, uma vez que poderiam arruinar o argumento se fossem explicitadas. Em geral, não esperamos que esse tipo de truque seja usado por autores honestos cujo intuito é ensinar, mas, mesmo assim, é prudente adotarmos o hábito de explicitar todos os passos de um argumento.

Não importa de que tipo seja o livro, sua missão como leitor continua a mesma. Se o livro contiver argumentos, você tem de saber quais são e deve poder expressá-los em poucas palavras. Há, evidentemente, argumentos construídos sobre outros argumentos. Ao longo de uma análise complexa e elaborada, uma coisa pode ser provada para provar outra coisa, e esta coisa pode ser usada para provar ainda outra coisa. As unidades de raciocínio, porém, são os argumentos simples. Se você for capaz de encontrá-los em qualquer livro, jamais se perderá nas sequências argumentativas mais longas.

Você pode estar pensando que embora tudo isso seja muito bonito, talvez fosse necessário conhecer a estrutura dos argumentos da mesma maneira como os especialistas em lógica a conhecem. Sem esse conhecimento específico, como encontrar, ou pior, como construir os argumentos se o autor não os expuser de maneira compacta, em um único parágrafo?

A resposta é que, obviamente, você não precisa conhecer a estrutura dos argumentos como se fosse um "especialista em lógica". Há relativamente poucos especialistas em lógica no mundo, para o bem ou para o mal. A maioria dos livros que transmitem conhecimento contém argumentos. Eles são voltados para os leitores em geral, e não para "especialistas em lógica".

Nenhuma grande competência em lógica é necessária para ler esses livros. Repetindo o que já dissemos anteriormente, a natureza da mente humana é tal que se ela se esforçar ao longo da leitura, se identificar os termos usados pelo autor e encontrar suas proposições, ela também conseguirá encontrar os argumentos.

Porém, algumas coisas que precisamos dizer poderão ser úteis para cumprir essa regra de leitura. *Em primeiro lugar*, lembre-se de que todo argumento consiste em uma quantidade específica de afirmações. Algumas dessas afirmações fornecem as razões para que você aceite a conclusão proposta pelo autor. Se você encontrar as conclusões antes, procure as razões. Se encontrar as razões antes, veja aonde elas o levarão.

*Em segundo lugar*, discrimine entre o tipo de argumento que aponta para um ou mais fatos específicos como evidências para alguma generalização e o tipo de argumento que apresenta uma série de afirmações gerais para provar outras generalizações. O primeiro tipo de raciocínio é chamado indutivo, e o segundo é chamado dedutivo, mas os nomes não são tão importantes. O importante mesmo é saber distinguir os dois.

Na literatura científica, observa-se essa distinção na diferença entre a prova de uma proposição por raciocínio e por experimentação. Galileu, em seu livro *Duas Novas Ciências*, chega a mencionar alguns experimentos que comprovam as conclusões já demonstradas anteriormente por raciocínio matemático. Em um capítulo conclusivo do livro *Estudo Anatômico sobre o Movimento do Coração*, o grande fisiologista William Harvey disse: "Demonstrou-se pela razão e por experimentos que o sangue, graças à batida dos ventrículos, flui pelos pulmões e pelo coração e é bombeado para todo o corpo". Às vezes, é possível defender uma proposição por meio de raciocínios feitos com base em outras verdades gerais e por evidências empíricas. Outras vezes, apenas um desses métodos está disponível.

*Em terceiro lugar*, fique atento às coisas que o autor diz que tem de *supor*, o que ele diz que pode ser *provado* ou evidenciado e o que não pode ser provado porque é *autoevidente*. Talvez ele esteja realmente tentando lhe dizer quais são suas suposições ou talvez esteja realmente querendo que você descubra quais são essas suposições. Obviamente, nem tudo pode ser provado, assim como nem tudo pode ser definido. Se toda proposição tivesse de ser provada, nenhuma prova teria início. Axiomas, suposições e postulados são necessários para provar proposições. Se essas proposições forem provadas, elas poderão naturalmente ser usadas como premissas em outras provas.

Em outras palavras, toda linha de raciocínio tem de começar em algum lugar. Basicamente, há duas maneiras ou lugares para se começar: com *suposições*, acordadas entre autor e leitor, ou com as chamadas *proposições autoevidentes*, que nem o autor nem o leitor podem negar. No primeiro caso, as suposições podem ser qualquer coisa, contanto que haja acordo entre autor e leitor. O segundo caso requer alguns comentários adicionais.

Recentemente, as pessoas têm se referido às proposições autoevidentes como "tautologias"; o sentimento que há por trás do termo é uma espécie de desprezo pelo trivial ou uma suspeita de engodo ou trapaça, como se coelhos estivessem sendo tirados de cartolas. Você enquadra a verdade definindo as palavras e, num passe de mágica, tira a mesma verdade como se ela nunca tivesse estado ali antes. Mas nem sempre é assim.

Por exemplo, há uma diferença considerável entre uma proposição como "o pai do pai é o avô" e "o todo é maior do que suas partes". A primeira proposição *é* uma tautologia, afinal, a proposição está contida na definição das palavras, mas o segundo exemplo está longe de ser uma tautologia. Vejamos por quê.

A afirmação "o todo é maior do que suas partes" expressa o entendimento que temos das coisas e de suas relações, o qual seria o mesmo a despeito das palavras que utilizamos ou das convenções linguísticas que adotamos. Os todos finitos quantitativos existem e eles possuem partes finitas definidas; por exemplo, esta página pode ser cortada na metade ou em várias partes etc. Ora, a maneira como entendemos um todo finito (isto é, qualquer todo finito) e a maneira como entendemos uma parte finita de um todo finito implicam entendermos o todo como maior que a parte, ou a parte como menor que o todo. Ao que parece, a questão é meramente verbal, ou seja, simplesmente não conseguimos definir as palavras "todo" e "parte"; essas palavras expressam noções primitivas ou indefiníveis. Já que não podemos defini-las *separadamente*, o que podemos fazer é expressar o que entendemos por todo e parte por meio de uma frase que mostre como os todos e as partes estão *relacionados*.

A afirmação é axiomática ou autoevidente no sentido de que seu oposto é imediatamente percebido como falso. Podemos dizer que esta página é "parte" e que metade desta página é "todo", mas não conseguimos pensar que esta página, antes de ser cortada na metade, seja menor que a metade obtida após cortá-la. A despeito de como utilizamos as palavras, os todos finitos e suas partes definidas são tais que sempre somos movidos a dizer que o todo é maior que suas partes, e o que sabemos é a relação entre os todos existentes e suas partes, e não o uso das palavras ou seus significados.

Essas proposições autoevidentes possuem, portanto, o *status* de verdades indemonstráveis e, por sua vez, inegáveis. Elas se baseiam somente em experiências e são parte do conhecimento espontâneo, já que não pertencem formalmente a nenhum grupo específico de conhecimento; elas não pertencem à filosofia nem à matemática, assim como não pertencem à ciência nem à história. Eis por que, a propósito, Euclides as chamava de "noções comuns". Elas também são instrutivas, apesar de Locke, por exemplo, achar que não. Ele não via diferença alguma entre uma proposição que nada instruía, como aquela sobre o avô, e uma que instruía – as proposições que nos ensinam algo que, de outra maneira, não saberíamos – como aquela sobre partes e todos. Todos os modernos que consideram tais proposições como meramente tautológicas cometem o mesmo erro. Não percebem que algumas das proposições que consideram "tautológicas" contribuem para nosso conhecimento, ao passo que outras, obviamente, em nada contribuem.

## COMO ENCONTRAR AS SOLUÇÕES

As últimas três regras da leitura analítica – as regras sobre termos, proposições e argumentos – podem ser encabeçadas por uma oitava regra, a qual abrange o último degrau na interpretação do conteúdo de um livro. Mais do que isso, essa oitava regra relaciona o primeiro estágio da leitura analítica (delineamento da estrutura) com o segundo estágio (interpretação do conteúdo).

O último passo na tentativa de descobrir a essência do livro é descobrir os principais problemas que o autor tenta resolver. (Lembre-se, isso está na Regra 4.) Ora, após ter chegado a um acordo com o autor (isto é, ter detectado os termos que ele utiliza) e captado quais suas proposições e argumentos, você terá de verificar o que encontrou voltando-se para outras questões. Quais dos problemas abordados pelo autor ele realmente conseguiu resolver? Na tentativa de resolvê-los, será que o autor criou novos problemas? Dos problemas em que ele fracassou, velhos ou novos, em quais o próprio autor reconhece que fracassou? O bom autor, assim como o bom leitor, tem de saber se um problema foi resolvido ou não, além de ser menos doloroso ao leitor se o autor explicitamente reconhecer o fracasso.

O passo final da etapa interpretativa é a REGRA 8. DESCUBRA QUAIS SÃO AS SOLUÇÕES DO AUTOR. Quando tiver aplicado essa regra, além das três precedentes, você poderá ter certeza de que conseguiu entender o livro. Se você começou com um livro que está "acima" do seu entendimento – um livro que pode lhe ensinar alguma coisa – então percorreu um longo caminho para chegar até aqui. Mais do que isso, agora está apto a completar sua leitura analítica do livro. O terceiro e último estágio lhe será relativamente fácil. Até agora, você manteve seus olhos e sua mente abertos, mas a boca esteve fechada. Até agora, você acompanhou o autor. A partir de agora, terá a chance de expressar-se, debatendo com o autor.

## O SEGUNDO ESTÁGIO DA LEITURA ANALÍTICA

Até aqui, descrevemos o segundo estágio da leitura analítica. Outra maneira de dizer isso é que, até agora, expusemos os materiais necessários para responder à segunda pergunta básica que você tem de fazer sobre o livro; na realidade, sobre qualquer coisa legível. Você deve lembrar que a pergunta era O *que exatamente está sendo dito, e como?* A aplicação das regras 5 a 8 deve ter lhe ajudado a responder a essa pergunta. Quando tiver chegado a um acordo com o autor (isto é, quando tiver encontrado seus termos), detectado suas proposições e argumentos centrais e identificado as soluções que ele dá aos problemas que se propôs, você saberá o que ele disse no livro e, assim, estará preparado para responder às duas perguntas básicas finais.

Já que completamos este estágio da leitura analítica, vamos, como anteriormente, resumir suas regras:

## O SEGUNDO ESTÁGIO DA LEITURA ANALÍTICA, OU REGRAS PARA DESCOBRIR O QUE DIZ O LIVRO (INTERPRETAÇÃO DO CONTEÚDO)

1. Chegue a um acordo com o autor, interpretando suas palavras-chave.
2. Capte as proposições principais, encontrando as frases mais importantes.
3. Entenda os argumentos do autor, encontrando-os ou compondo-os com base em conjuntos de frases.
4. Determine quais problemas o autor conseguiu resolver e quais ele não conseguiu resolver; neste caso, decida se o autor sabe que fracassou ao não resolvê-los.

# 10. COMO CRITICAR UM LIVRO

No final do capítulo anterior, dissemos que o caminho percorrido até aqui foi longo. Aprendemos a delinear um livro. Aprendemos as quatro regras para interpretar o conteúdo de um livro. Agora, estamos prontos para o último estágio da leitura analítica. Neste estágio, você colherá os frutos dos esforços despendidos nos estágios anteriores.

Ler um livro é como conversar. Talvez não lhe pareça uma conversa de verdade, já que é o autor quem fala e você permanece calado o tempo todo. Se pensa desse jeito, então você não percebe sua real obrigação como leitor – além de não perceber todas as oportunidades à sua disposição.

Na realidade, o leitor é aquele que dá a palavra final. O autor teve a oportunidade de falar o tempo todo, e agora é a sua vez. A conversa entre um livro e seu leitor se parece mais ou menos com aqueles debates em que cada um ouve a fala do outro, sem interrompê-lo, esperando sua vez de falar. Porém, se o leitor for indisciplinado e rude, a conversa não terá bom progresso. O pobre autor não poderá se defender. Ele não conseguirá dizer: "Ei, espere até que eu tenha terminado de falar". Ele não poderá protestar, não poderá dizer que o leitor o entendeu mal.

As conversas entre pessoas que se confrontam são proveitosas apenas se levadas a cabo de maneira civilizada. Não estamos aqui nos referindo apenas às civilidades sociais e a regras de etiqueta. Essas convenções não são realmente importantes. O que importa é a etiqueta *intelectual*; esta sim tem de ser observada com rigor. Sem essa etiqueta, a conversa será mero bate-boca, e não uma comunicação proveitosa. Supomos, obviamente, que a conversa envolva questões sérias, sobre as quais pessoas adultas possam concordar ou discordar. Por isso, é importante que se portem de maneira adequada. Do contrário, não haverá proveito nessa empreitada. O proveito ou o lucro de uma conversa é aquilo que se aprendeu nela.

O que vale para uma conversa comum vale ainda mais para a situação especial na qual o livro falou e agora o leitor tem de responder. Que o autor se portou adequadamente é algo que teremos de supor, ao menos de início. Que ele transmitiu tudo aquilo que tinha em mente também é algo que vamos supor, sobretudo no caso dos bons livros. Mas o que o leitor *pode* fazer em resposta? O que ele *tem de* fazer para cumprir seu dever com louvor?

O leitor tem a obrigação e a oportunidade de responder ao autor. A oportunidade é evidente. Nada pode impedir que o leitor pronuncie seu julgamento a respeito do livro. As raízes da obrigação, no entanto, situam-se nas profundezas da natureza da relação entre livros e leitores.

Se o livro for do tipo que transmite conhecimento, o objetivo do autor foi o de instruir. Ele buscou ensinar. Procurou convencer ou persuadir o leitor de alguma coisa. Seu esforço só terá sucesso se o leitor, ao final, disser: "Fui ensinado. Você me convenceu de que isso e isso é verdade ou me persuadiu de que isso é provavelmente verdade". No entanto, mesmo que o leitor não esteja convencido ou persuadido, a intenção e o esforço do autor devem ser respeitados. O leitor lhe deve um julgamento justo. Se não pode concordar com o autor, ao menos deve ter bases claras para discordar ou, se for o caso, suspender o julgamento em questão.

Na realidade, o que acabamos de dizer já foi dito muitas vezes. Um bom livro merece uma leitura analítica. A leitura não acaba no entendimento do livro. *Ela tem de ser coroada por uma crítica, por um julgamento.* O leitor pouco exigente não cumpre essa tarefa e provavelmente também não cumpre a tarefa de análise e interpretação. Esse tipo de leitor não se limita à preguiça: ele despreza o livro, colocando-o de lado e esquecendo-se dele. Pior do que elogiá-lo de leve, ele o condena sem lhe conceder uma crítica adequada.

## O ENSINAMENTO É UMA VIRTUDE

A resposta não é algo separado da leitura. É o terceiro estágio da leitura analítica de um livro; assim como nos estágios anteriores, há regras para seu cumprimento. Algumas delas são regras gerais de etiqueta intelectual. Falaremos delas neste capítulo. As demais são critérios mais específicos para críticas mais específicas. Elas serão abordadas no próximo capítulo.

As pessoas tendem a achar que os bons livros estão livres das críticas do leitor mediano. O leitor e o autor não são iguais. O autor, desse ponto de vista, só deve se sujeitar ao julgamento de seus pares. Lembre-se da recomendação de Bacon a seus leitores: "Não leia para contradizer ou refutar; nem para crer ou acreditar piamente; nem para conversar ou debater; mas para pesar e ponderar". *Sir* Walter Scott lança críticas ainda mais ácidas contra aqueles que "leem para duvidar ou leem para zombar".

Há certa verdade aí, evidentemente, mas também há uma boa dose de *nonsense* acerca da aura de infalibilidade que cerca alguns livros e da falsa devoção que ela produz. Supõe-se que os leitores devam se comportar como crianças, no sentido de que os grandes autores ensinam e os leitores têm de ficar quietos. Cervantes pode ou não estar certo quando diz que "não há livro tão ruim que não contenha nada de bom". Se for assim, também podemos dizer que não há livro tão bom que não contenha alguma falha.

É verdade que um livro que consegue transmitir conhecimento aos leitores é, nesse sentido, superior a eles e só deve ser criticado até que esses leitores o entendam. Quando tiverem entendido, eles terão aumentado seu nível de conhecimento até um nível igual ao do autor. Nesse caso, estarão aptos a exercitar seus direitos e privilégios. Se não o fizerem, estarão cometendo uma injustiça contra o autor. Ele fez o que pôde para elevá-los até seu nível. Ele merece que ajam como seus pares, que conversem com ele, que respondam.

Estamos falando aqui da virtude do ensinamento – uma virtude muito mal compreendida hoje em dia. O ensinamento confunde-se equivocadamente com a subserviência. Diz-se que uma pessoa "pode ser ensinada" se ela for dócil e passiva. Mas é justamente o contrário: o ensinamento é uma virtude extremamente ativa. Ninguém é verdadeiramente capaz de aprender se não exercitar livremente seu poder de julgamento independente. Ele pode até ser treinado, mas não ensinado. *O leitor mais capacitado a aprender é, portanto, o mais crítico dos leitores.*

É o leitor que, ao final, responde ao livro esforçando-se ao máximo nas questões apresentadas pelo autor.

Dissemos "ao final" porque o ensinamento requer que o professor seja ouvido totalmente e que, mais do que isso, seja entendido antes de ser julgado. Vale lembrar que o mero esforço não é o critério adequado para a aprendizagem. O leitor tem de saber *como* julgar o livro, assim como tem de saber como entender o conteúdo do livro. O terceiro grupo de regras é, portanto, um guia para o último estágio do exercício disciplinado do ensinamento.

## O PAPEL DA RETÓRICA

Por toda parte encontramos certa reciprocidade entre a arte de ensinar e a arte de ser ensinado, entre a competência do autor e a competência do leitor. Vimos como os mesmos princípios lógicos e gramaticais envolvidos na boa escrita também formam as regras da boa leitura. As regras que abordamos até aqui lidam com a inteligibilidade do autor e com a capacidade de compreensão do leitor. O conjunto de regras que vamos descrever agora vai além do entendimento, entra na seara do julgamento crítico. É aqui que entra a retórica.

A retórica possui, evidentemente, muitos usos. Em geral, pensamos nela como algo utilizado por oradores ou profissionais do marketing. No entanto, a retórica está relacionada a todas as situações nas quais há comunicação entre seres humanos. Se somos nós que falamos, queremos não apenas que nos entendam mas que concordem conosco, em certa medida. Se quisermos realmente nos comunicar, se quisermos ser entendidos, desejaremos também convencer ou persuadir – mais precisamente, desejaremos convencer a respeito de questões teóricas e, em última instância, persuadir a respeito de questões que afetam nossas ações e sentimentos.

A comunicação séria exige não apenas que sejamos espectadores *responsivos*, mas espectadores *responsáveis*. Você será responsável à medida que acompanhar o que lhe for dito e perceber a intenção com que é dito. Mas você também terá a responsabilidade de tomar uma posição. Quando tomar essa posição, ela será sua e não do autor. Achar que os outros são responsáveis pelo seu julgamento é ser escravo, e não uma pessoa livre. É exatamente por isso que as artes liberais têm esse nome.

Quanto ao orador ou escritor, o dom da retórica significa saber como convencer ou persuadir. Dado que esse seja o fim último da comunicação, todos os demais aspectos deverão servi-lo. As habilidades lógicas e gramaticais possuem seus méritos, mas elas também são meios para determinado fim. Reciprocamente, quanto ao leitor ou ouvinte, o dom da retórica significa saber como reagir quando alguém tenta nos convencer ou persuadir de algo. Aqui, as habilidades lógicas e gramaticais também possibilitam nossa reação de maneira crítica, pois elas nos permitem entender o que está sendo dito.

## A IMPORTÂNCIA DE SUSPENDER O JULGAMENTO

Dessa maneira, vemos como as três artes da gramática, da lógica e da retórica cooperam para regular os elaborados processos de escrita e leitura. A destreza nos dois primeiros estágios da leitura analítica depende da gramática e da lógica. A destreza no terceiro estágio depende da arte da retórica. Consideraremos que os princípios da retórica são uma espécie de código de etiqueta não apenas para ensinar boas maneiras, mas para que se saiba responder com a devida eficácia. (Embora não seja algo comumente reconhecido, a etiqueta serve para os dois propósitos, e não apenas para o primeiro.)

Você provavelmente já consegue intuir qual será a nona regra. Já falamos dela diversas vezes. Não responda enquanto não tiver ouvido com cuidado e não tiver certeza de que entendeu. Você será honesto e não se manifestará enquanto não tiver absoluta certeza de que cumpriu com esmero os primeiros dois estágios de leitura; pois, em seguida, você não apenas terá o direito de se manifestar, como terá o dever de fazê-lo.

Isso significa que, com efeito, o terceiro estágio da leitura analítica deve seguir-se cronologicamente aos dois primeiros. Os dois primeiros estágios se interpenetram. Mesmo o leitor iniciante conseguirá combiná-los, e o leitor avançado o fará quase que integralmente. Ele consegue descobrir o conteúdo do livro quebrando o todo em suas partes e, ao mesmo tempo, construindo o todo a partir de seus elementos intelectuais e cognoscíveis, a saber, os termos, as proposições e os argumentos. Além do mais, boa parte do trabalho que os dois primeiros estágios demandam já terá sido executada na leitura inspecional. Porém, mesmo o especialista só poderá passar ao terceiro estágio depois que tenha entendido.

A nona regra pode ser reformulada desta maneira:

REGRA 9. VOCÊ TEM DE DIZER COM RAZOÁVEL GRAU DE CERTEZA "EU ENTENDO" ANTES QUE POSSA DIZER "CONCORDO" OU "DISCORDO" OU "SUSPENDO O JULGAMENTO".

Essas três afirmações são exaustivas, ou seja, elas resumem todas as posturas que você pode adotar a respeito de um livro. Esperamos que você não tenha imaginado que criticar significa discordar. Trata-se de um equívoco muito comum. Concordar é um exercício de julgamento crítico, assim como discordar. Você pode errar tanto ao concordar quanto ao discordar. Discordar sem entender é imprudente.

Embora não seja tão óbvio de início, a suspensão de um julgamento é também uma crítica. Você está assumindo a postura de que algo não foi demonstrado, ou seja, não está convencido ou persuadido para nenhum dos lados.

A regra parece tão óbvia que talvez você esteja se perguntando por que nos incomodamos em explicitá-la. Há duas razões para isso. Em primeiro lugar, muitas pessoas cometem o erro já mencionado de igualar crítica com discórdia. (Mesmo as críticas "construtivas" são discordantes.) Em segundo lugar, embora essa regra pareça obviamente legítima, nossa experiência deixa claro que pouca gente a segue na prática. Como regra de ouro, ela dá mais margem a elogios insinceros do que à obediência inteligente.

Todo autor já passou pela experiência de ser alvo de críticos que não se sentiram obrigados a cumprir os dois primeiros estágios de leitura. O crítico frequentemente imagina que não precisa ser leitor, apenas juiz. Todo palestrante também passou pela mesma experiência, isto é, foi alvo de perguntas cujo contexto revela que, obviamente, o ouvinte não entendeu o que foi dito. Você mesmo já deve ter ouvido alguém dizer, repentinamente: "Não entendi o que disse, mas acho que você está errado".

Na realidade, não faz sentido responder a esse tipo de crítica. A única atitude educada, nesses casos, é pedir a tais críticos que repitam o que entenderam, isto é, as ideias que julgam estar condenando. Se não puderem fazê-lo de maneira satisfatória, se não puderem repetir o que foi dito *com suas próprias palavras*, você saberá que eles não entenderam e, portanto, estará com razão se decidir ignorá-los. São críticas irrelevantes, assim como qualquer crítica que não se baseie em entendimento genuíno. Quando conseguir encontrar uma dessas raras pessoas que demonstrem ter entendido o que você disse tão bem quanto você mesmo, então desfrute de seu apoio ou se preocupe com sua crítica.

Após anos de experiência com alunos dos mais variados tipos, concluímos que o cumprimento dessa regra é mais uma exceção do que regra mesmo. Alunos que evidentemente não entenderam o que o autor quis dizer não pensam duas vezes em fazer o papel de juiz. Eles não apenas discordam de algo que não entenderam como, pior ainda, concordam com ideias as quais não conseguiriam expressar inteligentemente com suas próprias palavras. Suas discussões, a exemplo de sua leitura, são apenas palavras. Onde não há entendimento não há sentido e inteligibilidade nas afirmações e negações. Nem mesmo duvidar ou suspender o julgamento são posturas inteligentes, já que o leitor não saberá o que, afinal, ele está deixando de julgar.

Há outras questões a serem observadas quanto a essa regra. Se estiver lendo um bom livro, você deve hesitar antes de dizer "entendi". Supõe-se que terá muito trabalho pela frente antes de declarar qualquer coisa com confiança e honestidade. Certamente, você deve ser um juiz de si próprio nessas questões, o que só torna a responsabilidade ainda maior e mais séria.

Dizer "não entendi" também é, evidentemente, um julgamento crítico, mas *somente depois de ter se esforçado é que essa declaração refletirá algo sobre o livro, e não sobre você*. Caso tenha realmente feito a sua parte e ainda não tenha entendido, talvez o livro seja de fato ininteligível. Porém, sempre se supõe que o julgamento seja a favor do livro, sobretudo se for um bom livro. No caso dos bons livros, a responsabilidade pelo fracasso em entendê-los quase sempre cabe ao leitor. Por isso, ele é obrigado a permanecer nos dois primeiros estágios de leitura antes de se aventurar no terceiro. Quando disser "não entendi", preste atenção ao seu tom de voz e veja se ele concede a possibilidade de que a falha não seja do autor, mas de você mesmo, leitor.

Há mais duas condições nas quais a regra exige cuidados especiais. Se estiver lendo apenas uma parte do livro, é mais difícil ter certeza de que você o entendeu e, portanto, terá de ser ainda mais cuidadoso ao criticá-lo. Às vezes, um livro está intimamente relacionado a outros livros do mesmo autor; sendo assim, seu pleno entendimento depende deles. Nesse caso, você também deve ser mais cauteloso em dizer "entendi" e diminuir a ânsia da crítica.

Um exemplo bastante característico desse tipo de audácia é dado pelos críticos que concordam com a *Poética* de Aristóteles ou dela discordam sem perceber que os princípios centrais da análise poética de Aristóteles encontram-se em outros trechos de outros livros, sobretudo de seus tratados de psicologia, lógica e metafísica. Eles concordam ou discordam sem saber com o que estão concordando ou de que estão discordando.

O mesmo vale para autores como Platão e Kant, Adam Smith e Karl Marx, os quais não escreveram tudo o que sabiam ou pensavam em uma única obra. Aqueles que julgam a *Crítica da Razão Pura* de Kant sem ler sua *Crítica da Razão Prática*, ou *A Riqueza das Nações* de Adam Smith sem ler sua *Teoria dos Sentimentos Morais*, ou O *Manifesto Comunista* de Marx sem ler O *Capital*, simplesmente não estão em condições de concordar ou discordar de nada, pois certamente não entenderam por completo o que esses autores disseram.

## POR QUE É IMPORTANTE EVITAR CONTROVÉRSIAS

O segundo preceito da leitura crítica é tão óbvio quanto o primeiro, mas mesmo assim precisa ser explicitado, pelos mesmos motivos. É a REGRA 10, que diz isto: QUANDO DISCORDAR, FAÇA-O DE MANEIRA SENSATA, SEM GERAR DISPUTAS OU DISCUSSÕES. Não faz sentido vencer um debate se souber ou suspeitar que esteja errado. Na prática, você terá levado vantagem, mas apenas no curto prazo. A honestidade é a melhor política, sobretudo no longo prazo.

Aprendemos esse preceito, antes de tudo, com Platão e Aristóteles. Em um trecho do *Banquete*, há este diálogo:

> "Não posso refutar-te, Sócrates", disse Ágaton. "Suponhamos que o que dizes é verdade."
>
> "Em vez disso, Ágaton, dize que não podes refutar a verdade; pois Sócrates é facilmente refutável."

O trecho ecoa nas palavras de Aristóteles em sua *Ética*. Ele diz:

> É preferível e é mesmo nosso dever destruir o que mais de perto nos toca a fim de salvaguardar a verdade, especialmente por sermos filósofos ou amantes da sabedoria; porque, embora ambos nos sejam caros, a piedade exige que honremos a verdade acima de nossos amigos.

Platão e Aristóteles aconselham algo que a maioria das pessoas ignora. Muitos pensam que vencer o debate é o que importa, e não aprender a verdade.

Uma conversa não é uma batalha vencida por mero antagonismo, ou seja, não é uma batalha que se vence por meio de discórdias, verdadeiras ou falsas. O leitor que abordar o livro nesse espírito só vai ler aquilo de que discorda. Em discussões e disputas, é fácil encontrar pelo em ovo.

Na privacidade de sua casa, nada impede que o leitor vença o debate. Ele domina a situação. O autor não está ali para se defender. Se tudo o que quer é sentir-se superior ao autor, o leitor o conseguirá facilmente. Ele nem precisa ler o livro para isso. Basta correr os olhos por algumas páginas e pronto.

No entanto, se ele perceber que o único proveito que poderá extrair de mestres vivos ou mortos é aquilo que puder aprender com eles, se perceber que a vitória se segue à conquista do conhecimento e não ao nocaute do adversário, poderá compreender a futilidade das disputas. Isso não quer dizer que o leitor não deva nunca discordar e tentar mostrar onde o autor errou. Estamos apenas dizendo que *ele deve estar tão preparado para concordar quanto para discordar*. Qualquer que seja sua postura, ela deverá estar motivada apenas pelos fatos, pela verdade.

É necessário mais do que honestidade. É fato que se o leitor detectar um argumento válido, terá de admiti-lo. Mas ele não deve se sentir *compelido* a concordar com o autor, em vez de discordar. Caso se sinta assim, também estará investido do espírito de disputa. À luz do segundo preceito, seu problema é emocional, e não intelectual.

## COMO RESOLVER DISCÓRDIAS

O terceiro preceito está intimamente ligado ao segundo. Ele também expressa uma condição indispensável para a crítica de um livro. Ele recomenda que você encare as discórdias como algo passível de ser resolvido. Enquanto o segundo preceito sugere que você não discorde *insensatamente*, o terceiro alerta-o contra a discórdia *desesperançada*. A desesperança surge da ideia de que pessoas racionais não possam entrar em acordo. Note que dissemos "possam". Isso não quer dizer que pessoas racionais sempre entrem em acordo. Mesmo que não concordem, elas podem concordar. O que queremos dizer é que a discórdia não passa de mera perturbação fútil, a não ser que as partes discordem na esperança mútua de que a questão possa ser devidamente resolvida.

Esses dois fatos, isto é, que as pessoas discordam e que podem concordar, devem-se à complexidade da natureza humana. Os seres humanos são animais racionais. A racionalidade é a fonte da capacidade de concordar. A animalidade e as imperfeições que ela imprime sobre a razão são a causa da maior parte das discórdias. Os seres humanos são criaturas passionais e preconceituosas. A linguagem que empregam na comunicação é imperfeita, obscurecida pela emoção e colorida pelo interesse próprio, além de pouco transparente ao pensamento. No entanto, dado que os seres humanos são racionais, tais obstáculos podem ser superados. O tipo de discórdia meramente aparente, o tipo de discórdia que resulta de simples desentendimento, pode ser curado.

Há, obviamente, outro tipo de discórdia, aquela que se deve a desigualdades de conhecimento. O sujeito relativamente ignorante discorda com frequência (e equivocadamente) do sujeito relativamente culto sobre questões que ultrapassam seu conhecimento. Esse tipo de discórdia também pode ser corrigido. A desigualdade de conhecimento é sempre curável pelo ensino.

Há outras discórdias que são mais profundas e subsistem precisamente no domínio da própria razão. É difícil certificar-se delas e praticamente impossível descrevê-las racionalmente. De qualquer maneira, o que dissemos aplica-se à imensa maioria das discórdias. Elas resolvem-se pela remoção dos desentendimentos ou da ignorância. Ambos os tipos são passíveis de cura, embora à custa de alguma dificuldade. Assim, a pessoa que discordar, a despeito do estágio em que se encontre uma conversa, deve ao menos alimentar alguma esperança de que a concórdia seja alcançada ao final. Ela deve estar apta a mudar sua opinião tanto quanto a mudar a opinião do opositor. Em outras palavras, deve-se sempre ter em mente a possibilidade de haver um desentendimento ou ignorância de parte a parte. Ninguém deve ignorar que a ocasião para ensinar é também uma ocasião para ser ensinado.

O problema é que muitas pessoas não acham que a discórdia esteja ligada ao ensino ou à aprendizagem. Elas acham que tudo é uma questão de opinião. Eu tenho a minha e você tem a sua; o direito de ter uma opinião é tão inviolável quanto o direito à propriedade privada. Dessa perspectiva, a comunicação jamais será proveitosa, pois o proveito advém justamente do aumento de conhecimento. A conversa não passaria de um jogo de pingue-pongue, de um jogo de opiniões opostas, um jogo em que ninguém marca pontos, ninguém vence e todos saem satisfeitos porque ninguém perdeu – isto é, todos saem com as mesmas opiniões com que entraram.

Jamais teríamos escrito este livro se sustentássemos esse tipo de opinião. Pelo contrário, acreditamos que o conhecimento pode ser comunicado e que as discussões podem suscitar aprendizagem. Se o conhecimento genuíno, e não a mera opinião pessoal, é o que importa, então ou as discórdias são apenas aparentes – e são eliminadas por um acordo entre autor e leitor –, ou elas constituem problemas reais, genuínos, e podem ser resolvidas – no longo prazo, evidentemente – apelando-se aos fatos e à razão. A racionalidade exige das partes que tenham, no mínimo, uma grande dose de paciência. Em suma, o que estamos querendo dizer é que as discórdias são questões argumentáveis.

Mas os argumentos são vazios caso as partes não trabalhem com a suposição de que é possível chegarem a um entendimento que, à luz da razão e das evidências relevantes, resolva os problemas originais.

Como este terceiro preceito se aplica às conversas entre leitor e autor? Como transformá-lo em uma regra de leitura? Ele refere-se ao caso em que o leitor discorda de alguma coisa no livro e exige, em primeiro lugar, que a discórdia não seja fruto de mal-entendidos. Suponhamos que o leitor foi cuidadoso o bastante para não tecer críticas antes de ter certeza de que entendeu o livro e, portanto, está convencido de que não há mal-entendidos. E agora, o que fazer?

Esse preceito exige que o leitor diferencie entre conhecimento genuíno e mera opinião, e que, caso se trate de conhecimento, o problema possa ser resolvido. Se for tenaz e persistente o bastante, o leitor poderá ser ensinado em questões que mudarão sua opinião. Se isso não acontecer, talvez ele esteja justificado em criticar o autor e, metaforicamente falando, este deverá se deixar instruir pelo leitor. Digamos que, se o autor estivesse vivo e presente, é a opinião dele que seria alterada.

Você deve estar lembrado do que dissemos sobre esse assunto no capítulo anterior. Se o autor não fornecer razões que sustentem suas proposições, elas poderão ser tratadas como se fossem expressões de sua opinião. O leitor que é incapaz de diferenciar entre conhecimento e manifestação de opinião não lê para aprender. Na melhor das hipóteses, estará interessado apenas na personalidade do autor e usará o livro como fonte de consulta. Obviamente, esse tipo de leitor não concordará nem discordará. Ele não julga o livro, mas o homem.

Porém, se o leitor estiver interessado no livro e não no homem, ele levará a sério a tarefa de criticá-lo, a qual, por sua vez, depende da distinção entre conhecimento real e mera opinião pessoal. Por conseguinte, o leitor não pode se limitar a concordar ou discordar. Ele tem de fornecer razões. É claro que, caso concorde, basta que compartilhe ativamente as razões e os argumentos do autor, mas, caso discorde, terá a obrigação de se explicar – caso contrário, reduzirá uma questão de conhecimento a outra, de mera opinião.

Assim, a Regra 11 pode ser expressa desta forma: Respeite a diferença entre conhecimento e opinião fornecendo razões para quaisquer julgamentos críticos que fizer.

A propósito, não estamos insinuando que exista uma grande quantidade de conhecimento "absoluto" disponível. Proposições autoevidentes, no sentido em que as definimos no capítulo anterior, são verdades ao mesmo tempo indemonstráveis e irrefutáveis. A maior parte do conhecimento, porém, não atinge esse grau absoluto. O que sabemos está sujeito a correções; sabemos porque todas as evidências, ou muitas delas, corroboram esse conhecimento, mas não podemos ter certeza de que não surgirá uma nova evidência que em algum momento invalidará o que hoje pensamos ser verdadeiro.

Isso, contudo, não invalida a importante distinção entre conhecimento e opinião abordada há pouco. Digamos que *o conhecimento consiste nas opiniões que podem ser defendidas*, opiniões para as quais existem evidências de alguma espécie. Nesse sentido, se nós realmente sabemos algo, devemos acreditar que somos capazes de convencer outras pessoas daquilo que sabemos. A opinião, no sentido em que a temos empregado, é um julgamento não justificado. É por isso que usamos os adjetivos "mero" ou "pessoal" associados a ela. Não podemos fazer mais do que opinar caso não tenhamos evidências ou motivos que sustentem as proposições, ou seja, nada teremos além de preconceitos ou sentimentos pessoais. Podemos dizer que algo é verdadeiro somente quando tivermos evidências objetivas que outros homens racionais provavelmente aceitarão.

Vamos resumir os três preceitos abordados neste capítulo. Os três formam, em conjunto, as condições necessárias para a leitura crítica e estabelecem as maneiras pelas quais o leitor pode "responder" ao autor.

O primeiro pede ao leitor que conclua a tarefa de entender antes de criticar. O segundo o aconselha a não ser polêmico nem competitivo. O terceiro aconselha a considerar remediáveis os desacordos sobre questões do conhecimento. Essa regra vai além: ela também exige que o leitor apresente justificativas para o seu desacordo, de forma que as proposições não sejam apenas expostas, mas também justificadas. Reside aqui toda a esperança de uma solução.

# 11. CONCORDAR COM O AUTOR OU DISCORDAR?

A primeira coisa que o leitor tem de dizer é se entendeu ou não. Na realidade, ele precisa dizer que entendeu para que possa dizer algo mais. Se não tiver entendido, deve calar-se e concentrar-se no livro.

Há uma exceção à crueldade da segunda alternativa. Dizer "não entendi" pode ser, em si, um comentário crítico. Para que seja esse o caso, o leitor precisa saber se justificar. Se o problema é do livro, e não dele, o leitor precisa localizar as fontes do problema. Deve ser capaz de mostrar que o livro tem uma estrutura mal ordenada, que suas partes não se encaixam como deveriam, que algumas delas carecem de importância ou que o autor está equivocado ao empregar certas palavras importantes, o que pode dar margem a uma série de confusões. Na medida em que o leitor consiga sustentar sua acusação de que o livro é ininteligível, não lhe restará nenhuma obrigação em seu papel de crítico.

Suponhamos, porém, que você esteja lendo um bom livro, ou seja, um livro relativamente inteligível. E suponhamos que, no final das contas, você seja capaz de dizer: "entendi". Se, além de entender o livro, você concordar com o que o autor disse, o trabalho terminou por aí. A leitura analítica estará encerrada. Você foi esclarecido, ou convencido, ou persuadido. Ou seja, só haverá passos adicionais caso tenha discordado do autor ou caso tenha suspendido o julgamento. O primeiro caso é o mais comum.

Na medida em que os autores argumentam com seus leitores – e esperam que seus leitores contra-argumentem –, o bom leitor deve estar familiarizado com os princípios da argumentação. Ele precisa ser capaz de conduzir uma polêmica de forma civilizada e inteligente. É exatamente para isso que serve este capítulo. O leitor pode chegar a concordar com o autor ou discordar dele de forma significativa, não apenas entendendo os argumentos, mas confrontando-os.

Vamos fazer uma pausa para refletir sobre o significado da concórdia e da discórdia. O leitor que chega a um acordo com o autor, assimilando suas proposições e argumentos, compartilha com ele uma forma de pensar. Na realidade, todo o processo de interpretação está voltado para o encontro entre duas mentes mediante a linguagem. Compreender o livro é como se houvesse um acordo entre autor e leitor. Eles concordam sobre como a linguagem foi usada para expressar determinadas ideias. Em função desse acordo, o leitor será capaz de enxergar através da linguagem do autor as ideias que ele buscou expressar.

Se o leitor entendeu o livro, como poderá discordar dele? A leitura crítica exige que o leitor forme suas próprias ideias, mas as mentes do autor e do leitor agora são uma só. Que mente sobrou ao leitor para que forme suas próprias ideias?

Há pessoas que cometem o erro de não diferenciar entre dois tipos de "acordo". Elas supõem, de maneira equivocada, que se há acordo entre duas pessoas, então não há nenhuma discórdia. Elas acham que toda discórdia é uma questão de incompreensão.

O erro se torna patente quando lembramos que o autor está emitindo julgamentos sobre o mundo em que vivemos. Ele transmite conhecimentos teóricos sobre como as coisas existem e se comportam, ou conhecimentos práticos sobre como as coisas devem ser feitas. Evidentemente, ele pode estar certo ou errado. Ele só terá razão se tiver dito coisas verdadeiras, se tiver apresentado fatos que são ao menos prováveis, à luz das evidências. Caso contrário, estará equivocado.

Se você disser, por exemplo, que "todos os homens são iguais", entenderemos que todos os homens ao nascerem são igualmente dotados de inteligência, força etc. À luz dos fatos, teríamos de discordar de você. Acharíamos que você está errado. Mas suponha que tenhamos entendido você mal. Vamos supor que, na realidade, você quis dizer que *todos os homens têm os direitos políticos iguais*. Como não entendemos o que você quis dizer, nossa discórdia torna-se irrelevante. Agora, vamos supor que o erro foi devidamente corrigido. Restam-nos duas alternativas. Podemos concordar ou discordar, *mas, se discordarmos, haverá uma discórdia real entre nós*. Entendemos seu posicionamento político, mas defendemos uma posição contrária.

Discórdias sobre questões factuais ou políticas – questões sobre como as coisas são ou deveriam ser – são reais somente quando há um entendimento comum a respeito daquilo que está sendo dito. Estar de acordo sobre o uso das palavras é uma condição indispensável para a genuína concórdia ou discórdia sobre os fatos. É por causa do consentimento entre você e o autor, e não a despeito dele, que mediante uma interpretação sólida você se torna capaz de formar sua própria opinião, defendendo ou atacando a posição que ele tiver tomado.

## PRECONCEITO E JULGAMENTO

Consideremos agora a situação em que você discorda do autor mesmo que tenha entendido tudo o que ele disse. Se você se esforçou em seguir os preceitos apresentados no capítulo anterior, então discorda porque sabe onde o autor errou. Você não está simplesmente verbalizando preconceitos ou expressando emoções. É por isso que, de um ponto de vista ideal, há três condições que devem ser satisfeitas para que a controvérsia seja conduzida a contento.

*A primeira é exatamente esta*: como os seres humanos além de racionais são também animais, é indispensável que as emoções que porventura despontem ao longo da discórdia sejam identificadas e reconhecidas como tal. Caso contrário, você apenas dará vazão a sentimentos, e não vai declarar razões. Você pode até achar que está coberto de razão, mas na verdade está coberto de fortes emoções.

*Segunda*: você precisa explicitar suas premissas e pressuposições. Precisa estar ciente dos seus preconceitos, isto é, de seus prejulgamentos. Caso contrário, não conseguirá admitir que seu oponente também tem o direito de ter premissas e pressuposições diferentes. *A boa discórdia não deve resumir-se a disputas sobre premissas*. Por exemplo, se um autor explicitamente lhe pedir que aceite certas premissas como verdadeiras, o fato de que o contrário do que ele diz também possa ser verdadeiro não é motivo suficiente para você contestá-lo. Se seus preconceitos situam-se no polo oposto e se você não reconhece que são preconceitos, será incapaz de avaliar o autor com a devida justiça.

*Terceira e última*: tentar ser imparcial é um bom antídoto para as cegueiras "partidárias". É impossível não haver controvérsias quando há tomada de partido, mas para que as partes tenham certeza de que estão trilhando o caminho certo, isto é, que a razão esteja predominando sobre as emoções, é desejável que cada parte assuma o ponto de vista do oponente. Se você for incapaz de ler um livro de maneira, digamos, "simpática", suas discórdias provavelmente serão fruto de disputas meramente pessoais e não intelectuais.

Essas três condições são, idealmente, as condições *sine qua non* da conversa inteligente e proveitosa. Elas obviamente se aplicam também à leitura, uma vez que a leitura também é um tipo de conversa. Cada uma dessas condições contém conselhos úteis para os leitores que estejam realmente buscando respeitar o ponto de vista do oponente.

Porém, o ideal é algo do qual podemos nos aproximar, mas que nunca iremos atingir. Jamais devemos esperar o ideal das pessoas. Nós mesmos, admitamos desde já, estamos bastante conscientes de nossos próprios defeitos. Violamos nossas próprias regras de boas maneiras intelectuais. Já nos percebemos atacando um livro em vez de criticá-lo, batendo em espantalhos, fazendo denúncias sem poder justificá-las ou afirmando que nossos preconceitos eram melhores que os do autor.

No entanto, continuamos firmes em nossa crença de que conversas e leituras críticas *podem* ser bem disciplinadas. Dessa maneira, vamos substituir essas três condições ideais por um conjunto de prescrições que possam ser facilmente seguidas. Elas indicam os quatro caminhos para que um livro seja devida e justamente criticado. Nossa esperança é que o leitor fique menos inclinado a expressar emoções e preconceitos.

Os quatro itens podem ser brevemente resumidos supondo-se que o leitor esteja conversando com o autor, ou seja, como se estivesse lhe respondendo ou fazendo comentários. Após dizer "entendi, mas não concordo", o leitor poderá fazer estes comentários ao autor: (1) *"Você está desinformado"*; (2) *"Você está mal informado"*; (3) *"Você é ilógico – seu raciocínio não é coerente"*; (4) *"Sua análise está incompleta"*.

Talvez, mais tarde, você descubra que essas quatro observações não são exaustivas, mas achamos que são. De qualquer maneira, elas compõem as principais discórdias esperadas do leitor. Elas são mais ou menos independentes. Se você fez uma dessas observações não significa que não pode fazer outra também. Você pode comentar todas ao mesmo tempo, já que as falhas a que se referem não são mutuamente excludentes.

Todavia, o leitor não pode esquecer que cada uma das observações deve ser complementada com uma explicação definida e precisa sobre os pontos nos quais o autor está desinformado ou mal informado, ou sobre os quais foi ilógico. Não é possível que o livro esteja desinformado ou mal informado sobre tudo, ou que seja totalmente ilógico. Além do mais, o leitor que fizer qualquer uma dessas considerações não deverá apenas complementar a resposta com uma explicação, mas terá de fornecer razões que sustentem seu ponto de vista.

## COMO JULGAR A SOLIDEZ DE UM AUTOR

As primeiras três observações são diferentes da quarta, conforme você provavelmente percebeu. Vejamos cada uma delas rapidamente e depois passaremos à quarta.

1. Dizer que o autor está *desinformado* é o mesmo que dizer que nele estão ausentes conhecimentos relevantes sobre o problema que tenta resolver. Observe que essa crítica só faz sentido se for relevante o conhecimento que falta ao autor. Para que a crítica faça sentido, você deve ser capaz de declarar precisamente o conhecimento que falta ao autor, mostrando a sua relevância para as conclusões do problema e do raciocínio.

   Alguns exemplos serão úteis. Darwin não possui o conhecimento sobre genética que a obra de Mendel mais tarde apresentaria. A ignorância de Darwin sobre o mecanismo da hereditariedade é provavelmente uma das maiores falhas da *Origem das Espécies*. Gibbon não conhecia alguns fatos relevantes sobre a queda de Roma que mais tarde seriam descobertos por historiadores. Em geral, nas ciências e na história, a falta de informação é evidenciada por pesquisas mais recentes. Técnicas mais apuradas de observação e investigações mais prolongadas são as responsáveis pelo tipo de desinformação que se verifica nesses campos. Quanto à filosofia, a coisa é diferente. A passagem do tempo pode trazer acréscimo de saber, mas também pode trazer decréscimo. Os pensadores da Antiguidade, por exemplo, distinguiam com clareza o que os seres humanos sentiam e imaginavam e o que podiam entender. No entanto, no século XVIII, David Hume deixou claro que ignorava a distinção entre imagens e ideias, apesar de ter sido tão bem delineada pelas obras dos filósofos da Antiguidade.

2. Dizer que o autor está *mal informado* é o mesmo que dizer que ele afirma algo que não corresponde à realidade. A falha pode resultar de alguma falta de conhecimento, mas não se trata apenas disso. A despeito da causa, o erro consiste em afirmar coisas contrárias aos fatos. O autor afirma que algo é verdadeiro ou provável quando, de fato, é algo falso ou improvável. Ele afirma possuir um conhecimento que não tem. Evidentemente, esse tipo de falha só deve ser apontado quando a questão for relevante às conclusões do autor. E não se esqueça: a falha não deve apenas ser apontada, deve ser refutada mostrando a verdade (ou a maior probabilidade) do seu ponto de vista em relação ao do autor.

   Por exemplo, em um de seus tratados sobre política, Espinosa parece ter dito que a democracia é um tipo mais primitivo de governo do que a monarquia. Trata-se de uma afirmação que vai de encontro a fatos bem conhecidos da história política. O erro de Espinosa tem relação direta com seu argumento. Aristóteles estava mal informado sobre o papel que as fêmeas desempenhavam na reprodução animal e, consequentemente, chegou a conclusões indefensáveis sobre o processo reprodutivo. Tomás de Aquino supunha, equivocadamente, que a matéria dos corpos celestes era essencialmente diferente da matéria dos corpos terrestres, pois ele supunha que os corpos celestes apenas mudavam de posição enquanto sua composição essencial permanecia a mesma. A astrofísica moderna corrigiu esse erro e, nesse respeito, representou um progresso em relação à astronomia antiga e medieval. Mas trata-se de um erro cuja relevância é limitada, pois não afeta a explicação metafísica que Tomás de Aquino dava para a natureza das coisas sensíveis compostas de matéria e forma.

Essas duas primeiras respostas críticas estão inter-relacionadas. Falta de informação, conforme vimos, pode ser a causa de afirmações equivocadas. Além disso, sempre que alguém está *mal informado*, ele também estará, de certa maneira, *desinformado*. Mas faz diferença observar a relevância do erro. A falta de conhecimento relevante torna impossível solucionar certos problemas ou sustentar determinadas conclusões. As suposições errôneas, contudo, levam a conclusões errôneas e a soluções insustentáveis. Tomados em conjunto, esses dois pontos levantam suspeitas contras as premissas do autor. Ele precisa de mais conhecimento do que possui. Suas evidências não são suficientes, seja em quantidade, seja em qualidade.

3. Dizer que o autor é *ilógico* é o mesmo que dizer que ele foi falacioso ao raciocinar. Em geral, há dois tipos de falácias. Há os *non sequitur*, ou seja, a conclusão não guarda relação necessária com as razões oferecidas. E há as inconsistências, isto é, quando o autor afirma duas coisas que são incompatíveis entre si. Para fazer uma dessas duas críticas, o leitor precisa ser capaz de mostrar onde, precisamente, a argumentação do autor carece de coerência. Só devemos nos ocupar dessas falhas à medida que elas afetem as conclusões principais do autor. Afinal, o livro pode carecer de coesão em questões irrelevantes à conclusão.

   É mais difícil ilustrar esse tipo de falha porque os bons livros em geral não o cometem. Quando cometem, estão tão bem ocultos que somente um leitor experiente e inteligente conseguirá detectá-los. Há, por exemplo, uma falácia patente no *Príncipe* de Maquiavel:

> O fundamento principal de qualquer Estado, seja velho ou novo, são as boas leis. Como não há boas leis em Estados que não estejam bem armados, conclui-se que onde quer que haja um Estado bem armado haverá boas leis.

Ora, o fato de que boas leis dependam de força policial adequada não quer dizer que onde haja força policial adequada as leis serão necessariamente boas. Não estamos interessados no caráter altamente questionável da primeira assertiva, mas queremos abordar especificamente o *non sequitur*. É mais verdadeiro afirmar que a felicidade depende de boa saúde do que afirmar que boas leis dependem de força policial adequada, mas isso não quer dizer que todas as pessoas saudáveis são felizes.

Em seu *Elementos da Lei*, Hobbes argumenta em determinado trecho que os corpos não passam de quantidades de matéria em movimento. O mundo dos corpos, diz ele, não possui qualidades. Em outro trecho, afirma que o homem é nada mais que um corpo, ou um conjunto de corpos atômicos em movimento. No entanto, ao admitir a existência de qualidades sensoriais – cores, odores, gostos etc. –, Hobbes conclui que elas não passam de movimentos atômicos cerebrais. A conclusão é inconsistente com o posicionamento inicial, qual seja, de que o mundo dos corpos não possuiria qualidades. Afinal, o que é dito de todos os corpos em movimento deve necessariamente ser aplicado a qualquer grupo em particular, incluindo os átomos cerebrais.

Esse terceiro aspecto crítico relaciona-se com os outros dois. O autor pode, obviamente, ter sido malsucedido ao extrair as devidas conclusões das evidências e princípios. Por conseguinte, o raciocínio estará incompleto. Aqui estamos preocupados sobretudo com o caso em que *ele raciocina equivocadamente com base em premissas corretas*. É interessante, mas não tão importante, descobrir sua falta de coerência ao raciocinar com base em premissas falsas ou a partir de evidências inadequadas.

A pessoa que chega a uma conclusão inválida a partir de premissas válidas está, de certa maneira, mal informada. Mesmo assim, vale a pena distinguir entre o tipo de afirmação errônea que decorre de raciocínio falho e o tipo de afirmação errônea que decorre de outras falhas, sobretudo de conhecimento insuficiente dos detalhes relevantes.

## COMO JULGAR O GRAU DE COMPLETUDE DE UM AUTOR

As três observações críticas já consideradas lidam com a solidez das afirmações e dos raciocínios do autor. Vamos agora nos voltar à quarta observação. Ela se refere ao esmero com que o autor executou seu plano.

Antes de nos aprofundarmos na quarta observação, é necessário fazer um comentário. Dado que você entendeu o livro, o fato de não fazer uso de nenhuma das três observações apontadas obriga-o a concordar com o autor. Não há livre escolha aqui. Concordar com o autor ou discordar dele não é uma espécie de privilégio sagrado.

Se você não foi capaz de mostrar onde e como o autor está desinformado, mal informado ou ilógico, então simplesmente não pode discordar dele. Você tem de concordar. Você não pode dizer, como muitos alunos dizem por aí, que "não encontrei nada de errado nas premissas, nem no raciocínio, mas mesmo assim discordo das conclusões". Do contrário, o que você estaria dizendo é que não *gosta* das conclusões. Você não está discordando, está expressando suas emoções ou preconceitos. Ora, se você foi convencido, então tem de admitir isso. (Se, mesmo não aderindo a nenhuma das três respostas críticas, você ainda se sente honestamente incapaz de se deixar convencer, talvez não devesse ter dito que entendeu o livro.)

As primeiras três observações têm a ver com os termos, proposições e argumentos do autor. Afinal, esses são os elementos que ele utilizou para resolver os problemas que inspiraram seus esforços. A quarta observação – o livro está incompleto – tem a ver com a estrutura do livro.

4. Dizer que a *análise está incompleta* é o mesmo que dizer que o autor não resolveu o problema que se propôs a resolver, ou que não usou adequadamente o material de que dispunha, que não observou todas as devidas implicações e

ramificações, ou que falhou ao distinguir os aspectos relevantes de sua empreitada. Não basta dizer que o livro está incompleto. Qualquer um conseguiria dizer isso. Os homens são finitos e, por conseguinte, suas obras também são. Portanto, essa ressalva só faz sentido se você for capaz de definir precisamente onde está a inadequação, seja por esforço próprio, seja com o auxílio de outros livros.

Ilustremos rapidamente esse ponto. A análise dos tipos de governo na *Política* de Aristóteles está incompleta. Por causa das limitações típicas da época e do fato de erroneamente aceitar a escravidão, Aristóteles não considera, nem mesmo concebe, a constituição verdadeiramente democrática baseada no sufrágio universal; ele também não imaginou um governo representativo ou a moderna república federativa. Sua análise deveria ter sido capaz de conceber tais realidades políticas. Os *Elementos de Geometria* de Euclides são incompletos porque ignoram outros postulados sobre a relação entre as linhas paralelas. As obras modernas de geometria, ao considerarem esses postulados, suprem as deficiências de Euclides. *Como Pensamos*, de Dewey, é uma análise incompleta do pensamento porque aborda somente o tipo de pensamento que ocorre durante as investigações e descobertas, mas não aborda o tipo de pensamento que ocorre durante as leituras ou durante as aprendizagens por instrução. Para um cristão que crê na imortalidade da alma, as obras de Epíteto ou Marco Aurélio são incompletas no que diz respeito à felicidade humana.

Estritamente falando, esse quarto ponto não deve servir de base para discórdias. A única adversidade aqui é que os feitos do autor são limitados. O leitor que concordar em parte com o livro – já que não encontra razões para tecer críticas adversas – pode, no entanto, suspender seu julgamento como um todo por suspeitar de que o livro não está completo. O julgamento suspenso corresponde à falha do autor em resolver com perfeição os problemas que se propôs.

Livros correlatos – isto é, livros do mesmo assunto – podem ser criticamente comparados à luz desses quatro critérios. Um livro será melhor que outro à medida que cometer menos erros e se expressar mais verdadeiramente. Se estivermos lendo para aumentar nosso conhecimento, o melhor livro será, obviamente, aquele que melhor abordar o assunto. Talvez um autor não tenha as informações que outro possui; talvez um autor estabeleça premissas errôneas das quais outro esteja livre; talvez um autor seja menos coerente que outro em sua exposição. Mas a comparação mais profunda que podemos fazer é entre o grau de completude de cada um. A medida dessa completude encontra-se no número de distinções válidas e significativas que cada exposição contém. Talvez agora você perceba como é útil e importante apreender os termos do autor. O número de termos é diretamente proporcional ao número de distinções.

Talvez você também esteja percebendo como a quarta observação crítica está intimamente ligada aos três estágios de leitura analítica de qualquer livro. O último passo no delineamento estrutural é conhecer os problemas que o autor tenta resolver. O último passo da interpretação é conhecer quais desses problemas o autor resolve e quais ele não resolve. O passo final é justamente o ponto sobre o grau de completude do autor, que se refere ao delineamento estrutural do livro, pois considera se o autor foi bem-sucedido ao declarar seus problemas. Refere-se também à interpretação, na medida em que avalia se o autor resolveu tais problemas a contento.

## O TERCEIRO ESTÁGIO DA LEITURA ANALÍTICA

Finalmente completamos, de maneira geral, a enumeração das regras de leitura analítica. Estamos em condições de expor sintaticamente todas as regras.

I - Primeiro estágio da leitura analítica: regras para descobrir o conteúdo

1. Classifique o livro de acordo com o tipo e o assunto.
2. Diga sobre o que é o livro como um todo, com a máxima brevidade possível.
3. Enumere as partes principais em sua devida ordem e relação, e delineie essas partes assim como delineou o todo.
4. Defina o problema (ou os problemas) que o autor buscou solucionar.

II - Segundo estágio da leitura analítica: regras para interpretar o conteúdo

5. Entre em acordo com o autor, interpretando as palavras-chave do livro.

6. Apreenda as proposições principais, estudando as frases mais importantes.
7. Identifique os argumentos, encontrando-os ou construindo-os com base em sequências de frases.
8. Determine os problemas que foram resolvidos e os que não foram resolvidos; quanto a estes últimos, verifique se o autor está ciente de que não conseguiu resolvê-los.

III - Terceiro estágio da leitura analítica: regras para criticar o conteúdo

A. *Preceitos da etiqueta intelectual*

9. Não critique até que tenha completado o delineamento e a interpretação do livro. (Não diga que concorda, discorda ou que suspende o julgamento até que tenha dito "entendi".)
10. Não discorde de maneira competitiva.
11. Demonstre que reconhece a diferença entre conhecimento e opinião pessoal apresentando boas razões para qualquer julgamento crítico que venha a fazer.

B. *Critérios especiais para o exercício da crítica*

12. Mostre onde o autor está desinformado.
13. Mostre onde o autor está mal informado.
14. Mostre onde o autor foi ilógico.
15. Mostre onde a análise ou a explicação do autor está incompleta.

(Nota: dos quatro últimos critérios, os três primeiros servem para os casos em que há discórdia. Se não servirem, então você tem de concordar com o livro, ao menos em parte, embora possa suspender o julgamento do todo com base no último critério.)

Observamos, ao final do capítulo 7, que a aplicação das primeiras quatro regras da leitura analítica auxilia na resposta à primeira pergunta básica sobre qualquer livro, qual seja, O *livro, como um todo, é sobre o quê?* De maneira similar, no final do capítulo 9 dissemos que as quatro regras de interpretação auxiliam na resposta à segunda pergunta básica, qual seja, O *que exatamente está sendo dito, e como?*

Por fim, é claro que as sete últimas regras de leitura – os preceitos da etiqueta intelectual e os critérios para o exercício da crítica – auxiliam na resposta à terceira e à quarta perguntas, quais sejam, *O livro é verdadeiro?* e *E daí?*

A pergunta *O livro é verdadeiro?* pode se prestar virtualmente a qualquer tipo de leitura. Ela se aplica a todo tipo de material escrito, a despeito da "verdade" em questão – matemática, científica, filosófica, histórica ou poética. O melhor elogio que alguém pode fazer a qualquer obra da mente humana é afirmar que ela expressou a verdade; porém, criticá-la por não ter alcançado esse objetivo é sinal de que a respeitamos e a tratamos com seriedade. No entanto, causa-nos estranheza o fato de que recentemente, pela primeira vez na história ocidental, há uma preocupação cada vez menor com esse critério de excelência. Há livros que arrancam aplausos da crítica e ganham tremenda popularidade pelo simples fato de zombarem da verdade – quanto mais escandalosa a zombaria, tanto melhor. Há muitos leitores, sobretudo os críticos das obras modernas, que empregam outros padrões para julgar, elogiar e condenar os livros que leem – originalidade, sensacionalismo, poder de sedução, força, até mesmo a capacidade de distrair e confundir a mente do leitor, mas não a verdade, a clareza ou a capacidade de transmitir conhecimento. Arriscaríamos a sugerir que se dizer a verdade voltasse a ser um critério editorial importante, poucos livros seriam escritos, publicados e lidos.

Se o que você leu não foi verdadeiro em algum sentido, não precisa prosseguir. Mas se foi verdadeiro, então você tem de encarar a última pergunta. Você não pode ler inteligentemente para adquirir informação sem determinar qual significância deve ser atribuída aos fatos apresentados. Os fatos vêm até nós sem a devida interpretação, implícita ou explícita. Isso vale especialmente se estivermos lendo compilações de fatos que precisem ser selecionados de acordo com sua importância, de acordo com algum princípio interpretativo. Se estivermos lendo para adquirir conhecimento, a quarta pergunta nunca terá fim: *E daí?*

As quatro perguntas, como já dissemos, resumem todas as obrigações de um leitor. As primeiras três, em especial, correspondem a algo que subsiste na própria natureza do discurso humano. Se as comunicações não fossem complexas, os delineamentos estruturais seriam desnecessários. Se a linguagem fosse um meio perfeito de comunicação, interpretações seriam totalmente desnecessárias. Se o erro e a ignorância não fossem uma ameaça à verdade e ao conhecimento, não teríamos de ser críticos. A quarta pergunta se volta para a distinção entre informação e entendimento. Se a leitura tiver sido predominantemente informacional, sinta-se desafiado a ir além e procurar o conhecimento. Mesmo que o material lido tenha sido relativamente esclarecedor, você tem de continuar em busca de novos significados.

Antes de entrarmos na Parte Três, vale a pena reafirmar que as regras da leitura analítica descrevem um desempenho ideal. Poucas pessoas leem livros desse jeito, e aquelas que o fazem provavelmente não o fazem com frequência. O ideal permanece, porém, como a medida da realização. Você será um bom leitor à medida que se aproximar desse ideal.

Deveríamos dizer que alguém é "bem lido" com esse ideal em mente. Com frequência, encontramos essa expressão sendo usada para apontar leitores que leram muitos livros, a despeito da qualidade de sua leitura. O sujeito que leu muito, mas leu mal, deveria ser condenado, e não elogiado. Como dizia Thomas Hobbes, "Se eu lesse tantos livros quanto as demais pessoas leem, seria tão estúpido quanto elas".

Os grandes escritores também são grandes leitores, mas isso não quer dizer que leram todos os livros que, na época deles, eram considerados indispensáveis. Em muitos casos, eles leram menos livros do que se exige na maioria das universidades modernas, mas o que leram, leram muito bem. Por causa do esmero com que leram, acabaram tornando-se pares dos grandes autores que estudaram. Eles se tornaram, literalmente, "autoridades". No curso natural das coisas, um bom estudante frequentemente se torna um bom professor, e, de maneira similar, um bom leitor se torna um bom autor.

Nossa intenção aqui não é levá-lo da leitura para a escrita, mas lembrá-lo de que o ideal da boa leitura é aplicar as regras aqui descritas à leitura de um único livro, em vez de tomar contato superficial com muitos livros. Há, obviamente, muitos livros cuja leitura vale a pena. Há um número muito maior de livros cuja leitura deveria ser apenas inspecional. Para se tornar uma pessoa "bem lida", no melhor sentido da expressão, você deve saber usar a habilidade que possui com discernimento, isto é, lendo cada livro de acordo com seus méritos.

# 12. MATERIAIS DE APOIO

Qualquer material de apoio que não faça parte do livro chamaremos de "extrínseco". "Leitura intrínseca" significa, portanto, o livro que estamos lendo; por consequência, "leitura extrínseca" significa qualquer livro que seja lido com vistas a outro livro. Até aqui, evitamos mencionar os auxílios extrínsecos à leitura. As regras de leitura consideradas até aqui são todas regras de leitura intrínseca – elas não supõem que você pare de ler e consulte outro livro a fim de entender o que está lendo. Há boas razões para termos insistido no desenvolvimento solitário de seu talento como leitor, isto é, ler o livro em sua casa sem nenhum tipo de apoio, contando somente com o poder da sua mente. Mas não seria correto insistirmos nisso. As leituras extrínsecas de fato ajudam. E, às vezes, elas são até mesmo indispensáveis para a compreensão perfeita e total de um livro.

Uma das razões para não termos abordado a leitura extrínseca até agora é que as leituras intrínseca e extrínseca tendem a se fundir durante os processos de entendimento e crítica. Sua experiência anterior provavelmente não é suficiente para interpretar e criticar livros, ou mesmo para delineá-los. Certamente você já leu outros livros antes deste, mas, sejamos francos, nenhum leitor começa sua carreira lendo analiticamente. Talvez as experiências de leitura e de vida não sejam mesmo suficientes, mas você é, ao menos, capaz de comparar as conclusões de um autor com outras coisas que conhece e sabe por outras fontes. Portanto, o bom-senso nos diz que nenhum livro deve, nem pode, ser lido de maneira totalmente isolada.

A razão principal para termos evitado falar de ajudas extrínsecas, até agora, é que muitos leitores se submetem facilmente a elas, e queremos mostrar que isso é desnecessário. Ler um livro em uma mão e um dicionário em outra é uma péssima ideia, embora isso não queira dizer que você nunca deva consultar um dicionário para entender as palavras que lhe são estranhas. Além disso, buscar o significado de um livro que o intriga mediante comentários e resumos é uma ideia pior ainda. Em geral, o melhor é que você faça tudo o que puder antes de buscar ajuda externa; pois, se agir consistentemente com base nesse princípio, perceberá que esse tipo de ajuda será cada vez menos necessário.

Os materiais de apoio são classificados em quatro categorias. Nós as discutiremos nesta ordem: primeiro, as experiências relevantes; segundo, outros livros; terceiro, os comentários e resumos; quarto, as obras de referência.

Como e quando utilizar esses materiais de apoio é algo que não se pode elucidar perfeitamente sobre todos os casos. O que podemos fazer, no entanto, é fornecer algumas sugestões, em linhas gerais. Um dos preceitos básicos de leitura é que a ajuda externa deve ser buscada quando um livro permanecer ininteligível, em todo ou em parte, *mesmo depois de você ter se esforçado ao máximo para lê-lo de acordo com as regras da leitura intrínseca*.

## O PAPEL DA EXPERIÊNCIA RELEVANTE

Há dois tipos de experiências relevantes que podem ajudar a entender livros difíceis. Já mencionamos essa distinção no capítulo 6, no qual abordamos as diferenças entre a experiência comum e a experiência especial. A experiência comum é algo que está ao alcance de todos os homens e mulheres pelo simples fato de estarem vivos. A experiência especial deve ser propositadamente buscada e está ao alcance somente daqueles que se esforçarem em adquiri-la. O melhor exemplo de experiência especial são as experiências em laboratório, mas nem sempre o laboratório é necessário. Um antropólogo pode adquirir uma experiência especial viajando para a Amazônia, por exemplo, a fim de estudar os indígenas de uma região inexplorada. Ele ganhará uma experiência que em geral não está disponível e que provavelmente nunca estará disponível às pessoas comuns; do contrário, se uma multidão de cientistas invadir a região, deixará de ser uma experiência única. De maneira similar, a experiência dos astronautas que visitam a Lua é muito especial, embora a Lua não seja exatamente um laboratório. A imensa maioria dos homens nunca terá a oportunidade de saber como é viver em um planeta sem ar, e provavelmente só daqui a séculos essa experiência será algo factível, se é que o será algum dia. Júpiter, com sua gigantesca atração gravitacional, também continuará sendo um "laboratório" por muito tempo, ou talvez o seja para sempre.

A experiência comum não precisa ser "comum" no sentido de que todas as pessoas a possuem. *Comum* não significa *universal*. A experiência de ter pais, por exemplo, não é compartilhada por todos os seres humanos, pois alguns são órfãos de nascimento. Porém, a vida familiar é uma experiência comum, uma vez que a maioria dos homens e das mulheres, no decurso normal da vida, a compartilha. O amor sexual também não é uma experiência universal, embora seja comum, no sentido que estamos empregando à palavra "comum" aqui. Alguns homens e mulheres nunca o experimentam, mas trata-se de algo compartilhado em proporção tão elevada que não poderíamos chamá-la de algo especial. (Isso não quer dizer que a atividade sexual não possa ser estudada em laboratório.) A experiência de ser ensinado não é universal, pois alguns homens e mulheres jamais vão à escola. Mas ela também é uma experiência comum.

Os dois tipos de experiência são extremamente relevantes para os diferentes tipos de livros. A experiência comum é mais relevante para os livros de ficção, por um lado, e para os livros de filosofia, por outro. Os julgamentos sobre a verossimilhança de um romance são quase totalmente baseados na experiência comum: dizemos que o livro soa verdadeiro ou falso de acordo com nossa experiência de vida e das pessoas em geral. O filósofo, como o poeta, apela à experiência comum da humanidade. Ele não trabalha em laboratórios nem realiza pesquisas em campo. Por isso, a fim de entender e testar os princípios de um filósofo, não é necessária a ajuda extrínseca de experiências especiais – ele apela a seu bom-senso e às observações cotidianas no mundo em que vive.

A experiência especial é relevante sobretudo para os livros científicos. A fim de entender e julgar os argumentos indutivos de um livro científico, você tem de ser capaz de aceitar as evidências que o cientista ali relata. Às vezes, a descrição apresentada pelo cientista é tão vívida e verdadeira que você não terá dificuldade em acompanhá-lo. As ilustrações e os diagramas poderão ajudar a compreender o fenômeno descrito.

As experiências comuns e especiais são ambas relevantes para a leitura de livros de história. Ocorre que a história compartilha tanto os aspectos ficcionais quanto os científicos. Por um lado, a narrativa histórica é como se fosse um conto ficcional, pois contém enredo e personagens, episódios, atos, clímax e desfecho. A experiência comum relevante à leitura de romances e peças teatrais é relevante aqui também. Mas a história é também como a ciência, no sentido de que pelo menos algumas experiências são exclusivas do historiador. Talvez ele tenha lido alguns documentos aos quais o leitor normalmente não teria acesso, ou talvez tenha feito algumas pesquisas em campo, como analisar resquícios de civilizações antigas ou entrevistar pessoas em locais distantes.

Como saber se você está fazendo uso adequado das suas experiências para entender um livro? O teste mais seguro e certeiro é aquele que já recomendamos para testar sua compreensão: pergunte a você mesmo se pode dar um exemplo concreto de um aspecto do livro que sente que entendeu. Muitas vezes pedimos a nossos estudantes que fizessem isso apenas para descobrirmos que não eram capazes de fazê-lo.

## OUTROS LIVROS COMO APOIOS EXTRÍNSECOS À LEITURA

Mais adiante abordaremos novamente a leitura sintópica, na qual se lê mais de um livro a respeito do mesmo assunto. Por ora, queremos falar um pouco sobre como é desejável que se leiam outros livros como apoios extrínsecos à leitura de uma obra em particular.

Nosso conselho vale sobretudo para a leitura das obras consideradas clássicas. É comum que o entusiasmo vivenciado no início da leitura dos clássicos rapidamente seja substituído por um sentimento de despreparo absoluto. Uma das razões, é claro, é que muitos leitores nem sequer sabem ler direito um único livro. Mas não só. Há outra razão: eles acham que conseguiriam entender o primeiro livro que pegam na estante sem ter lido os outros livros com os quais ele se relaciona. Eles podem tentar ler O *Federalista* – um conjunto de textos favoráveis à ratificação da Constituição norte-americana – sem ter lido os *Artigos da Confederação* e a própria Constituição. Podem ainda tentar ler todas essas obras sem ter lido *O Espírito das Leis*, de Montesquieu, *O Contrato Social*, de Rousseau, e o *Segundo Tratado sobre o Governo Civil*, de Locke.

Muitos clássicos não só estão relacionados entre si, como também foram escritos em certa ordem, que não pode ser ignorada. O autor que vem depois é influenciado por aquele que veio antes. Se você ler primeiro o autor mais antigo, talvez fique mais fácil a compreensão do que veio depois. Ler livros relacionados fazendo as devidas relações entre eles, numa ordem que deixe os posteriores mais inteligíveis – eis um princípio básico de senso comum aplicado à leitura extrínseca.

A utilidade desse tipo de leitura extrínseca é simplesmente uma extensão da importância do contexto para a leitura de um único livro. Já vimos que o contexto deve ser utilizado na interpretação de palavras e sentenças, no intuito de encontrar termos e proposições. Assim como o livro inteiro é o contexto de cada uma de suas partes, os livros relacionados são um contexto ainda maior que ajuda a interpretar o livro que se está lendo.

Muitas vezes se observou que os clássicos fazem parte de uma conversa prolongada. Os grandes autores foram grandes leitores, e um modo de compreendê-los é ler os livros que eles leram. Como leitores, mantiveram uma conversa com outros autores, assim como cada um de nós mantém uma conversa com os livros que lê, ainda que não escrevamos outros livros.

Para tomar parte nessa conversa, temos de ler os livros clássicos considerando sua relação mútua e numa ordem que de algum modo respeite sua cronologia. A conversa dos livros acontece no tempo. O tempo, aqui, é essencial, e não pode ser desconsiderado. Podemos ler primeiro os livros do passado e depois os do presente, ou primeiro os do presente e depois os do passado. Ainda que a ordem do passado para o presente tenha certas vantagens, por ser mais natural, pode-se observar a cronologia em qualquer desses modos.

Deve-se notar, aliás, que a necessidade de ler livros considerando sua relação mútua aplica-se mais à história e à filosofia do que às ciências e à ficção. Ela é mais relevante para a filosofia, porque os filósofos são grandes leitores uns dos outros. Ela provavelmente é menos relevante para os romances e as peças teatrais, que, se forem bons mesmo, podem ser lidos isoladamente, ainda que o crítico literário certamente não vá querer limitar-se a isso.

## COMO USAR COMENTÁRIOS E RESUMOS

Uma terceira categoria de apoios extrínsecos à leitura inclui comentários e resumos. O que se deve ressaltar aqui é que essas obras devem ser usadas com sabedoria, isto é, muito raramente. Há duas razões para isso.

A primeira é que os comentadores nem sempre estão corretos em seus comentários sobre um livro. Às vezes, é claro, suas obras são imensamente úteis, mas isso não acontece com a frequência desejável. Os guias e manuais facilmente disponíveis nas livrarias universitárias e nas lojas frequentadas por alunos do ensino médio são muitas vezes enganosos. Essas obras pretendem dizer ao aluno tudo o que ele tem de saber a respeito de um livro que tenha sido pedido por um de seus professores, mas é comum estarem terrivelmente equivocados em suas interpretações. Além disso, seu uso costuma irritar alguns professores nas escolas e nas universidades.

Em defesa dos guias, deve-se admitir que eles muitas vezes são indispensáveis para a aprovação nos exames. Além disso, para compensar o fato de que alguns professores se irritam com os erros dos guias, outros professores gostam de usá-los em sua prática de ensino.

A segunda razão para usar moderadamente os comentários é que, mesmo quando eles estão corretos, podem não ser completos. Isto é, talvez você seja capaz de descobrir, num livro, sentidos importantes não descobertos pelo autor de um comentário. Assim, a leitura de um comentário, especialmente um comentário que pareça escrito com grande autoridade, tende a limitar sua compreensão de um livro, ainda que seu entendimento esteja correto, até onde ele chegue.

Existe, portanto, um conselho que queremos dar a respeito do uso de comentários e que realmente é quase um princípio básico da leitura extrínseca.

Se uma das regras da leitura intrínseca é que você deve ler o prefácio e a introdução do autor *antes* de ler seu livro, a regra no caso da leitura extrínseca é que você só deve ler algum comentário escrito por um terceiro *depois* de ter lido o livro. Isso se aplica sobretudo a introduções críticas e acadêmicas. A melhor maneira de usá-las é primeiro ler o livro, e só depois buscar nelas respostas para questões que ainda o perturbem. Se você as ler primeiro, é provável que elas distorçam sua leitura do livro. A tendência será de enxergar apenas os aspectos apontados pelo acadêmico ou crítico, deixando de ver outros aspectos que podem ser igualmente importantes.

Lidas assim, as introduções podem proporcionar grande prazer. Você já leu o livro e já o entendeu. O autor da introdução também o leu, talvez muitas vezes, e tem sua própria compreensão dele. Assim, você se aproxima dele essencialmente em pé de igualdade. Porém, se você leu sua introdução antes de ler o livro, está à sua mercê.

É preciso respeitar a regra de que os comentários devem ser lidos depois da leitura do livro que discutem, e não antes, também no caso dos manuais. Essas obras não têm como prejudicá-lo se você já leu o livro e sabe em que o manual está errado, caso esteja. Mas se você depender integralmente do manual e nunca ler o livro original, pode estar em sérios apuros.

Há ainda outro detalhe. Se você adquirir o hábito de depender de comentários e manuais, ficará totalmente perdido se não conseguir encontrar nenhum. Você pode ser capaz de entender um livro em particular sem o auxílio de um comentário, mas, de modo geral, terá piorado como leitor.

A regra da leitura extrínseca aqui exposta se aplica também a resumos e sinopses, que são úteis em dois aspectos, mas somente neles. Primeiro, podem ajudar a reavivar a memória a respeito do conteúdo de um livro, caso você já o tenha lido. Idealmente, você mesmo terá feito esse resumo, ao ler o livro analiticamente, mas se não o tiver feito, um resumo ou uma sinopse podem ser um auxílio importante. Segundo, os resumos são úteis quando você está fazendo uma leitura sintópica e deseja saber se certa obra tem chances de ser relevante para seu projeto. Um resumo nunca pode substituir a leitura de um livro, mas às vezes pode ajudá-lo a decidir se quer ler o livro, ou mesmo se isso é necessário.

# COMO USAR OBRAS DE REFERÊNCIA

Existem muitos tipos de obras de referência. Na seção seguinte, limitaremos nossa análise basicamente aos dois tipos mais usados, os dicionários e as enciclopédias. Porém, grande parte do que diremos aplica-se também a outros tipos de obras de referência.

Nem sempre se percebe, ainda que seja verdade, que é preciso ter muito conhecimento antes que você seja capaz de usar bem uma obra de referência. Para ser exato, são necessários quatro tipos de conhecimento. Assim, uma obra de referência é um antídoto para a ignorância só num sentido muito limitado. Não é possível que ela cure a ignorância completa. Não é possível que ela pense por você.

Para poder usar bem uma obra de referência, é preciso que você, *primeiro*, tenha alguma ideia, vaga que seja, daquilo que quer saber. Sua ignorância tem de ser como um círculo de trevas cercado pela luz. Você quer iluminar o círculo tenebroso. Não é possível fazer isso a menos que a luz cerque as trevas. Em outras palavras, você tem de ser capaz de fazer uma pergunta inteligível a uma obra de referência. Se você estiver perdido, vagando nas brumas da ignorância, ela não lhe será de valia alguma.

*Segundo*, você tem de saber onde encontrar aquilo que quer saber. Você tem de saber que tipo de pergunta está fazendo e que tipos de obras de referência respondem a esse tipo de pergunta. Não existe uma obra de referência que responda a todas as perguntas; todas as obras de referência são, por assim dizer, especialistas. Na prática, isso se resume ao fato de que você precisa ter um conhecimento geral razoável de *todos* os tipos principais de obras de referência antes de poder usar *qualquer* tipo com proveito.

Há um *terceiro* tipo de conhecimento, correlato aos anteriores, que é necessário para que uma obra de referência lhe possa ser útil. É preciso que você saiba como a obra em questão está organizada. Não será de ajuda nenhuma saber o que você quer saber e saber qual obra de referência usar, se você não souber como usar aquela obra específica. Assim, há uma arte de ler obras de referência, assim como há uma arte de ler tudo o mais. Há uma arte correlata na produção de obras de referência, aliás. O autor ou compilador tem de saber qual tipo de informação os leitores vão buscar e organizar a obra de modo a satisfazer suas necessidades. Talvez nem sempre ele consiga prever essas necessidades e é por isso que a regra de que é preciso ler a introdução e o prefácio de um livro antes de ler o próprio livro aplica-se particularmente a esse caso. Não tente usar uma obra de referência antes de ler os conselhos do editor a respeito de *como* usá-la.

Claro que nem todo tipo de questão pode ser respondido por obras de referência. Você não encontrará em nenhuma obra de referência as respostas para as três perguntas que Deus faz ao anjo no conto "De que vivem os homens", de Tolstói: "O que habita no homem?", "O que não é dado ao homem?", e "De que vivem os homens?". Você também não encontrará as respostas para a pergunta que aparece no título de outro conto de Tolstói, "De quanta terra precisa um homem?". E há muitas questões desse tipo. As obras de referência só têm utilidade quando você sabe quais tipos de perguntas elas podem responder e quais não podem. Isso se resume em saber quais são as espécies de coisas a respeito das quais os homens concordam. Somente as coisas a respeito das quais os homens geral e convencionalmente concordam podem ser achadas em obras de referência. As opiniões sem base não têm lugar nelas, ainda que às vezes apareçam.

Concordamos em que é possível saber quando um homem nasceu, quando morreu e conhecer fatos similares. Concordamos em que é possível definir palavras e coisas, e é possível ter uma ideia da história de quase qualquer coisa. Não concordamos a respeito de questões morais, nem de questões sobre o futuro, e desse modo não encontramos esse tipo de coisa em obras de referência. Em nossa época, presumimos que o mundo físico é organizável e assim quase tudo a seu respeito pode ser encontrado em obras de referência. Nem sempre foi assim; como resultado, a história das obras de referência tem um interesse peculiar, pois nos revela muito sobre as mudanças nas opiniões dos homens a respeito daquilo que se pode conhecer.

Como se vê, acabamos de sugerir que há uma *quarta* exigência para o uso inteligente de obras de referência. Você tem de saber *o que* quer saber; tem de saber *em qual* obra de referência vai procurar; tem de saber *como* encontrar essa informação na obra de referência; e tem de saber que os autores ou compiladores da obra *consideram que tal informação pode ser conhecida*. Tudo isso indica que você precisa saber muito para que possa usar uma obra de referência. Tais obras são inúteis para aqueles que nada sabem. Elas não são guias para os desorientados.

## COMO USAR O DICIONÁRIO

Todas essas considerações se aplicam ao dicionário, que é uma obra de referência. Mas o dicionário também convida a uma leitura por diversão. Ele desafia qualquer um a sentar-se com ele num momento de ócio. Há maneiras piores de gastar o tempo.

Os dicionários estão repletos de conhecimentos obscuros e passagens espirituosas. Além disso, é claro, têm usos mais austeros. Para aproveitá-los ao máximo, é preciso saber como ler esse tipo particular de obra.

A observação de Santayana sobre os gregos – de que eles foram o único povo na história da Europa que não estudou – tem duplo sentido. É claro que as massas não estudavam, mas nem mesmo os poucos eruditos – a classe ociosa – estudou no sentido de ter-se colocado aos pés de mestres estrangeiros. O estudo, nesse aspecto, começa com os romanos, que foram à escola dos pedagogos gregos e foram educados pelo contato com a cultura grega que tinham conquistado.

Não surpreende, portanto, que os primeiros dicionários fossem glossários de palavras homéricas cujo objetivo era ajudar os romanos a ler a *Ilíada*, a *Odisseia* e outras obras gregas que usavam o vocabulário homérico "arcaico". Igualmente, muitos de nós hoje precisamos de um glossário para ler Shakespeare; ou, se não Shakespeare, Chaucer.

Havia dicionários na Idade Média, mas eles eram comumente enciclopédias de conhecimentos sofisticados, compreendendo discussões dos termos técnicos mais importantes usados no discurso erudito. Havia dicionários bilíngues no Renascimento (tanto de grego quanto de latim), que eram necessários porque as obras que dominavam os estudos naquela época estavam escritas nas línguas antigas. Mesmo quando as línguas ditas vulgares – italiano, francês, inglês – foram gradualmente tomando o lugar do latim como línguas de cultura, a busca da cultura continuava a ser um privilégio de poucos. Nessas circunstâncias, os dicionários destinavam-se a um público limitado, sobretudo como apoio à leitura e à produção de literatura de valor.

Vemos assim que os propósitos educativos dominaram a produção de dicionários desde o início, ainda que também houvesse interesse em preservar a pureza e a ordem do idioma. Em contraste com esse último objetivo, o *Oxford English Dictionary* (conhecido simplesmente como OED), iniciado em 1857, foi um novo começo, uma vez que não buscou prescrever usos, mas apresentar um registro histórico preciso de toda espécie de uso, dos piores aos melhores, tomados da escrita popular e da elegante. Mas esse conflito entre o lexicógrafo na posição de árbitro autonomeado e o lexicógrafo na posição de historiador pode ser considerado acessório, pois o dicionário, como quer que se organize, é antes de tudo um instrumento educativo.

Esse fato é irrelevante para as regras do bom uso do dicionário como auxílio extrínseco à leitura. A primeira regra da leitura de qualquer livro é saber que tipo de livro ele é. Isso significa saber qual era a intenção do autor e que tipo de coisa você pode esperar encontrar em sua obra. Se você consultar um dicionário apenas como guia de ortografia ou de pronúncia, é assim que vai usá-lo, isto é, não vai usá-lo bem. Se perceber que ele contém muitas informações históricas, cristalizadas no crescimento e no desenvolvimento do idioma, você prestará atenção não apenas à variedade de sentidos listados para cada palavra, mas também à sua ordem e relação mútua.

Acima de tudo, se você estiver interessado em aprofundar sua própria educação, usará um dicionário de acordo com seu objetivo primeiro, isto é, como auxílio à leitura de livros que seriam demasiadamente difíceis porque seu vocabulário inclui termos técnicos, arcaicos, alusões literárias e até palavras conhecidas usadas em sentidos obsoletos.

Claro que há muitos problemas a serem resolvidos quanto à boa leitura de um livro, além daqueles relacionados ao vocabulário de um autor. E desaconselhamos sentar-se com o livro numa mão e o dicionário na outra, sobretudo na primeira leitura de uma obra difícil. Se você tiver de procurar muitas palavras no início, certamente vai perder de vista a unidade e a ordem do livro. A utilidade primária do dicionário aparece naquelas ocasiões em que você se defronta com um termo técnico ou uma palavra que lhe é inteiramente nova. Mesmo assim, não recomendaríamos procurá-las na sua primeira leitura de um bom livro, a menos que elas pareçam importantes para entender o sentido geral do que o autor quer dizer.

Isso sugere outras prescrições negativas. Não há sujeito mais irritante do que aquele que pretende encerrar uma discussão sobre o comunismo, a justiça ou a liberdade fazendo uma citação do dicionário. É razoável respeitar os lexicógrafos como autoridades no uso das palavras, mas eles não são as fontes últimas da sabedoria. Outra regra negativa: não engula o dicionário. Não tente adquirir um vocabulário rico rapidamente pela memorização de uma longa lista de palavras cujos sentidos não se relacionam com nenhuma experiência efetiva. Em suma, não esqueça que o dicionário é um livro que fala de palavras, não de coisas.

Se nos lembrarmos disso, poderemos tirar desse fato todas as regras para usar um dicionário de modo inteligente. Podemos encarar as palavras de quatro maneiras:

1. Palavras são coisas físicas – palavras que podemos escrever, sons que podemos emitir. Deve haver, portanto, maneiras uniformes de escrevê-las e pronunciá-las, mesmo que a uniformidade seja frequentemente questionada pelas variantes. De todo modo, essa uniformidade não é tão fantasticamente importante como alguns professores pareceram sugerir.
2. Palavras são partes do discurso. Cada palavra desempenha um papel gramatical na estrutura mais complexa de uma expressão ou de uma frase. A mesma palavra pode ter usos distintos ao passar de uma parte do discurso a outra.
3. Palavras são signos. Elas têm significados: não um, mas muitos. Esses significados se relacionam entre si de diversas maneiras. Às vezes são nuanças uns dos outros; outras vezes, uma palavra pode ter dois ou mais grupos de significados sem nenhuma relação entre si. Por meio de seus significados, palavras diferentes relacionam-se umas com as outras,

como sinônimos que compartilham o mesmo significado, ainda que tenham diferenças de nuanças; ou como antônimos, por meio da oposição e do contraste de significados. Além disso, é na qualidade de signo que distinguimos as palavras entre nomes próprios e comuns (por nomearem apenas uma coisa ou muitas que sejam semelhantes sob algum aspecto); entre substantivos concretos e abstratos (por referirem algo que percebemos por meio dos sentidos ou por referirem algo que apreendemos intelectualmente, mas não observamos por meio dos sentidos).

4. Por fim, PALAVRAS SÃO CONVENÇÕES. São signos criados pelo homem. É por isso que toda palavra tem uma história, uma carreira cultural ao longo da qual passa por certas transformações. A história das palavras é dada por sua derivação etimológica a partir de raízes, prefixos e sufixos; ela inclui o relato de suas mudanças físicas, tanto de ortografia quanto de pronúncia; ela fala de significados que mudam e quais deles são arcaicos e obsoletos, quais são atuais e regulares, quais são expressões idiomáticas, coloquialismos ou gírias.

Um bom dicionário responderá a todos esses quatro tipos de perguntas sobre as palavras. A arte de usar um dicionário consiste em saber quais perguntas fazer a respeito das palavras e como encontrar as respostas. Já sugerimos as perguntas. O próprio dicionário diz como encontrar as respostas.

Trata-se, portanto, de um livro perfeito de autoajuda, pois indica em que prestar atenção e como interpretar as diversas abreviações e símbolos que usa ao dar as quatro variedades de informação sobre as palavras. Qualquer pessoa que deixe de consultar as notas explicativas e a lista de abreviações no início do dicionário só pode culpar a si mesma se não conseguir usá-lo direito.

## COMO USAR UMA ENCICLOPÉDIA

Muito do que dissemos sobre os dicionários também vale para as enciclopédias. Assim como o dicionário, a enciclopédia convida a uma leitura por diversão. Ela também serve para distrair, entreter e, para algumas pessoas, acalmar. Mas é tão inútil tentar ler em sequência os verbetes de uma enciclopédia quanto os de um dicionário. O sujeito que soubesse de cor uma enciclopédia estaria correndo o sério risco de merecer o título de *idiot savant* –"idiota erudito".

Muita gente usa o dicionário para saber como escrever e pronunciar as palavras. O uso análogo da enciclopédia é buscá-la apenas para saber datas, lugares e outros fatos simples. Mas isso equivale a subutilizá-la ou utilizá-la mal. Assim como os dicionários, essas obras são instrumentos de informação e de educação. Um olhar sobre a sua história confirma isso.

Ainda que a palavra "enciclopédia" seja grega, os gregos não tinham uma, como também não tinham dicionário pela mesma razão. Para eles, essa palavra não referia um livro sobre os conhecimentos, um livro no qual estivessem os conhecimentos, mas o conhecimento mesmo – todo o conhecimento que um homem educado deveria ter. Novamente, foram os romanos que primeiro sentiram a necessidade de enciclopédias; o exemplo mais antigo é o de Plínio.

O mais interessante é que a primeira enciclopédia em ordem alfabética só apareceu por volta de 1700. A maior parte das grandes enciclopédias desde então tem sido organizada alfabeticamente. Trata-se do arranjo mais simples de todos, que permitiu grandes avanços na elaboração desses livros.

As enciclopédias apresentam um problema que as distingue das demais obras de referência. Uma ordem alfabética é natural para um dicionário, mas será que o mundo, que é o assunto de uma enciclopédia, está organizado alfabeticamente? Claro que não. Assim, como é que o mundo está organizado e ordenado? Em última instância, isso equivale a perguntar como é que o conhecimento está ordenado.

A ordenação do conhecimento mudou com o passar dos séculos. Houve uma época em que todo o conhecimento estava ordenado segundo as sete artes liberais – gramática, retórica e lógica, que compunham o *trivium*, e aritmética, geometria, astronomia e música, compondo o *quadrivium*. As enciclopédias medievais refletiam esse arranjo. Como as universidades eram organizadas do mesmo modo e como os estudantes também estudavam segundo esse arranjo, ele era útil na educação.

A universidade moderna é muito diferente da medieval, e a mudança se reflete nas enciclopédias. O conhecimento que elas comunicam está dividido em áreas, ou em especialidades, que são mais ou menos equivalentes aos vários departamentos universitários. Mas essa organização, ainda que constitua a espinha dorsal da enciclopédia, fica mascarada pela organização alfabética do material.

É essa infraestrutura – para usar um termo dos sociólogos – que o bom leitor e usuário de uma enciclopédia tentará descobrir. É verdade que o que ele busca numa enciclopédia são, antes de tudo, informações factuais. Mas ele não deveria contentar-se com fatos isolados. A enciclopédia lhe oferece fatos organizados – fatos relacionados uns aos outros. A compreensão que uma enciclopédia pode oferecer, mais do que a mera informação, depende da percepção dessas relações.

Numa enciclopédia organizada alfabeticamente, essas relações são em grande parte obscurecidas. Numa enciclopédia organizada por assunto, elas são ressaltadas, é claro. Mas as enciclopédias organizadas por assunto têm muitas desvantagens, entre as quais o fato de que muitos leitores não estão acostumados a usá-las. Idealmente, a melhor enciclopédia seria aquela que tivesse uma organização alfabética e outra por assunto. A apresentação do material na forma de verbetes separados seria alfabética, mas ela também traria uma lista ou divisão por assuntos – essencialmente, um índice de matérias. (Um índice de matérias é uma divisão por assuntos de um livro, ao passo que um índice remissivo é uma organização alfabética.)

Na ausência do ideal, o leitor precisa voltar-se para o auxílio oferecido pelos editores das enciclopédias. Qualquer enciclopédia razoável traz orientações para seu bom uso, orientações que devem ser lidas e seguidas. Frequentemente essas orientações exigem que o leitor dirija-se primeiro ao índice remissivo da coleção, antes de buscar algum dos volumes ordenados alfabeticamente. Nesse caso, o índice remissivo faz o papel de índice de matérias, ainda que não muito bem; afinal, ele reúne, sob o mesmo título, referências a discussões na enciclopédia que podem estar muito distantes no espaço, mas que se referem ao mesmo assunto geral. Isso reflete o fato de que, ainda que um índice remissivo seja, é claro, organizado alfabeticamente, suas remissões, por assim dizer – isto é, as divisões de uma entrada principal –, estão organizadas por assunto. Mas os assuntos mesmos têm de estar em ordem alfabética, o que não é necessariamente a melhor maneira de organizá-los. Assim, o índice de uma enciclopédia verdadeiramente boa como a *Britannica* revela ao menos parte da organização do conhecimento refletida na obra. Por essa razão, qualquer leitor que deixe de usar o índice não pode culpar ninguém além de si mesmo caso a obra não satisfaça suas necessidades.

Assim como ocorre com os dicionários, o uso de enciclopédias supõe certas prescrições negativas. Tanto as enciclopédias como os dicionários são suplementos importantes para a leitura de bons livros – os livros ruins normalmente não exigem seu uso; mas, como antes, o mais sensato é não se deixar escravizar por uma enciclopédia. Novamente, assim como no caso dos dicionários, as enciclopédias não devem ser usadas para encerrar discussões cuja origem está em diferenças de opinião. Contudo, *devem* ser utilizadas para encerrar discussões sobre questões de fato tão cedo quanto possível. Para começar, fatos jamais devem ser discutidos. Enciclopédias tornam desnecessário esse esforço vão, porque estão repletas de fatos. Idealmente, elas não têm nada além de fatos. Por fim, ainda que os dicionários normalmente concordem nas suas descrições das palavras, as enciclopédias frequentemente não concordam em suas descrições dos fatos. Assim, se você tem grande interesse por algum assunto e depende de tratamentos enciclopédicos dele, não se limite a consultar apenas uma enciclopédia. Leia mais de uma, dando preferência a enciclopédias escritas em épocas diferentes.

Mencionamos diversas regras sobre as palavras que o usuário deve ter em mente ao consultar um dicionário. No caso das enciclopédias, há regras análogas sobre fatos, já que, assim como as palavras são o objeto do dicionário, os fatos são o objeto da enciclopédia.

1. FATOS SÃO PROPOSIÇÕES. Afirmações factuais combinam palavras, como "Abraham Lincoln nasceu em 12 de fevereiro de 1809" ou "o número atômico do ouro é 79". Fatos não são coisas físicas, assim como as palavras, mas exigem explicações. Para o conhecimento extensivo, para o entendimento, é preciso que você saiba também qual a importância de

um fato – como ele afeta a verdade que busca. Você não sabe muito, se tudo o que sabe é em que consiste o fato.

2. FATOS SÃO PROPOSIÇÕES "VERDADEIRAS". Fatos não são opiniões. Quando alguém diz que "tal coisa é um fato", o que quer dizer é que geralmente se concorda em que aquela coisa seja assim. Essa pessoa nunca quer dizer, ou nunca deveria querer dizer, que ela e mais uma minoria de observadores acreditam que isso e aquilo sejam fatos. É essa característica dos fatos que confere à enciclopédia seu tom e estilo. Uma enciclopédia que contenha opiniões sem fundamentos de seus editores é desonesta; e, ainda que uma enciclopédia possa conter opiniões (por exemplo, "alguns creem que seja assim, outros creem que seja assado"), é preciso que ela deixe bem claro que são apenas opiniões. A exigência de que uma enciclopédia relate os fatos em questão e não as opiniões a seu respeito (excetuando o caso já apresentado) também limita a cobertura da obra. Ela não pode tratar de assuntos a respeito dos quais não há consenso – questões morais, por exemplo. Se ela tratar desses assuntos, a única coisa que lhe cabe fazer é informar as discórdias relacionadas a eles.
3. FATOS SÃO REFLEXOS DA REALIDADE. Fatos podem ser (a) informações singulares ou (b) generalizações relativamente não questionadas, mas em ambos os casos crê-se que representem as coisas tais como efetivamente são. (A data de nascimento de Lincoln é uma informação singular; o número atômico do ouro supõe uma generalização relativamente não questionada sobre o assunto.) Assim, fatos não são ideias ou conceitos, nem são teorias no sentido de meras especulações sobre a realidade. De modo análogo, uma explicação da realidade (ou de parte dela) não é um fato a menos que haja um consenso geral de que ela está correta, e não antes do surgimento desse consenso.
4. Por fim, FATOS SÃO, ATÉ CERTO PONTO, CONVENÇÕES. Os fatos mudam, como dizemos. Queremos dizer que algumas proposições que são consideradas fatos em uma época deixam de ser consideradas fatos em outra. Na medida em que os fatos são "verdadeiros" e representam a realidade,

eles não podem mudar, claro, porque a verdade, estritamente falando, não muda, nem a realidade. Mas nem todas as proposições que consideramos verdadeiras são mesmo verdadeiras; e temos de admitir que praticamente qualquer proposição que consideremos verdadeira pode ser falsificada pela investigação mais detalhada e cuidadosa, ou mais paciente. Isso se aplica sobretudo aos fatos científicos.

Os fatos também são – mais uma vez, até certo ponto – determinados culturalmente. Um físico nuclear, por exemplo, tem em mente uma estrutura complicada e hipotética da realidade, que determina – para ele – alguns fatos que são diferentes dos fatos determinados e aceitos por um primitivo. Isso não significa que o cientista e o primitivo não tenham como chegar a um acordo em relação a fato algum; eles hão de concordar, por exemplo, em que dois mais dois são quatro, ou que um todo físico é mais do que qualquer uma de suas partes. Mas o primitivo talvez não concorde com os fatos do cientista a respeito das partículas nucleares, assim como o cientista pode não concordar com os fatos do primitivo a respeito da magia ritual. (Foi difícil escrever essa frase, porque, como nós mesmos somos determinados culturalmente, tendemos a concordar com o cientista e não com o primitivo, e assim ficamos tentados a colocar o segundo "fato" entre aspas. Só que é disso mesmo que estamos falando.)

Uma boa enciclopédia sempre responderá às suas perguntas sobre os fatos se você se lembrar daquilo que já falamos sobre os fatos. A arte de usar uma enciclopédia como auxílio à leitura é a arte de fazer as perguntas adequadas sobre os fatos. Assim como no caso do dicionário, limitamo-nos a sugerir as perguntas; a enciclopédia trará as respostas.

É preciso também que você lembre que uma enciclopédia não é o melhor lugar para buscar o entendimento. Ela pode levar a intuições sobre a ordem e a organização do conhecimento; mas esse assunto, por mais importante que seja, ainda assim é limitado. Muitas coisas necessárias ao conhecimento não podem ser encontradas numa enciclopédia.

Duas omissões chamam particularmente a atenção. Uma enciclopédia de verdade não contém discussões, ou as contém só no sentido de que pode mencionar as linhas argumentativas que contemporaneamente têm mais aceitação ou as que têm interesse histórico. Assim, falta um elemento importante da escrita expositiva. Uma enciclopédia também não contém poesia nem literatura imaginativa, ainda que possa conter fatos relativos à poesia e aos poetas. Como a imaginação e a razão são igualmente necessárias para o entendimento, isso significa que a enciclopédia é um instrumento relativamente insatisfatório para nos auxiliar em sua busca.

# PARTE 3

# COMO LER DIVERSOS ASSUNTOS

# 13. COMO LER LIVROS PRÁTICOS

Em qualquer arte ou área prática, é comum encontrarmos regras que desapontam por serem gerais demais. Quanto mais gerais elas forem, entretanto, menor será o seu número, e isso, é claro, é uma vantagem. Quanto mais gerais, também, mais inteligíveis – as regras ficam mais fáceis de entender em si mesmas e por si mesmas. Mas também é verdade que, quanto mais gerais as regras, mais distantes estão das peculiaridades da situação concreta em que você está buscando segui-las.

Expusemos de modo geral as regras para a leitura analítica de modo que elas valessem para qualquer livro expositivo – qualquer livro que transmita conhecimento, no sentido em que empregamos esse termo. Mas não é possível ler um livro genérico. Lê-se este livro ou aquele, e todo livro específico é de um tipo específico. Pode ser um livro de história ou de matemática, um panfleto político ou um estudo de ciência da natureza, ou ainda um tratado filosófico ou teológico. Assim, é preciso ter alguma flexibilidade e adaptabilidade ao seguir as regras. Não se preocupe: você vai intuindo como elas se aplicam aos diferentes tipos de livros à medida que as for usando.

É importante observar aqui que as quinze regras da leitura, na forma como foram apresentadas na parte final do capítulo 11, não valem para a leitura de ficção e de poesia. O delineamento da estrutura de uma obra imaginativa é diferente do delineamento de um livro expositivo. Romances, peças teatrais e poemas não trabalham com termos, proposições e argumentos – em outras palavras, seu conteúdo fundamental não é lógico, e a crítica dessas obras parte de premissas distintas. Ainda assim, seria equivocado julgar que nenhuma regra se aplique à leitura da literatura imaginativa. Na realidade, há um conjunto paralelo de regras para a leitura desses livros, que será descrito no próximo capítulo. Essas regras são úteis em si mesmas; mas o exame delas e de suas diferenças em relação às regras para a leitura de obras expositivas também ilumina estas últimas.

Você não precisa preocupar-se, achando que terá de aprender um novo conjunto de quinze ou mais regras para a leitura de ficção e de poesia. A conexão entre os dois tipos de regras é fácil de ver e de formular. Ela consiste na premissa básica, já enfatizada por nós diversas vezes, de que é preciso que você faça perguntas enquanto lê, e, em particular, que você faça quatro perguntas básicas a respeito de qualquer coisa que esteja lendo. Essas quatro perguntas são importantes para todos os livros, de ficção ou não ficção. Já vimos como as regras para a leitura de obras expositivas se relacionam com essas quatro perguntas e se desenvolvem com base nelas. De modo análogo, as regras para a leitura de literatura imaginativa também se desenvolvem com base nelas, ainda que a diferença na natureza dos conteúdos lidos leve a algumas dessemelhanças em seu desenvolvimento.

Assim, nesta parte do livro diremos mais a respeito dessas questões do que a respeito das regras para a leitura. Aqui e ali enunciaremos uma nova regra ou uma revisão ou adaptação de uma regra antiga. Mas, na maior parte do tempo, enquanto sugerirmos abordagens de leitura para diferentes tipos de livros e de outros materiais, enfatizaremos as diversas questões que devem ser feitas primordialmente e os diversos tipos de respostas que se podem esperar.

No universo expositivo, observamos que a divisão básica é entre livros práticos e livros teóricos: livros que tratam de questões relativas à ação e livros que tratam apenas de coisas que se podem conhecer. Os livros teóricos podem ser subdivididos, como vimos, em livros de história, ciência (e matemática) e filosofia. A divisão prática perpassa todos os limites e por isso propomos agora examinar a natureza desses livros em maior detalhe, além de sugerir algumas diretrizes e precauções para a hora da leitura.

## OS DOIS TIPOS DE LIVROS PRÁTICOS

A coisa mais importante a recordar a respeito de qualquer livro prático é que *ele nunca pode resolver os problemas práticos de que trata*. Um livro teórico pode resolver seus próprios problemas. Mas um problema prático só pode ser resolvido pela própria ação. Quando o problema prático do leitor é "ganhar dinheiro", um livro a respeito de como fazer amigos e influenciar pessoas não pode resolver esse problema, ainda que possa sugerir coisas a fazer. Apenas a ação resolve o problema. O problema só pode ser resolvido quando se passa a ganhar dinheiro.

Considere, por exemplo, este livro. É um livro prático. Se seu interesse nele é prático (pode ser teórico, claro), você quer resolver o problema de aprender a ler. Você não vai acreditar que esse problema esteja resolvido enquanto não tiver aprendido. O livro não pode resolver o problema por você – só pode ajudar. Você precisa efetivamente realizar a atividade de ler, não só este livro, mas muitos outros. É isso que se quer dizer quando se diz que somente a ação resolve problemas práticos, e a ação só acontece no mundo, não nos livros.

Toda ação acontece numa situação específica, sempre no "aqui e agora" e em um conjunto particular de circunstâncias. A ação em geral não é possível. O julgamento prático que imediatamente precede a ação tem de ser altamente específico. Ele pode ser expresso em palavras, mas isso raramente acontece. Ele quase nunca aparece nos livros, porque o autor de um livro prático não tem como imaginar as situações práticas concretas em que seus leitores terão de agir. Por mais que ele tente ajudar, não tem como oferecer conselhos práticos concretos. Apenas outra pessoa exatamente na mesma situação poderia fazer isso.

Os livros práticos podem, porém, apresentar regras mais ou menos gerais que valem para muitas situações particulares de tipo semelhante. Quem quer que tente usar esses livros tem de aplicar as regras aos casos particulares e, portanto, tem de usar seu julgamento prático ao fazê-lo. Em outras palavras, o próprio leitor tem de acrescentar algo ao livro para que ele seja aplicável na prática. Tem de acrescentar seu conhecimento da situação específica e seu julgamento de como aplicar a regra àquele caso.

Qualquer livro que contenha regras – prescrições, máximas ou qualquer espécie de orientação geral – será imediatamente reconhecido como livro prático. Mas um livro prático pode conter mais do que regras. Ele pode tentar apresentar os princípios em que as regras se baseiam, a fim de que elas se tornem mais inteligíveis. Por exemplo, neste livro prático sobre leitura buscamos em diversos momentos explicar as regras fazendo breves exposições de princípios gramaticais, retóricos e lógicos. Os princípios em que as regras se baseiam costumam ser científicos, isto é, são itens de conhecimento teórico. Considerados em conjunto, formam uma teoria. Daí falarmos na teoria da construção de pontes ou na teoria do jogo de *bridge*: reunimos *os princípios teóricos que fazem das regras da boa conduta aquilo que elas são*.

Os livros práticos pertencem, portanto, a dois grandes grupos. Alguns, como este, ou como um livro de receitas, ou o manual de um automóvel, são fundamentalmente apresentações de regras. Poucos são os grandes livros dessa espécie. O outro tipo de livro prático trata fundamentalmente de princípios que geram regras. A maior parte dos grandes livros de economia, política e moral são dessa espécie.

Essa distinção não é nítida nem absoluta. Tanto princípios quanto regras podem aparecer no mesmo livro – a questão está na ênfase dada a um ou a outro. Não há dificuldade em dividir livros entre essas duas categorias. Sempre se reconhecerá que o livro de regras para qualquer área é prático. O livro de princípios práticos pode até, à primeira vista, parecer um livro teórico. Em certo sentido é mesmo, como vimos. Ele discute a teoria de uma espécie particular de prática. Porém, sempre se pode dizer que ele é prático. A natureza de seus problemas expõe isso: ele sempre fala de uma área da ação humana em que as pessoas podem ser melhores ou piores.

Ao ler um livro que seja fundamentalmente um livro de regras, as principais proposições a procurar são, é claro, as regras. Expressa-se uma regra de modo mais direto por uma sentença imperativa do que por uma declarativa. Trata-se de uma ordem. Ela diz: "Previna para não ter de remediar". A regra também pode ser expressa de modo declarativo, como na frase "Mais vale prevenir do que remediar". As duas formas de enunciação sugerem – a imperativa com mais ênfase, ainda que não necessariamente seja a mais memorável – que vale a pena tomar precauções.

Seja enunciada declarativamente ou na forma de ordem, uma regra sempre pode ser reconhecida por recomendar que se faça algo para atingir certa finalidade. Assim, a regra de leitura que ordena que você chegue a um acordo também pode ser enunciada como recomendação: na boa leitura, chega-se a um acordo. A palavra "boa" é que denuncia o pressuposto de que vale a pena fazer esse tipo de leitura.

Os argumentos num livro prático dessa espécie serão tentativas de mostrar que as regras são válidas. O autor pode referir-se aos princípios para persuadi-lo da validade delas ou pode simplesmente ilustrar sua validade mostrando como elas funcionam em casos concretos. Procure os dois tipos de argumentos. O apelo aos princípios costuma ser menos persuasivo, mas tem uma vantagem: ele pode explicar melhor, comparado aos exemplos de uso, a razão de as regras serem como são.

No outro tipo de livros práticos, o tipo que trata sobretudo dos princípios em que as regras se baseiam, as principais proposições e argumentos parecerão, é claro, iguais às de um livro puramente teórico. As proposições dirão que as coisas são de um jeito, e os argumentos tentarão mostrar que é assim mesmo.

Mas há uma diferença importante entre ler um livro assim e ler um livro puramente teórico. Como os maiores problemas a resolver são de natureza prática – problemas de ação, em áreas nas quais as pessoas podem ser melhores ou piores –, um leitor perspicaz desses livros sobre "princípios práticos" sempre lê nas entrelinhas ou nas margens. Ele busca enxergar as regras que podem não estar expressas, mas que podem, mesmo assim, ser derivadas dos princípios. E vai mais além. Tenta entender como as regras poderiam ser aplicadas na prática.

A menos que seja lido assim, um livro prático não é lido *como prático*. Não ler um livro prático *como prático* é lê-lo mal. Você não o entende e certamente não pode criticá-lo em nenhum aspecto. Se a inteligibilidade das regras deve ser procurada nos princípios, não é menos verdade que a importância dos princípios práticos deve ser procurada nas regras a que eles conduzem, nas ações que eles ordenam.

Isso indica aquilo que você precisa fazer para entender os dois tipos de livro prático. Também indica o critério definitivo para o julgamento crítico. No caso de livros puramente teóricos, o critério para concordar ou discordar está relacionado à verdade daquilo que se diz. Mas a verdade prática é diferente da verdade teórica. Uma regra de conduta é verdadeira na prática quando cumpre duas condições: a primeira é que funcione; a segunda é que seu funcionamento leve ao devido fim, ao fim devidamente desejado.

Suponha que o fim que um autor julga que você deveria buscar não lhe pareça o fim devido. Ainda que suas recomendações funcionem na prática, você acabará não concordando no que diz respeito a conduzi-lo àquele fim. E você julgará o livro dele verdadeiro ou falso na prática de acordo com isso. Se você não acha que a leitura cuidadosa e perspicaz vale a pena, o livro não lhe traz quase nenhuma verdade prática, por mais que as regras dele funcionem.

Veja só o que isso quer dizer. Ao julgar um livro teórico, o leitor precisa observar a identidade ou a diferença entre seus próprios princípios ou pressupostos básicos e os do autor. *No julgamento de um livro prático, tudo se volta para os fins ou objetivos*. Se você não compartilha o anseio de Karl Marx pela justiça econômica, é provável que a doutrina econômica dele, bem como as reformas que dela decorrem, lhe pareçam, na prática, falsas ou irrelevantes. Você pode achar, como Edmund Burke, por exemplo, que preservar o *status quo* é o objetivo mais desejável de todos; pesando tudo, você acha que isso é mais importante do que apagar as iniquidades do capitalismo. Nesse caso, é provável que você considere um texto como o *Manifesto Comunista* absurdamente falso. Seu julgamento principal sempre se dará em termos de fins, não de meios. Não temos nenhum interesse prático nos meios – nem mesmo nos meios mais eficazes – para atingir fins que desaprovamos ou consideramos irrelevantes.

## O PAPEL DA PERSUASÃO

Essa breve discussão sugere as duas principais questões que você deve fazer a si mesmo ao ler qualquer espécie de livro prático. A primeira é: quais os objetivos do autor? A segunda é: que meios ele propõe para atingi-los? Pode ser mais difícil responder a essas questões no caso de um livro sobre princípios do que no caso de um livro sobre regras. Os fins e os meios provavelmente serão menos óbvios. No entanto, respondê-las nos dois casos é necessário para a compreensão e a crítica de um livro prático.

Isso também deverá lembrá-lo de um aspecto da escrita prática que observamos antes. Todo livro prático vem misturado com alguma oratória ou propaganda. Jamais se leu um livro de filosofia política – por mais teórico que tenha parecido, por mais "abstratos" que sejam os princípios nele discutidos – que não tenha tentado convencer o leitor de qual é "a melhor forma de governo". Analogamente, os tratados morais tentam convencer o leitor a respeito da "boa vida", além de recomendar maneiras de levá-la. Nós mesmos, repetidamente, buscamos persuadi-lo a ler livros de certo modo, para que você possa chegar a certo entendimento.

Pode-se ver por que o autor prático sempre tem de ser um pouco orador ou propagandista. Como, em última instância, seu julgamento do livro em questão vai se basear na *sua aceitação do objetivo para a consecução do qual ele propõe os meios*, cabe a ele convencê-lo dos seus fins. Para fazer isso, ele tem de argumentar de um jeito que toque seu coração e também sua inteligência. Ele pode ter de jogar com suas emoções e assumir o comando da sua vontade.

Não há nada de errado ou maligno nisso. A própria natureza dos assuntos práticos exige que os homens tenham de ser persuadidos a pensar e agir de determinada maneira. Nem o pensamento prático nem a ação cabem apenas à mente. Não podemos deixar de fora as emoções. Ninguém faz julgamentos práticos sérios nem começa a agir sem ser de alguma maneira movido por algo abaixo do pescoço. O mundo poderia ser um lugar melhor se agíssemos assim, e certamente seria um mundo diferente. O autor de livros práticos que não perceber isso não terá sucesso; o leitor que não perceber isso provavelmente será enganado.

A proteção mais eficaz contra todo tipo de propaganda é a percepção de sua presença e propósito. Somente a oratória oculta e despercebida é realmente insidiosa. Aquilo que chegar ao coração sem passar pela mente tem grandes chances de ricochetear e bagunçar a mente. A propaganda assim consumida é como uma droga que você não sabe que está tomando. O efeito é misterioso: depois, você fica sem saber por que está se sentindo daquele jeito ou pensando daquela maneira.

A pessoa que lê um livro prático de maneira inteligente, que conhece seus termos, proposições e argumentos básicos, sempre conseguirá detectar sua oratória. Ela perceberá as passagens que fazem "uso emocional das palavras". Ciente de que será inevitavelmente submetida à persuasão, pode fazer algo para avaliar os apelos. Ela resiste à venda; mas essa resistência não precisa ser total. A resistência à venda é boa quando impede que você compre com pressa e sem cuidado. Mas o leitor que acha que deve permanecer totalmente surdo a todos os apelos nem sequer deveria ler livros práticos.

Há outra coisa a dizer aqui. Considerando a natureza dos problemas práticos e o acréscimo da oratória em todos os livros práticos, a "personalidade" do autor é mais relevante nos livros práticos do que nos teóricos. Você não precisa saber rigorosamente nada sobre o autor de um tratado de matemática; ou seus raciocínios estão certos ou não estão, e a personalidade dele não faz a menor diferença. Mas, para entender e julgar um tratado moral, um panfleto político ou uma discussão econômica, é preciso saber algo sobre a personalidade do autor, sobre sua vida e sobre a época em que viveu. Por exemplo, é muito importante ter em mente que a sociedade grega era escravagista ao ler a *Política* de Aristóteles. De modo análogo, muitas coisas ficam mais claras em *O príncipe* quando se conhece a situação política italiana da época de Maquiavel, bem como a relação dele com a família Medici; ou, no caso do *Leviatã* de Hobbes, quando se sabe que ele viveu durante as guerras civis inglesas e ficava quase que patologicamente perturbado pela violência e pela desordem social.

## QUAL A CONSEQUÊNCIA DE CONCORDAR COM O AUTOR DE UM LIVRO PRÁTICO?

Temos certeza de que você consegue ver que as quatro questões a serem feitas a respeito de qualquer livro mudam um pouco na leitura de um livro prático. Vamos tentar enunciar essas mudanças.

A primeira pergunta – "Este livro é sobre o quê?" – não muda muito. Uma vez que um livro prático é expositivo, continua a ser necessário, na resposta a essa pergunta, delinear a estrutura do livro.

Porém, ainda que você sempre tenha de tentar descobrir (ver a Regra 4) quais eram os problemas do autor, no caso dos livros práticos essa exigência ganha destaque. Dissemos que você deve buscar discernir os objetivos do autor, o que é uma maneira diferente de dizer que você tem de saber quais problemas ele estava tentando resolver. É preciso saber o que ele queria fazer porque, no caso de uma obra prática, saber o que *ele* quer fazer resume-se a saber o que ele quer que *você* faça. Obviamente, isso tem considerável importância.

A segunda regra também não muda muito. Para poder responder à pergunta sobre o sentido ou sobre o conteúdo de um livro, ainda é preciso que você descubra quais são os termos, proposições e argumentos do autor. Mas aqui, mais uma vez, é o último aspecto dessa tarefa (referido pela Regra 8) que ganha importância. A Regra 8, como você lembra, exigia que se apontassem quais problemas o autor resolveu e quais não resolveu. A adaptação dessa regra que se aplica ao caso dos livros práticos já foi enunciada. É preciso que você descubra e compreenda os meios recomendados pelo autor para realizar aquilo que ele propõe. Em outras palavras, se a REGRA 4, adaptada para os livros práticos, é DESCUBRA AQUILO QUE O AUTOR QUER QUE VOCÊ FAÇA, então a REGRA 8, analogamente adaptada, é DESCUBRA COMO ELE PROPÕE QUE VOCÊ FAÇA AQUILO.

A terceira pergunta – "O que o livro diz é verdade?" – fica um pouco mais alterada do que as duas primeiras. No caso de um livro teórico, a questão se responde quando você compara a descrição e a explicação do autor para aquilo que existe ou acontece no mundo com o próprio conhecimento que você tem daquilo. Se o livro está de modo geral de acordo com a sua própria experiência de como as coisas são, então é preciso que você admita, ao menos em parte, sua veracidade. No caso de um livro prático, ainda que seja possível fazer uma comparação semelhante entre o livro e a realidade, é preciso sobretudo avaliar se os objetivos do autor – isto é, os fins que ele busca, bem como os meios que ele propõe para atingi-los – estão de acordo com suas ideias a respeito daquilo que se deve buscar e de qual é a melhor maneira de realizar essa busca.

A quarta pergunta – "E daí?" – é a que mais muda. Se, após ler um livro teórico, sua visão do assunto de que ele trata foi mais ou menos alterada, então você é obrigado a fazer alguns ajustes na sua visão geral das coisas. (Se não for preciso fazer nenhum ajuste, então você não terá aprendido muito – se é que aprendeu algo – com o livro.) Esses ajustes, contudo, não precisam ser abalos sísmicos, e sobretudo não têm necessariamente de obrigá-lo a realizar ação alguma.

Concordar com um livro prático, porém, *supõe* que você vá realizar alguma ação. Se você foi convencido ou persuadido pelo autor de que os fins por ele propostos têm valor e se além disso você está convencido ou persuadido de que os meios que ele recomenda provavelmente levarão à consecução desses fins, então é difícil imaginar por que você se recusaria a agir da maneira como o autor quer que você aja.

Admitimos, é claro, que nem sempre acontece assim. Mas queremos que você perceba qual a razão para que não aconteça. A razão é que, apesar de aparentemente estar de acordo com os fins do autor e de aceitar seus meios, o leitor na realidade não está de acordo, ou não aceita. Se estivesse de acordo e aceitasse, não haveria motivo para deixar de agir.

Vamos dar um exemplo. Se, após terminar a Parte 2 deste livro você (1) concordou em que a leitura analítica vale a pena, e (2) aceitou que as regras da leitura, em sua essência, contribuem para esse fim, então você deve ter começado a tentar a ler do modo como descrevemos. Se não fez isso, não foi simplesmente porque estava com preguiça ou sentindo-se cansado. Foi porque você não foi realmente sincero em relação a (1) ou (2).

Parece existir uma exceção ao que dissemos. Suponha, por exemplo, que você leia uma receita sobre como fazer uma musse de chocolate. Você gosta de musse de chocolate e por isso concorda com o autor do artigo – o fim que se busca é bom. Você também aceita os meios propostos pelo autor para atingir aquele fim – sua receita. Mas você é um leitor do sexo masculino que nunca entra na cozinha e por isso nunca faz musses. Será que isso invalida nossas palavras?

Não. Mas indica uma distinção importante entre os tipos de livros práticos que é preciso mencionar. Quanto aos fins propostos pelos autores desses livros, às vezes são gerais ou universais – aplicáveis a todos os seres humanos – e às vezes são aplicáveis apenas a uma pequena parte dos seres humanos. Se o fim é universal – como no caso deste livro, o qual afirma que *todas* as pessoas, e não só algumas, deveriam ler melhor –, então a consequência discutida nesta parte vale para todo leitor. Se o fim é seletivo e só vale para certa classe de seres humanos, então o leitor precisa decidir se pertence ou não a tal classe. Se pertence, então a consequência vale para ele, e ele está mais ou menos obrigado a agir das maneiras especificadas pelo autor. Caso contrário, ele pode não estar obrigado.

Dizemos "pode não estar obrigado" porque há uma forte possibilidade de que o leitor esteja enganando a si próprio ou que não esteja entendendo suas próprias motivações, ao concluir que não pertence à classe para a qual aquele fim é relevante. No caso do leitor da receita sobre a musse de chocolate, o provável é que ele, com sua inação, esteja expressando sua opinião de que, ainda que se possa concordar em que uma musse é algo delicioso, outra pessoa – talvez sua esposa – é quem deveria prepará-la. E, em muitos casos, admitimos que o fim é desejável, que os meios são viáveis, mas de algum modo expressamos nossa relutância em realizar nós mesmos a ação. "Deixe que outra pessoa faça", dizemos, de modo mais ou menos explícito.

Isso, é claro, não é basicamente um problema de leitura, e sim um problema psicológico. Ainda assim, nossa psique influi no aproveitamento da leitura de um livro prático, e por isso discutimos aqui o assunto.

# 14. COMO LER LITERATURA IMAGINATIVA

Até agora, este livro só discutiu metade das leituras realizadas pela maior parte das pessoas. Até essa estimativa é exagerada. Provavelmente a maior parte do tempo de leitura de qualquer pessoa é gasta com jornais e revistas, e em leituras relacionadas ao trabalho. E, no que diz respeito a livros, a maioria de nós lê mais ficção do que não ficção. Além disso, dentre os livros de não ficção, os mais populares são aqueles que, como os jornais e as revistas, tratam jornalisticamente de assuntos de interesse contemporâneo.

Não enganamos o leitor quanto às regras enunciadas nos capítulos anteriores. Antes de começar a discuti-las detalhadamente, explicamos que teríamos de nos limitar à atividade de ler livros sérios de não ficção. Expor as regras para a leitura de livros imaginativos e expositivos *ao mesmo tempo* só teria causado confusão. Mas agora não podemos mais ignorar os outros tipos de leitura.

Antes de começar, queremos enfatizar um paradoxo muito estranho. O problema de saber como ler literatura imaginativa é intrinsecamente muito mais difícil do que o de saber como ler livros expositivos. Ainda assim, parece que, de fato, essa habilidade é muito mais difundida do que a arte de ler ciências e filosofia, política, economia e história. Como é possível que seja assim?

Talvez, é claro, as pessoas se enganem a respeito de sua capacidade de ler romances de modo inteligente. Com base em nossa experiência como educadores, sabemos como as pessoas perdem a língua na hora de apontar aquilo de que gostaram num romance. Para elas, é perfeitamente claro que gostaram do livro, mas não conseguem descrever a satisfação que sentiram nem dizer o que é que havia ali que lhes causou prazer. Isso pode indicar que as pessoas podem ser boas leitoras de ficção sem que sejam boas críticas. Suspeitamos de que isso seja, na melhor das hipóteses, uma meia verdade. Uma leitura crítica de qualquer coisa depende do quanto alguém consegue apreendê-la. Aqueles que não conseguem dizer por que gostaram de um romance provavelmente não ultrapassaram suas mais óbvias superfícies. Porém, o paradoxo vai além disso. Fundamentalmente, a literatura imaginativa mais deleita do que ensina. É muito mais fácil deleitar-se do que aprender, mas é muito mais difícil saber *de onde* veio o deleite. A beleza é mais difícil de analisar do que a verdade.

Esclarecer isso demandaria uma análise extensiva da apreciação estética. Não temos como realizá-la aqui. Podemos, contudo, dar alguns conselhos sobre a leitura de literatura imaginativa. Começaremos com a *via da negação*, enunciando as óbvias regras negativas, depois as positivas. Depois, passaremos à *via da analogia*, traduzindo rapidamente as regras da leitura de não ficção para seus equivalentes na ficção. Por fim, no último capítulo, examinaremos os problemas advindos da leitura de tipos específicos de literatura imaginativa, como romances, peças teatrais e poemas líricos.

## COMO NÃO LER LITERATURA IMAGINATIVA

Para podermos usar a via da negação, é necessário, antes de tudo, apreender as diferenças básicas entre a literatura expositiva e a imaginativa. Essas diferenças explicarão por que não podemos ler um romance como se fosse um argumento filosófico, ou um poema lírico como se fosse uma demonstração matemática.

A diferença mais óbvia, já mencionada, está relacionada aos propósitos dos dois tipos de escrita. Livros expositivos *buscam transmitir conhecimento* – conhecimento a respeito de experiências que o leitor teve ou poderia ter tido. Os imaginativos *buscam comunicar a experiência mesma* – e, se conseguem, dão ao leitor algo com que se deleitar. Por causa de suas intenções distintas, os dois tipos de obras têm apelos diferentes para o intelecto e para a imaginação.

*Temos a experiência* das coisas pelo exercício de nossos sentidos e de nossa imaginação. Para *saber* algo, temos de usar nossas capacidades de julgamento e raciocínio, que são intelectuais. Isso não significa que podemos pensar sem usar nossa imaginação, tampouco que a experiência sensorial esteja sempre totalmente divorciada da intuição racional ou da reflexão. A questão é só de ênfase. A ficção tem apelo primário para a imaginação. Essa é uma das razões para chamá-la de literatura imaginativa, em contraste com a ciência e a filosofia, que são intelectuais.

Esse fato a respeito da literatura imaginativa leva àquela que é provavelmente a mais importante das instruções negativas que gostaríamos de dar. *Não tente resistir ao efeito que uma obra de literatura imaginativa tem sobre você.*

Discutimos longamente a importância de ler de modo ativo. Isso vale para todos os livros, mas vale de maneiras muito diferentes para obras expositivas e obras poéticas. O leitor das primeiras tem de ser como uma ave de rapina, sempre alerta, sempre pronto para dar o bote. O tipo de atividade apropriado para a leitura de poesia e ficção não é o mesmo. É uma espécie de ação passiva, se é que podemos falar assim, ou melhor, uma paixão ativa. Ao ler uma narrativa, temos de agir de modo a deixar que ela aja sobre nós. Temos de permitir que ela nos comova, temos de deixá-la fazer o que quer que ela queira fazer conosco. Temos de ficar abertos para ela.

Devemos muito à literatura expositiva – filosofia, ciência, matemática – que deu forma ao mundo real em que vivemos. Mas não conseguiríamos viver neste mundo se não pudéssemos escapar dele de tempos em tempos. Não queremos dizer que a literatura imaginativa seja sempre ou essencialmente escapista. Essa palavra, no sentido habitual, aponta para algo desprezível. Se é preciso que escapemos da realidade, deveríamos ir para uma realidade maior, mais profunda: a realidade de nossa vida interior, de nossa visão singular do mundo. A descoberta dessa realidade nos deixa feliz: a experiência é profundamente *satisfatória* para alguma parte de nós com a qual não costumamos estar em contato. De qualquer modo, as regras para a leitura de uma grande obra de arte literária devem ter como finalidade ou objetivo nada menos do que essa experiência profunda. Cabe às regras eliminar tudo aquilo que nos impede de sentir tão profundamente quanto nos for possível.

A diferença básica entre a literatura expositiva e a imaginativa conduz a outra diferença. Por causa de seus objetivos radicalmente diversos, esses dois tipos de escrita necessariamente usam a linguagem de modo diferente. O autor imaginativo tenta maximizar as ambiguidades latentes das palavras, para ver se consegue alcançar toda a riqueza e toda a força inerentes a seus múltiplos sentidos. Ele toma as metáforas como unidades de sua construção do mesmo modo que o autor lógico usa as palavras afiadas à exatidão de um único sentido. Dante disse que *A Divina Comédia* deveria ser lida como se tivesse sentidos diversos, porém relacionados; isso se aplica, de modo geral, à poesia e à ficção. A lógica da escrita expositiva almeja um ideal de clareza inequívoca. Nada deve ficar nas entrelinhas. Tudo que é relevante e formulável deve ser dito da maneira mais explícita e clara possível. Em contraste, a escrita imaginativa depende tanto daquilo que é sugerido quanto daquilo que é dito. A multiplicação de metáforas praticamente coloca mais conteúdo entre as linhas do que nas palavras que estão nelas. Em sua totalidade, o poema, o conto e o romance dizem algo que nenhuma de suas palavras diz ou pode dizer.

Desse fato, tiramos outra instrução negativa. *Não procure termos, proposições ou argumentos na literatura imaginativa*. Esses recursos são lógicos, não poéticos. Como disse uma vez o poeta Mark Van Doren, "Na poesia e no teatro, a afirmação é um dos meios mais obscuros". Aquilo que um poema lírico "afirma", por exemplo, não pode ser encontrado em nenhuma de suas sentenças. E o todo, que inclui todas as palavras em suas relações e reações mútuas, diz algo que nunca pode ser preso na camisa de força das proposições. (Porém, a literatura imaginativa contém elementos que são *análogos* a termos, proposições e argumentos, e vamos discuti-los em breve.)

Claro que podemos aprender com a literatura imaginativa, com poemas, narrativas e sobretudo, talvez, com peças teatrais – mas não no mesmo sentido em que aprendemos com livros científicos e filosóficos. Aprendemos com a experiência – a experiência que temos no curso de nossa vida cotidiana. Assim, também, podemos aprender com as experiências substitutas, ou criadas artisticamente, que a ficção produz em nossa imaginação. Nesse sentido, os poemas e as narrativas tanto ensinam quanto provocam deleite. Mas o sentido em que a ciência e a filosofia nos ensinam é diferente. As obras expositivas não nos proporcionam experiências originais, elas comentam as experiências que já tivemos ou que podemos ter. É por isso que parece correto dizer que os livros expositivos fundamentalmente ensinam, ao passo que os livros imaginativos só ensinam de modo derivado, criando experiências com as quais podemos aprender. Para aprender com esses livros, temos de pensar nós mesmos sobre a experiência; para aprender com cientistas e filósofos, primeiro temos de tentar entender aquilo que eles pensaram.

Por fim, uma última regra negativa. *Não critique a ficção usando os critérios de verdade e coerência que são devidamente aplicados à comunicação do conhecimento.* A "verdade" de uma boa narrativa é sua verossimilhança, sua probabilidade intrínseca ou plausibilidade. A história tem de ser aceitável, mas não precisa descrever os fatos da vida ou da sociedade de maneira verificável por meio de experimentos ou de pesquisas. Séculos atrás, Aristóteles observava que "o mesmo padrão de correção não vale para a poesia e para a política" nem, aliás, para a física ou para a psicologia. Devemos criticar erros geográficos ou inexatidões anatômicas quando o livro se apresenta como um tratado desses assuntos. Mas equívocos factuais não maculam uma narrativa, desde que o narrador consiga cercá-los de plausibilidade. Quando lemos um livro de história, em algum sentido queremos a verdade, e temos razão em reclamar se não a obtivermos. Quando lemos um romance, queremos uma narrativa que seja verdadeira apenas no sentido de que ela *poderia ter acontecido* no mundo de personagens e acontecimentos que o romancista criou e recriou em nós.

O que fazemos com um livro filosófico depois de o termos lido e compreendido? Nós o testamos, comparando-o com a experiência comum que foi sua inspiração original e que é sua única razão para existir. Perguntamos: "Isso é verdade? Já sentimos isso? Será que sempre pensamos isso sem perceber? Será que agora isso é óbvio, ainda que antes não fosse? Por mais complicada que seja a teoria ou a explicação do autor, será que não é, na verdade, mais simples do que as ideias e opiniões caóticas que tínhamos antes a respeito desse assunto?".

Se pudermos responder à maior parte dessas perguntas afirmativamente, uma comunhão de entendimento se formará entre nós e o autor. Quando entendemos e não discordamos, temos de dizer: "Eis o nosso senso comum sobre esse assunto. Testamos sua teoria e vimos que estava correta".

As coisas não funcionam assim com a poesia. Não temos como comparar *Otelo* com nossa experiência, a menos que também sejamos mouros casados com senhoras venezianas que suspeitamos de traição. Mas ainda que o fôssemos, nem todo mouro é Otelo, nem toda senhora veneziana é Desdêmona e a maior parte dos casais formados por eles há de ter a boa fortuna de não conhecer um Iago. De fato, somente a um coube essa fortuna: Otelo, tanto o personagem quanto a peça, é único.

## REGRAS GERAIS PARA A LEITURA DE LITERATURA IMAGINATIVA

Para tornar as instruções negativas discutidas na seção anterior mais proveitosas, vamos acrescentar sugestões construtivas que podem ser desenvolvidas por analogia, com base nas regras para a leitura de livros expositivos.

Existem, como vimos, três grupos dessas regras. O primeiro grupo é composto das regras para descobrir a unidade e a relação estrutural entre o todo e as partes; o segundo, das regras para a identificação e interpretação dos termos, proposições e argumentos que compõem o livro; o terceiro, das regras para criticar a doutrina do autor, de modo que consigamos concordar com ele ou discordar de modo inteligente. Esses três grupos de regras são chamados de *estruturais*, *interpretativos* e *críticos*. Analogamente, é possível apontar grupos semelhantes de regras para guiar-nos na leitura de poemas, romances e peças.

*Primeiro*, podemos traduzir as regras estruturais – as regras do delineamento – em seus análogos ficcionais desta maneira:

(1) É preciso classificar uma obra de literatura imaginativa de acordo com sua espécie. No poema, uma história aparece basicamente como uma experiência emocional individual, ao passo que romances e peças teatrais têm tramas muito mais complicadas, que envolvem muitos personagens, as ações e reações de uns em relação aos outros, além das emoções que sentem no processo. Todos sabem, além disso, que uma peça teatral é diferente de um romance porque sua narração se dá inteiramente por meio de ações e falas. (Há interessantes

exceções a isso, que discutiremos depois.) O dramaturgo nunca pode falar em seu próprio nome, mas o romancista pode e com frequência o faz ao longo de um romance. Todas essas diferenças na maneira de escrever levam a diferenças na receptividade do leitor. Assim, é preciso que você perceba imediatamente qual tipo de ficção está lendo.

(2) É preciso apreender a unidade da obra inteira. É possível saber se você fez isso ou não vendo se consegue expressar essa unidade em uma frase ou duas. Em última instância, a unidade de uma obra expositiva está no principal problema que ela tenta resolver. Assim, sua unidade pode ser enunciada pela formulação dessa questão ou pelas proposições que a respondem. A unidade da ficção também está relacionada ao problema com que o autor deparou, mas vimos que esse problema é a tentativa de transmitir uma experiência concreta e por isso *a unidade de uma narrativa está sempre em seu enredo*. Você só terá apreendido a história inteira quando conseguir resumir seu enredo em uma breve narração, *não* em uma proposição ou argumento. Nisso está sua unidade.

Observe que não há contradição alguma entre o que acabamos de dizer a respeito da unidade do enredo e aquilo que dissemos sobre a peculiaridade da linguagem de uma obra de ficção. Até um poema tem um "enredo" no sentido em que usamos o termo aqui. Mas o enredo não é a experiência concreta que é recriada no leitor pela obra, seja ela um poema, peça teatral, seja um romance; é apenas seu arcabouço ou talvez o seu cenário. Ele representa a unidade da obra, a qual está precisamente na experiência mesma, assim como a síntese lógica do sentido de uma obra expositiva representa o argumento do todo.

(3) Não basta apenas reduzir o todo à sua unidade mais simples, é preciso também descobrir de que modo o todo é composto de todas as suas partes. As partes de uma obra expositiva estão relacionadas às partes do problema inteiro: as soluções parciais contribuem para a solução do todo. As partes da ficção são os diversos passos que o autor dá para desenvolver seu enredo – os detalhes da caracterização e dos acontecimentos. A maneira como as partes estão dispostas é diferente nos dois casos. Na ciência e na filosofia, é preciso que elas estejam ordenadas logicamente. Numa narrativa, as partes têm de caber de algum modo em uma estrutura temporal, uma progressão que parte de um início, passa por

um meio e chega a um fim. Para conhecer a estrutura de uma narrativa, você tem de saber onde ela começa – não necessariamente na primeira página, claro –, por onde ela passa e para onde ela vai. É preciso que você conheça as diversas crises que levam ao clímax, onde e como o clímax ocorre e o que acontece depois. (Por "depois" não queremos dizer aquilo que acontece depois que a história acaba. Ninguém pode saber isso. Queremos dizer apenas o que acontece, dentro da narrativa, após o clímax.)

Uma importante consequência segue-se daquilo que acabamos de enunciar. É mais provável que as partes (ou subconjuntos) de uma obra expositiva possam ser lidas de modo independente do que as partes da ficção. Euclides dividiu seus *Elementos* em treze partes, ou livros, como os chamava, e o primeiro pode ser lido isoladamente. É mais ou menos isso que acontece com todo livro expositivo bem organizado. Suas partes ou capítulos, tomados em separado ou em subgrupos, fazem sentido. Mas os capítulos de um romance, os atos de uma peça teatral ou os versos de um poema muitas vezes se tornam relativamente ininteligíveis quando separados do todo.

*Segundo*, quais são as regras interpretativas para a leitura de ficção? Nossa consideração anterior sobre a diferença entre os usos poético e lógico da linguagem nos preparou para fazer uma tradução das regras que nos levam a encontrar os termos, as proposições e os argumentos. Sabemos que não é isso que devemos fazer, e sim algo análogo a isso.

(1) Os elementos da ficção são seus episódios e acontecimentos, seus personagens e pensamentos, falas, sentimentos e ações deles. Cada uma dessas coisas é um elemento do mundo criado pelo autor. Ao manipular esses elementos, o autor conta sua história. Elas são como os termos de um discurso lógico. Assim como você precisa chegar a um acordo com um autor expositivo, nesse caso você precisa ficar a par dos detalhes dos acontecimentos e da caracterização. Você não terá apreendido uma história enquanto não tiver familiaridade com seus personagens, enquanto não tiver vivido através dos acontecimentos vividos por eles.

(2) Nas proposições, os termos estão relacionados. Os elementos da ficção estão relacionados pela cena ou pano de fundo total contra o qual se destacam,

em primeiro plano. O autor imaginativo, como vimos, cria um mundo no qual seus personagens "vivem, movem-se e são". A versão análoga, para a ficção, da regra que lhe recomenda encontrar as proposições de um autor, pode, portanto, ser enunciada desta maneira: familiarize-se com esse mundo imaginário; conheça-o como se fosse um observador da cena; torne-se um dos membros de sua população, disposto a ficar amigo dos personagens, capaz de participar com empatia da vida deles, assim como faria em relação às ações e paixões de um amigo. Se você conseguir fazer isso, os elementos da ficção terão deixado de ser peças isoladas, movidas mecanicamente num tabuleiro. Você terá encontrado as conexões que lhes dão vida como membros de uma sociedade viva.

(3) Se há movimento num livro expositivo, trata-se do movimento do argumento, uma transição lógica das evidências e causas às conclusões nelas baseadas. Na leitura desses livros, é necessário seguir o argumento. Assim, após ter descoberto seus termos e proposições, cabe-lhe analisar seu raciocínio. Há na leitura interpretativa de ficção um último passo análogo. Você se familiarizou com os personagens. Você se reuniu a eles no mundo imaginário em que vivem, deu seu consentimento às leis de sua sociedade, respirou seu ar, provou sua comida, viajou por suas estradas. Agora você tem de segui-los em suas aventuras. A cena ou pano de fundo, a ambiência social, é (como a proposição) um tipo de conexão *estática* entre os elementos da ficção. O desenrolar do enredo (como os argumentos ou o raciocínio) é a conexão dinâmica. Aristóteles disse que o enredo é a alma da narrativa. O enredo é sua vida. Para ler bem um romance, é preciso que você mantenha seu dedo no pulso da narrativa, que você acompanhe seu ritmo.

Antes de parar de falar dos equivalentes ficcionais para as regras interpretativas da leitura, devemos adverti-lo de não investigar a analogia em demasiada profundidade. Uma analogia como essa é como uma metáfora que vai se desintegrar caso você a pressione demais. Os três passos sugeridos delineiam o modo como o leitor pode ir se dando conta da realização artística de um autor imaginativo. Em vez de estragar sua fruição de um romance ou de uma peça, eles devem aumentar seu prazer por meio do conhecimento das origens do seu deleite. Não só você vai ficar sabendo *do que* gosta, mas também *por que* gosta daquilo.

Outro aviso: as regras mencionadas aplicam-se sobretudo a romances e peças teatrais. Aplicam-se a poemas desde que estes tenham alguma linha narrativa. Mas as regras não deixam de valer para poemas não narrativos, ainda que a conexão seja muito menos próxima. Um poema é a representação de uma experiência concreta, assim como uma longa narrativa, e tenta recriar aquela experiência no leitor. Há um começo, um meio e um fim até no mais curto dos poemas, assim como há uma sequência temporal em toda experiência, por mais breve e fugidia. E ainda que o elenco seja muito pequeno num poema curto, sempre há pelo menos um personagem – o enunciador do poema.

*Terceiro*, e último, quais são as regras críticas para a leitura de ficção? Talvez você se lembre de que distinguimos, no caso das obras expositivas, entre os princípios gerais que ordenam a crítica e diversos pontos particulares – observações críticas específicas. Quanto aos princípios gerais, pode-se fazer uma analogia suficiente com uma tradução. Se, no caso das obras expositivas, a orientação era não criticar um livro – não dizer se você concorda ou discorda – antes de primeiro dizer que o entendeu, aqui o princípio é: *não critique uma obra imaginativa enquanto não tiver apreciado por completo a experiência que o autor quer que você tenha*.

Disso decorre um importante corolário. O bom leitor de ficção não questiona o mundo criado pelo autor – o mundo recriado nele mesmo, leitor. "Temos de conceder ao artista seu assunto, sua ideia, seu *donné*", disse Henry James em *A Arte da Ficção* (*The Art of Fiction*); "nossa crítica se dirige apenas ao que ele faz com isso". Assim, devemos apenas apreciar o fato de que um autor decide que sua história se passará em Paris, sem objetar que ela teria ficado melhor em Minneapolis; mas temos o direito de criticar o que ele faz com seus parisienses e com a própria cidade.

Em outras palavras, temos de recordar o fato óbvio de que não concordamos com a ficção nem discordamos dela. Ou gostamos ou não gostamos. Nosso julgamento crítico no caso de livros expositivos diz respeito à sua *verdade*, mas, ao criticar as belas-letras, como a própria palavra sugere, consideramos sobretudo sua *beleza*. A beleza de qualquer obra de arte está relacionada ao prazer que ela nos proporciona quando a conhecemos bem.

Reformulemos os princípios, então, desta maneira. Antes de expressar aquilo do que gosta e do que não gosta, é preciso que você primeiro faça um esforço sincero para apreciar a obra. Por apreciação queremos dizer a experiência que o autor tentou produzir em você ao manipular suas emoções e sua imaginação. Assim, não é possível que você *aprecie* um romance lendo-o passivamente (na realidade, como observamos, é preciso que você o leia apaixonadamente), assim como não é possível que você *entenda* um livro de filosofia lendo-o desse jeito. Para chegar a uma apreciação, assim como para chegar ao entendimento, é preciso ler ativamente, e isso significa realizar todos os atos da leitura analítica que brevemente descrevemos.

Depois de completar uma leitura como essa, você estará capacitado para julgar. Seu primeiro julgamento, naturalmente, será de gosto. Você dirá não apenas *se* gosta ou não de um livro, mas também *por quê*. As razões que você oferecer terão, é claro, alguma relevância crítica para o livro, mas, em sua primeira expressão, é mais provável que elas digam mais a respeito de você – de suas preferências e inclinações – do que sobre o livro. Assim, para completar a tarefa da crítica, é preciso que você dê objetividade às suas reações, apontando as coisas no livro que as provocaram. Você tem de deixar de falar do que *você* gosta ou desgosta e por que, e passar a falar do que é bom ou ruim *no livro* e por quê.

Quanto melhor você discernir em suas reflexões aquilo que lhe causa prazer na leitura da ficção e da poesia, mais próximo estará de conhecer as virtudes artísticas da obra literária em si mesma. Assim, pouco a pouco você desenvolverá um padrão de crítica. E provavelmente encontrará muitos homens e mulheres de gosto similar, que compartilham seus julgamentos críticos. Você pode até descobrir algo que julgamos verdadeiro: que o bom gosto literário pode ser adquirido por qualquer pessoa que aprenda a ler.

# 15. SUGESTÕES PARA A LEITURA DE NARRATIVAS, PEÇAS E POEMAS

As regras paralelas para a leitura de literatura imaginativa que foram discutidas no capítulo anterior eram gerais, valiam para todos os tipos de literatura imaginativa: romances e contos, seja em prosa, seja em verso (inclusive os épicos); peças, fossem elas tragédias, comédias ou algo intermediário; e poemas líricos, de qualquer extensão ou complexidade.

Por serem gerais, essas regras têm de ser um tanto adaptadas para que se apliquem aos diversos tipos de literatura imaginativa. Neste capítulo, vamos sugerir as adaptações necessárias. Teremos algo específico a dizer a respeito da leitura de narrativas, peças e poemas líricos; também incluiremos notas a respeito dos problemas particulares apresentados pela leitura de poemas épicos e das grandes tragédias gregas.

Antes de passar a essas questões, porém, recomenda-se fazer algumas observações sobre a última das quatro perguntas que o leitor ativo e exigente deve fazer a qualquer livro, quando essa pergunta diz respeito a uma obra de literatura imaginativa.

Você há de lembrar que as primeiras três perguntas eram: primeiro, "o livro, como um todo, é sobre o quê?"; segundo, "o que está sendo dito em detalhe, e como?"; e, terceiro, "o livro é verdadeiro, no todo ou em parte?". A aplicação dessas três perguntas à literatura imaginativa foi discutida no capítulo anterior. A primeira pergunta é respondida quando você é capaz de descrever a unidade do enredo de uma narrativa, peça teatral ou poema – entendendo o "enredo" de modo amplo, de modo a incluir a ação ou movimento de um poema lírico e de uma narrativa; a segunda questão é respondida quando você é capaz de discernir o papel desempenhado pelos diversos personagens, e repetir, com suas próprias palavras, os principais acontecimentos relacionados a eles; e a terceira questão é respondida quando você é capaz de dar um julgamento abalizado a respeito da verdade poética da obra. É uma narrativa verossímil? A obra satisfaz seu coração e sua mente? Você aprecia a beleza da obra? Consegue dizer por quê?

A quarta questão é: "E daí?". No caso de obras expositivas, uma resposta para essa pergunta supõe alguma espécie de ação da sua parte. "Ação", nesse contexto, nem sempre significa sair de casa e fazer alguma coisa. Sugerimos que esse tipo de ação é uma obrigação que cabe ao leitor quando ele concorda com uma obra prática – isto é, quando concorda com os fins propostos – e aceita que os meios pelos quais o autor diz que eles podem ser atingidos são apropriados. A ação, nesse sentido, não é obrigatória quando o livro em questão é teórico. Nesse caso, apenas a ação mental é necessária. Mas se você está convencido de que um livro é verdadeiro, no todo ou em parte, então tem de concordar com suas conclusões e, se elas supõem algum ajuste de suas ideias sobre o assunto, então você fica mais ou menos obrigado a fazer esses ajustes.

Agora, é importante admitir que, no caso de uma obra de literatura imaginativa, essa quarta e última questão tem de ser interpretada de modo muito diferente. De certo modo, a questão é irrelevante para a leitura de narrativas e poemas. Estritamente falando, não se espera que você realize nenhuma ação quando lê bem – isto é, analiticamente – um romance, peça teatral ou poema. Você cumpriu todos os seus deveres de leitor quando aplicou as regras paralelas às da leitura analítica a essas obras e respondeu às três primeiras perguntas.

Dizemos "estritamente falando" porque é óbvio que as obras imaginativas frequentemente levaram os leitores a agir de várias maneiras. Às vezes uma narrativa é uma maneira mais eficaz de transmitir uma mensagem – seja ela política, econômica, seja moral – do que uma obra expositiva. *A Revolução dos Bichos* e *1984*, de George Orwell, são dois fortes ataques ao totalitarismo. *Admirável Mundo Novo*, de Aldous Huxley, é uma crítica mordaz à tirania do progresso tecnológico. *O Primeiro Círculo*, de Alexander Soljenítsin, diz mais sobre a mesquinha crueldade e desumanidade da burocracia soviética do que uma centena de estudos factuais e relatórios. Essas obras foram proibidas e censuradas muitas vezes na história da humanidade e a razão disso é clara. Como disse uma vez

E. B. White, "Um déspota não teme que autores eloquentes preguem a liberdade – ele teme que um poeta bêbado faça uma piada que vire moda".

Ainda assim, essas consequências práticas da leitura de narrativas e poemas não dizem respeito à essência do problema. Escritos imaginativos *podem* levar à ação, mas não *têm* de levar. Eles pertencem ao mundo da arte fina.[1]

Uma obra de arte é "fina" não por ser "refinada" ou por estar "finalizada", mas porque é um fim (em latim, *finis* significa fim) em si mesma. Ela não tem de produzir um resultado além de si própria. Ela é, como disse Emerson da beleza, sua própria razão de existir.

Assim, na hora de aplicar essa última pergunta a obras de literatura imaginativa, é preciso ter cuidado. Se você sentir-se impelido a fazer alguma coisa por causa de um livro que leu, pergunte-se se a obra possui alguma asserção implícita que tenha produzido esse sentimento. A poesia, em sentido estrito, não é o domínio das asserções, ainda que muitas narrativas e muitos poemas contenham asserções mais ou menos escondidas. E não há problema algum em prestar atenção nelas, em reagir a elas. Mas é preciso que você recorde que está prestando atenção em algo e reagindo a algo, que não é a narrativa ou o poema. Esses subsistem por si. Para lê-los bem, basta experienciá-los.

## COMO LER NARRATIVAS

A primeira orientação que gostaríamos de oferecer a você para a leitura de uma narrativa é esta: leia-a rápido e entregue-se totalmente a ela. Idealmente, uma narrativa deveria ser lida numa única sentada, ainda que isso raramente seja possível para pessoas ocupadas que queiram ler romances extensos. Ainda assim, é possível aproximar-se do ideal comprimindo a leitura de uma boa

[1] No original, *fine art*, no singular. A expressão inglesa *fine arts*, no plural, tem como tradução "belas-artes". Um *Museum of Fine Arts* é um "Museu de Belas-Artes". O sentido é idêntico ao do português. Nenhum dos dois idiomas colocaria a literatura entre as "belas-artes" ou *fine arts*. Adler está usando a expressão *fine art* num sentido próprio e peculiar, e o leitor não deve pensar que houve confusão com *fine arts* e "belas-artes". (N. T.)

narrativa no menor tempo possível. Caso contrário, você esquecerá o que aconteceu, a unidade do enredo lhe escapará e você ficará perdido.

Alguns leitores, quando gostam muito de um romance, querem saboreá-lo, demorar-se nele, estender sua leitura o máximo possível. Mas nesse caso é provável que eles não estejam exatamente lendo o livro, e sim satisfazendo seus sentimentos mais ou menos conscientes a respeito dos acontecimentos e dos personagens. Voltaremos a isso em breve.

Leia rápido e entregue-se totalmente – eis a nossa sugestão. Mencionamos a importância de deixar um livro imaginativo mexer com você. Isso é o que queremos dizer com "entregue-se totalmente". Deixe os personagens entrarem em sua mente e em seu coração; suspenda sua incredulidade, se houver alguma, a respeito dos acontecimentos. Não desaprove algo que um personagem tenha feito, antes de entender por que ele fez aquilo – talvez, nem mesmo depois. Faça o máximo de esforço para viver no mundo dele, não no seu; ali, as coisas que ele faz podem ser perfeitamente compreensíveis. E não julgue o mundo como um todo antes que você tenha certeza de que "viveu" nele até o máximo de sua capacidade.

Seguir essa regra permitirá que você responda à primeira pergunta que se deve fazer a respeito de qualquer livro – "O livro, como um todo, é sobre o quê?". A menos que você leia rápido, não conseguirá enxergar a unidade da narrativa. A menos que leia intensamente, não conseguirá perceber os detalhes.

Os termos de uma narrativa, como observamos, são seus personagens e acontecimentos. É preciso que você se familiarize com eles e seja capaz de enumerá-los. Aqui, porém, cabe um aviso. Tomando *Guerra e Paz* como exemplo, muitos leitores iniciam esse grande romance e ficam desesperados com o grande número de personagens aos quais são apresentados, sobretudo porque eles têm nomes estranhos. Logo esses leitores desistem do livro, crentes de que jamais serão capazes de distinguir todas as complicadas relações, de saber quem é quem. Isso vale para qualquer romance extenso – e, se o romance for bom mesmo, queremos que ele seja o mais longo possível.

Nem sempre ocorre a esses leitores de ânimo fraco que acontece com eles a mesma coisa quando se mudam de cidade, ou para outro bairro, quando vão para uma nova escola ou para um novo trabalho, ou mesmo quando chegam a uma festa. Nessas circunstâncias, eles não desistem; sabem que após um breve período, conseguirão distinguir indivíduos da massa, que farão amigos na multidão desfigurada dos colegas de trabalho, dos colegas de escola ou dos convidados da festa. Talvez não recordemos os nomes de todo mundo na festa, mas lembraremos o nome do homem com quem conversamos por uma hora, ou da jovem com quem marcamos um encontro para a noite seguinte, ou da mãe cuja filha vai à mesma escola que nós. Acontece a mesma coisa num romance. Não devemos esperar ser capazes de lembrar o nome de cada personagem; muitos deles são apenas pessoas de fundo, cuja função é provocar as ações dos personagens principais. Porém, quando terminamos *Guerra e Paz* ou qualquer outro romance extenso, sabemos quem é importante, e não esquecemos. Pierre, André, Natasha, Princesa Maria, Nicolas – os nomes provavelmente virão rapidamente à memória, ainda que vários anos tenham se passado desde que lemos o livro de Tolstói.

Apesar da multidão de acontecimentos, também descobrimos rapidamente *o que* é importante. Os autores normalmente ajudam muito nesse quesito; eles não querem que o leitor perca aquilo que é essencial para o desenrolar do enredo, por isso destacam-no de várias maneiras. Mas o principal é que você não fique nervoso se as coisas não estiverem claras desde o início. Uma narrativa é como a vida: nesta, não esperamos compreender os acontecimentos na hora que eles ocorrem, ao menos não com total clareza; mas, olhando em retrospecto, nós os compreendemos. Assim, o leitor de uma narrativa, olhando em retrospecto para ela após terminá-la, compreende a relação entre os eventos e a ordem das ações.

Tudo isso se resume ao mesmo princípio: é preciso terminar de ler uma narrativa para poder dizer que ela foi bem lida. Paradoxalmente, porém, uma narrativa deixa de ser semelhante à vida na sua última página. A vida continua, mas a narrativa não. Seus personagens não têm vitalidade fora do livro e aquilo que você imagina que aconteceu com eles antes da primeira página e depois da última vale tanto quanto a opinião de qualquer outro leitor. Na realidade, essas especulações não fazem sentido. Já escreveram prelúdios a

*Hamlet*, todos ridículos. Não devemos perguntar o que acontece com Pierre e Natasha depois que *Guerra e Paz* acaba. Ficamos satisfeitos com as criações de Shakespeare e Tolstói em parte porque elas são limitadas no tempo. Não precisamos de mais.

A grande maioria dos livros são narrativas de algum tipo. As pessoas que não sabem ler escutam narrativas. Nós até as inventamos. A ficção parece uma necessidade humana. Por que será?

Uma razão pela qual a ficção é uma necessidade humana é que ela satisfaz muitas necessidades conscientes e inconscientes. Ela seria importante se tocasse apenas a mente consciente, como a escrita expositiva. Mas a ficção também é importante porque, além disso, toca o inconsciente.

No nível mais simples – e uma discussão sobre esse assunto pode ser muito complexa –, gostamos ou desgostamos de certos tipos de pessoas mais do que de outras e nem sempre sabemos o porquê. Se, num romance, essas pessoas forem recompensadas ou punidas, o livro poderá levar a uma mobilização mais forte, a favor ou contra do que se fosse provocada apenas pelos seus méritos artísticos.

Por exemplo, frequentemente gostamos quando um personagem num romance herda dinheiro ou simplesmente tem um golpe de sorte. Porém, isso tende a se verificar só quando o personagem é "simpático", isto é, quando nos identificamos com ele ou com ela. Não admitimos a nós mesmos que gostaríamos de herdar o dinheiro – apenas dizemos que gostamos do livro.

Talvez todos nós queiramos amar com mais intensidade do que amamos. Muitos romances falam de amor – a maioria, talvez –, e sentimos prazer em nos identificar com os personagens que amam. Eles são livres, e nós não. Mas pode ser que não admitamos isso; caso contrário, poderíamos sentir, conscientemente, que nossos amores são menores do que deviam.

Novamente, quase todos têm algum sadismo ou masoquismo inconsciente em sua personalidade. Esses muitas vezes gostam de romances em que é possível identificar-se com o conquistador ou com a vítima, ou até com ambos. Nos dois casos, podemos simplesmente dizer que gostamos "desse tipo de livro" – sem dizer ou nem mesmo saber por quê.

Por fim, suspeitamos que a vida como a conhecemos é injusta. Por que os bons sofrem e os maus prosperam? Não sabemos, não temos como saber, mas isso nos deixa a todos muito ansiosos. Nas narrativas, essa situação caótica e desagradável se resolve, e isso nos é extremamente agradável.

Nas narrativas – nos romances, nos poemas narrativos e nas peças teatrais – a justiça geralmente vence. As pessoas recebem aquilo que merecem; o autor, que é como um deus para seus personagens, cuida para que eles sejam recompensados ou punidos de acordo com seus verdadeiros méritos. Numa boa narrativa, numa narrativa satisfatória, é assim que acontece, pelo menos. Uma das coisas mais irritantes numa narrativa ruim é que as pessoas nela parecem ser punidas ou recompensadas sem rima nem solução. O grande narrador não comete erros. Ele é capaz de nos convencer de que foi feita justiça – justiça poética, como chamamos.

Isso vale também para a tragédia. Nela, coisas terríveis acontecem a boas pessoas, mas vemos que o herói, ainda que não mereça integralmente seu destino, ao menos chega a entendê-lo. E sentimos um profundo desejo de compartilhar seu entendimento. Se ao menos *soubéssemos* – nesse caso, poderíamos suportar qualquer coisa que o mundo tivesse reservado para nós. "Quero Saber Por Quê" ("I Want to Know Why") é o título de um conto de Sherwood Anderson. Poderia ser o título de muitas narrativas. O herói trágico descobre por quê, ainda que muitas vezes, é claro, após sua vida ser arruinada. Podemos compartilhar de sua intuição sem tomar parte em seu sofrimento.

Assim, ao criticar ficção precisamos ter cuidado para distinguir os livros que satisfazem nossas próprias necessidades inconscientes – aqueles que nos fazem dizer: "gosto deste livro, mas não sei bem por quê" – daqueles que satisfazem as profundas necessidades inconscientes de quase todo mundo. Os últimos são sem dúvida as grandes narrativas, aquelas que sobrevivem por gerações e séculos. Enquanto o homem for homem, elas continuarão a satisfazê-lo, dando-lhe algo de que precisa: uma crença na justiça e na compreensão, além de alívio para a ansiedade. Não sabemos, não temos como ter certeza, se o mundo real é bom. Mas o mundo de uma grande narrativa *é* bom de algum modo. Queremos viver nele por mais tempo, o mais frequentemente possível.

# UMA NOTA SOBRE OS ÉPICOS

Talvez os livros mais celebrados, mas provavelmente menos lidos, da grande tradição do mundo ocidental sejam os grandes poemas épicos, especialmente a *Ilíada* e a *Odisseia* de Homero, a *Eneida* de Virgílio, *A Divina Comédia* de Dante e o *Paraíso Perdido* de Milton. Esse paradoxo pede um comentário.

A julgar pelo pequeno número dos que foram concluídos com sucesso nos últimos 2.500 anos, parece que nada é mais difícil de escrever do que um longo poema épico. Não por falta de tentativas: centenas de épicos foram iniciados, e alguns, como o *Prelude* de Wordsworth e *Don Juan* de Byron, atingiram tamanhos consideráveis sem que jamais fossem terminados. Assim, é preciso honrar o poeta que continua trabalhando até terminar. É preciso honrar mais ainda o poeta que produza uma obra que tenha as qualidades das cinco aqui mencionadas. Todavia, elas certamente não são fáceis de ler.

Não é só porque foram escritas em verso; afinal, em todos os casos, tirando *Paraíso Perdido*, há traduções em prosa disponíveis.[2] A dificuldade parece estar antes em sua grandeza, na abordagem de seu assunto. Qualquer um desses grandes épicos faz enormes exigências ao leitor – exigências de atenção, envolvimento e imaginação. O esforço necessário para lê-los é, de fato, imenso.

A maioria de nós não tem ideia do que está perdendo por não fazer esse esforço. As recompensas advindas de uma boa leitura – uma leitura analítica, diríamos – desses épicos são pelo menos tão grandes quanto as que vêm da leitura de quaisquer outros livros; certamente, de outros livros de ficção. Infelizmente, porém, aqueles que não leem bem esses livros não têm acesso a tais recompensas.

Esperamos que você tente ler esses cinco grandes poemas épicos e que consiga chegar ao fim de todos eles. Temos certeza de que não se decepcionará. E você ainda terá outra satisfação. Homero, Virgílio, Dante e Milton são os autores que todo bom poeta leu, isso para não falar de outros autores. Formam, com a Bíblia, a espinha dorsal de qualquer programa sério de leitura.

---

[2] Naturalmente, Adler se refere à língua inglesa. Não haveria necessidade de traduzir o poema de Milton, originalmente escrito em inglês moderno. (N. T.)

## COMO LER PEÇAS TEATRAIS

Uma peça teatral é ficção, é uma narrativa, e, à medida que isso seja verdade, deve ser lida como uma narrativa. Talvez o leitor tenha de ser mais ativo na criação do ambiente, o mundo em que os personagens vivem e se movem, pois nas peças não há descrições como as que existem em grande quantidade nos romances. Os problemas, porém, são essencialmente similares.

Só há uma diferença importante. Quando você lê uma peça, não está lendo uma obra *completa*. A peça completa (a obra que o autor queria que você apreendesse) só é apreendida quando representada no palco. Assim como a música, que deve ser ouvida, uma peça fica privada de uma dimensão física quando lida num livro. Cabe ao leitor prover essa dimensão.

A única maneira de fazer isso é fingir que se está assistindo a uma representação. Assim, uma vez que você descubra sobre o que é a peça, no todo e em detalhes, e uma vez que tenha respondido às outras perguntas que tem de fazer a respeito de qualquer narrativa, cabe-lhe tentar *dirigir* a peça. Imagine que você dispõe de meia dúzia de atores à espera dos seus comandos. Diga a eles como dizer esta fala, como fazer aquela cena. Explique a importância dessas palavrinhas e como aquela ação é o clímax da obra. Você vai se divertir bastante e vai aprender muito sobre a peça.

Um exemplo deixará claro o que queremos dizer. Na Cena 2 do Ato II de *Hamlet*, Polônio anuncia ao rei e à rainha que Hamlet enlouqueceu por causa de seu amor por Ofélia, que rejeitou as investidas do príncipe. O rei e a rainha duvidam e por isso Polônio propõe esconder-se com o rei atrás de uma tapeçaria a fim de escutar a conversa entre Hamlet e Ofélia. Essa proposta acontece nos versos 160 a 170 da Cena 2 do Ato II; imediatamente depois, Hamlet entra em cena lendo um livro. Suas falas a Polônio são enigmáticas; Polônio afirma: "embora seja pura loucura, há sensatez no que diz...". Depois, no início do Ato III, Hamlet entra e faz o famoso solilóquio que começa com "Ser ou não ser", interrompido quando Ofélia aparece. Ele começa a falar com ela de modo razoável, mas subitamente grita: "Ah, ah! és honesta?" (III, 1, verso 103). Agora surge a questão: será que Hamlet ouviu Polônio dizer, antes, que ele e o rei planejavam espioná-lo? E será que ele também ouviu Polônio falar em "perder a filha para ele"? Se ouviu, as conversas de Hamlet com Polônio e Ofélia teriam um sentido; se ele não ouviu o plano, teriam outro. Shakespeare não deixou orientações; cabe ao leitor (ou diretor) decidir por si. Sua própria decisão terá um papel central no seu entendimento da peça.

Muitas peças de Shakespeare exigem esse tipo de atividade por parte do leitor. O que queremos dizer é que ela é sempre desejável, por mais explícito que o dramaturgo tenha sido ao nos dizer o que deveríamos esperar ver. (Não podemos questionar o que deveríamos esperar ouvir, já que o texto da peça está diante de nós.) Talvez você não tenha lido uma peça realmente bem se não a tiver encenado dessa maneira. Na melhor das hipóteses, você não fez mais do que uma leitura parcial.

Anteriormente sugerimos que havia exceções interessantes à regra de que o dramaturgo não pode dirigir-se diretamente ao leitor assim como pode, e tantas vezes faz, o autor de um romance. (Fielding, em *Tom Jones*, é um exemplo de autor que se dirige diretamente ao leitor em um grande romance.) Duas dessas exceções estão separadas por quase 25 séculos. Aristófanes, o antigo comediógrafo grego, escreveu os únicos exemplos que restaram da chamada comédia antiga. Numa peça de Aristófanes, volta e meia, e pelo menos uma vez, o ator principal sai do personagem, dá um passo, talvez, em direção à plateia, e faz um discurso político que não tem nada a ver com a ação do drama. Crê-se que esses discursos expressam os sentimentos pessoais do autor. Isso se faz ocasionalmente hoje em dia – não há recurso artístico útil que realmente se perca –, ainda que talvez não tão bem quanto Aristófanes fazia.

O outro exemplo é o de Bernard Shaw, que não apenas esperava que suas peças fossem montadas, como ainda gostaria que elas fossem lidas. Ele as publicou todas – uma (*Heartbreak House*), ao menos, antes mesmo de ser montada – e inseriu nos livros longos prefácios em que explicava o sentido das peças e dizia aos leitores como entendê-las. (Ele também inclui extensas instruções aos atores e diretores nas versões publicadas.) Ler uma peça de Shaw sem ler o prefácio que Shaw lhe dedicou é propositadamente dar as costas para um importante auxílio ao seu entendimento. Também aqui, outros dramaturgos modernos imitaram o uso que Shaw fez desse recurso, mas nunca foram tão bons quanto ele.

Outro conselho pode ser útil, particularmente para a leitura de Shakespeare. Já aludimos à importância de ler as peças inteiras, se possível de uma vez só, para poder captá-las em seu todo. Mas, como a maior parte das peças está escrita em verso e como esses versos são mais ou menos opacos em muitas ocasiões em virtude das mudanças por que a língua inglesa passou desde 1600, muitas vezes é desejável ler alguma passagem difícil em voz alta. Leia devagar, como se houvesse uma plateia ouvindo, e com "entonação" – isto é, tente fazer que as palavras tenham sentido para você à medida que as lê. Esse recurso simples resolverá muitas dificuldades. Só quando ele não funcionar você deve procurar o glossário ou as notas.

## UMA NOTA SOBRE A TRAGÉDIA

Não vale a pena ler a maior parte das peças. Achamos que isso é verdade porque elas *são* incompletas. Elas não foram feitas para ser lidas – foram feitas para ser encenadas. Existem muitas grandes obras expositivas, muitos grandes romances e poemas líricos, mas as grandes peças são poucas. Porém, essas poucas – as tragédias de Ésquilo, Sófocles e Eurípedes, as peças de Shakespeare, as comédias de Molière, as obras de raríssimos modernos – são realmente grandes, contendo algumas das mais profundas e mais ricas intuições jamais expressas em palavras pelo homem.

Entre elas, a tragédia grega é talvez a mais difícil para os leitores iniciantes. Para começar, no mundo antigo, três tragédias eram apresentadas de uma vez e era comum que as três tratassem do mesmo tema, mas, com uma exceção (a *Oresteia* de Ésquilo), apenas peças isoladas (ou atos isolados) restaram. Além disso, é quase impossível encenar as peças mentalmente, já que não sabemos praticamente nada sobre como os diretores gregos as encenavam. Mais ainda, as peças teatrais muitas vezes se baseavam em narrativas bem conhecidas das plateias de seu tempo, mas que nós só conhecemos graças a essas peças. Uma coisa é conhecer a história de Édipo como se conhece a história de George Washington e a cerejeira,[3] e por isso considerar a obra-prima de Sófocles como um comentário a uma narrativa conhecida; outra coisa é ver *Édipo Rei* como a narrativa primária e tentar imaginar como era a narrativa familiar que lhe serviu de base.

Ainda assim, as peças são tão fortes que vencem até mesmo esses obstáculos, e outros também. É importante lê-las bem, pois elas não só podem nos dizer muito sobre a vida que vivemos hoje, como ainda formam uma espécie de arcabouço literário para muitas peças escritas bem depois – por exemplo, as de Racine e O'Neill. Temos dois conselhos que podem ajudar.

O primeiro é lembrar que a essência da tragédia é o tempo, ou melhor, a falta dele. Não há nenhum problema na tragédia grega que não pudesse ter sido resolvido se houvesse tempo suficiente, mas nunca há tempo suficiente. É preciso tomar decisões e fazer escolhas num instante, não há tempo para pensar e pesar as consequências; e, como até os heróis trágicos são falíveis – especialmente falíveis, talvez –, eles decidem mal. É fácil para nós ver o que deveria ter sido feito, mas será que conseguiríamos ver isso a tempo? Essa é a questão que você sempre tem de fazer ao ler qualquer tragédia grega.

O segundo conselho é este: uma coisa que sabemos sobre a encenação de peças gregas é que os atores trágicos usavam botas com saltos plataforma que os colocavam muitos centímetros acima do chão. (Além disso, eles usavam máscaras.) Mas os membros do coro não usavam botas com saltos plataforma, ainda que às vezes usassem máscaras. A comparação entre a dimensão do protagonista trágico, de um lado, e os membros do coro, de outro, era portanto muito significativa. Assim, é preciso que você sempre imagine, ao ler as falas do coro, que elas são ditas por pessoas da sua altura; já as palavras ditas pelos protagonistas

[3] Quando criança, George Washington usou seu machado novo para cortar, enquanto brincava, uma bela cerejeira plantada por seu pai. A coragem demonstrada pelo menino ao assumir a responsabilidade pelo ato é sempre lembrada como prova do caráter daquele que se tornaria o primeiro presidente dos Estados Unidos. (N. T.)

vêm das bocas de gigantes, de personagens que não apenas pareciam, mas de fato eram, fora do comum.

## COMO LER POESIA LÍRICA

A definição mais simples de poesia (no sentido mais ou menos restrito que o título desta seção sugere) é que poesia é aquilo que os poetas escrevem. Isso parece bastante óbvio, mas há aqueles que discordariam dessa definição. A poesia, segundo eles, é uma espécie de transbordamento espontâneo da personalidade que pode ser expresso em palavras escritas, mas também pode assumir a forma de uma ação física ou de um som mais ou menos musical, ou mesmo só um sentimento. Há algo aí, claro, como os poetas sempre perceberam. É muito antiga a ideia de que o poeta desce ao fundo de si mesmo para buscar os poemas, de que seu lugar de origem é um "poço criativo" misterioso que fica dentro da mente ou da alma. Nesse sentido do termo, qualquer um, a qualquer momento, pode fazer poesia numa espécie de sessão solitária sensitiva. Mas, ainda que aceitemos haver um grão de verdade nessa definição, o sentido do termo que vamos empregar a seguir é muito mais restrito. Qualquer que seja a origem do impulso poético, a poesia, para nós, é feita de palavras, e, além disso, palavras que estão organizadas de modo mais ou menos ordeiro e disciplinado.

Outras definições do termo que igualmente contêm um grão de verdade são de que a poesia (mais uma vez, fundamentalmente a poesia lírica) não é poesia a menos que seja laudatória, ou a menos que incite à ação (normalmente revolucionária), ou a menos que seja rimada, ou a menos que use uma linguagem especializada chamada "dicção poética". Acabamos de misturar, de propósito, algumas ideias muito modernas com outras muito antiquadas. Queremos mostrar que todas essas definições e mais uma dúzia que ainda poderíamos citar são todas muito estreitas, assim como a definição discutida no parágrafo anterior era (para nós) ampla demais.

No meio dessas definições amplas ou estreitas demais há um núcleo central que muitas pessoas, caso estivessem dispostas a ser razoáveis, concordariam que é poesia. Se tentássemos dizer exatamente em que consiste esse núcleo central, provavelmente arrumaríamos encrencas e por isso nem vamos tentar. Ainda assim, temos certeza de que você sabe do que estamos falando. Temos certeza de que, em 90% das vezes, ou talvez 99%, você concordaria conosco em que X é um poema e Y não. E isso é o bastante para os nossos propósitos que se seguirão nas páginas seguintes.

Muitas pessoas acham que não são capazes de ler poesia lírica – sobretudo a poesia moderna. Acham que ela costuma ser difícil, obscura, complexa, e que exige tanta atenção e tanto trabalho que nem vale a pena tentar. Temos duas coisas a dizer. Primeiro, a poesia lírica, inclusive a poesia moderna, nem sempre exige tanto esforço quanto você imagina, desde que tente lê-la do modo correto. Segundo, muitas vezes ela vale o esforço que você está disposto a fazer, qualquer que seja.

Não queremos dizer que a leitura de um poema dispensa o trabalho. Um bom poema pode ser trabalhado, relido e meditado inúmeras vezes pelo resto da vida. Você nunca deixará de encontrar coisas novas nele, novos prazeres e deleites, como também novas ideias sobre si e sobre o mundo. Queremos dizer que a tarefa inicial de aproximar-se suficientemente de um poema para poder trabalhá-lo não é tão difícil quanto você talvez tenha imaginado.

A primeira regra a seguir na leitura de um poema é lê-lo até o fim sem parar, ache você que entendeu o poema ou não. Essa é a mesma regra que propusemos para diversos tipos de livros, mas ela é mais importante no caso de um poema do que no caso de um tratado científico ou filosófico, e mesmo de um romance ou de uma peça teatral.

De fato, o problema que tanta gente parece ter com a leitura de poemas, sobretudo os mais modernos e difíceis, deve-se ao desconhecimento dessa primeira regra de leitura. Quando elas deparam com um poema de T. S. Eliot, Dylan Thomas ou algum outro poeta moderno "difícil", mergulham com vontade, mas voltam depois do primeiro verso ou da primeira estrofe. Elas não a entendem imediatamente, completamente, e acham que deveriam entender. Elas se concentram nas palavras, tentam desfazer o complexo emaranhado da sintaxe e logo desistem, concluindo que, como suspeitavam, a poesia moderna é difícil demais para elas.

Não são só os poemas modernos que são difíceis. Muitos dos melhores poemas são complicados e envolvidos por sua linguagem e ideias. Além disso, muitos poemas aparentemente simples têm uma complexidade imensa abaixo da superfície.

Mas qualquer bom poema lírico tem unidade. A menos que o leiamos todo e de uma vez, não temos como apreender sua unidade. Não temos como descobrir, exceto talvez por acidente, qual sentimento ou experiência fundamental lhe serve de base. Em particular, quase nunca se encontra a essência de um poema em seu primeiro verso ou mesmo em sua primeira estrofe. Ela só pode ser encontrada no todo, e nunca, de maneira decisiva, em qualquer parte isolada.

A segunda regra para a leitura de poemas é esta: leia o poema inteiro de novo – mas leia *em voz alta*. Já sugerimos isso para o caso de dramas poéticos como os de Shakespeare. Neles, a leitura em voz alta ajudava; aqui ela é essencial. Você verá, ao ler o poema em voz alta, que o simples ato de falar as palavras obriga-o a entendê-las melhor. Não dá para passar por cima de uma expressão ou de um verso incompreendido com tanta facilidade se você o estiver dizendo. O ouvido se ofende com uma ênfase errada, embora os olhos possam não percebê-la. O ritmo do poema e as rimas, caso ele as tenha, irão ajudá-lo a entender, colocando a ênfase no devido lugar. Por fim, será capaz de se abrir para o poema e deixar que ele mexa com você, como deve ser.

Essas duas sugestões são mais importantes do que qualquer coisa para a leitura de poemas. Se os leitores que acham que não são capazes de ler poemas começassem por seguir essas regras, certamente passariam a ter poucas dificuldades. Afinal, uma vez que você tenha apreendido um poema por inteiro, mesmo que vagamente, poderá começar a lhe fazer perguntas. E, assim como no caso das obras expositivas, esse é o segredo do entendimento.

As perguntas que você faz a uma obra expositiva são gramaticais e lógicas. As perguntas que você faz a um poema normalmente são retóricas, ainda que também possam ser sintáticas. Você não chega a um acordo com um poema; você precisa, contudo, descobrir suas palavras-chave. Elas não são descobertas, porém, por um ato de discernimento gramatical, mas sim por um ato de discernimento retórico. Por que certas palavras saltam do poema e ficam encarando o leitor? Será por causa do ritmo que as marca? Ou da rima? Ou será que são palavras repetidas? Será que muitas estrofes parecem falar das mesmas ideias? Se for assim, será que essas ideias formam algum encadeamento? Perguntas como essas vão ajudar no seu entendimento.

Na maior parte dos bons poemas há alguma espécie de conflito. Às vezes dois antagonistas – sejam pessoas, imagens ou ideias – são citados e então descreve-se o conflito entre eles. Quando é assim, é fácil de descobrir. Mas muitas vezes o conflito está apenas sugerido, e não afirmado diretamente. Por exemplo, muitos dos grandes poemas líricos – talvez a maioria – falam de conflitos entre o amor e o tempo, entre a vida e a morte, entre a beleza das coisas transitórias e o triunfo da eternidade. Mas essas palavras podem não aparecer no texto do poema.

Já se disse que quase todos os sonetos de Shakespeare tratam dos castigos daquilo que ele chama de "Tempo voraz". É claro que alguns tratam mesmo, pois ele diz isso explicitamente repetidas vezes.

> De ver que a mão cruel do Tempo apaga
> soberbas pompas ricas do passado [4]

Isso é o que ele escreve no Soneto 64, em que ainda lista outras vitórias do tempo sobre tudo aquilo que o homem queria que lhe resistisse. Depois, ele diz:

> da ruína aprendi que o Tempo avança
> e meu amor com ele há-de partir.

Não há dúvida a respeito do assunto do poema. O mesmo vale para o famoso Soneto 116, que contém estes versos:

> Do tempo o Amor não é bufão, na esfera
> da foice curva em bocas, róseos rostos;
> com breve hora ou semana não se altera
> e até ao julgamento fica a postos.

---

[4] As traduções dos trechos dos sonetos de Shakespeare são de Vasco Graça Moura. (N. T.)

Mas o Soneto 138, quase tão famoso quanto o 116, que começa assim:

> Ao jurar-me ela seu fiel amor,
> palavra que acredito e sei que mente

também fala de um conflito entre o amor e o tempo, ainda que a palavra "tempo" não apareça em parte alguma no poema.

Isso se pode ver sem grande dificuldade. Também não há dificuldade em ver que o festejado poema "À Amada Esquiva",[5] de Andrew Marvell, fala do mesmo assunto, como deixa claro logo no início:

> Dessem-nos tempo e espaço afora
> não fora crime essa esquivez, senhora.

Como diz Marvell, não temos todo o tempo do mundo, pois...

> ao meu dorso eu ouço o alado
> carro do tempo, perto, perto,
> e adiante há apenas o deserto
> sem fim da eternidade.

Assim, ele apela à sua amada:

> Enrolemos nosso alento
> e suavidade numa só esfera;
> e rasguemos prazeres como feras
> pelos portões férreos da vida.
> Assim, se não sustamos nosso sol,
> ao menos o incitamos à corrida.

---

[5] "To His Coy Mistress", no original. A tradução do poema é de Augusto de Campos. (N. T.)

Talvez seja um pouco mais difícil de perceber que o assunto de "Tu, Andrew Marvell",[6] de Archibald McLeish, é exatamente o mesmo.

E aqui baixando o rosto contra o sol
e aqui na terra erguida para o zênite
sentir a incidir perpetuamente
a aproximar-se sempre e sempre a noite.

Assim, McLeish nos pede para imaginar alguém (o poeta? O eu lírico? O leitor?) que esteja debaixo do sol do meio-dia, mas, ao mesmo tempo, no meio da luminosidade e do calor, ciente "do frio arrepio do ocaso". Ele imagina a linha da sombra do sol poente – da sequência cumulativa de todos os sóis poentes da história – movendo-se pelo mundo, passando pela Pérsia, por Bagdá... Ele sente "o Líbano esvaecer-se, e Creta", "e a Espanha sumir por sob as praias / africanas, as de dourada areia", até que "agora a luz tão longa sobre o mar" também desaparece. E ele conclui:

E aqui, rosto baixo, o sol a pino,
sentir o quão ligeira, o quão secreta,
a sombra da noite corre em seu destino...

A palavra "tempo" não é usada no poema nem há qualquer menção a uma amada. Ainda assim, o título nos lembra o poema de Marvell cujo tema era "dessem-nos tempo e espaço afora" e por isso a combinação de poema e título invoca o mesmo conflito entre o amor (ou a vida) e o tempo, conflito esse que era o assunto dos outros poemas que consideramos aqui.

Um último conselho antes de ler poemas líricos. De modo geral, os leitores dessas obras acham que têm de conhecer mais sobre os autores e as épocas em que viveram do que realmente precisam. Acreditamos demais nos comentários, críticas e biografias – mas isso talvez só porque duvidamos de

---

[6] "You, Andrew Marvell". (N. T.)

nossa própria capacidade de ler. Praticamente qualquer pessoa conseguirá ler um poema se estiver disposta a trabalhá-lo. Qualquer coisa que você aprenda a respeito da vida e da época do autor é válida e pode ajudar. Mas um vasto conhecimento do contexto de um poema não é garantia de que o poema mesmo será compreendido. Para ser entendido, ele tem de ser lido – muitas vezes. A leitura de qualquer grande poema dura a vida inteira – não, é claro, no sentido de que ela vá durar a vida inteira, mas que, no curso de uma vida, ele merece muitas visitas. E, durante as férias de um poema, podemos aprender mais a respeito dele do que imaginamos.

# 16. COMO LER LIVROS DE HISTÓRIA

"História", assim como "poesia", é uma palavra com muitos significados. Para que este capítulo possa ser útil, temos de chegar a um acordo quanto a essa palavra – isto é, temos de explicar como vamos utilizá-la.

Primeiro, há a diferença entre a história como fato e a história como registro escrito dos fatos. Obviamente, usaremos aqui a palavra neste último sentido, já que, no sentido em que usamos "ler", não é possível ler fatos. Mas há muitos tipos de registros escritos que são chamados históricos. A transcrição do depoimento de um personagem importante, ou uma coleção de transcrições desse tipo, poderia igualmente ser considerada um registro histórico do evento em que houve sua participação. Uma obra que tenha intenção totalmente diferente, como um diário pessoal ou uma coleção de cartas, pode ser vista como registro histórico de sua época. O termo pode ser aplicado – e de fato vem sendo aplicado – a praticamente qualquer tipo de escrito produzido numa época ou no contexto de um evento em que o leitor esteja interessado.

O sentido em que usamos o termo "história" nas páginas seguintes é simultaneamente mais restrito e mais amplo do que qualquer dos sentidos citados. Ele é mais restrito porque queremos nos ater a textos essencialmente narrativos, organizados de maneira mais ou menos formal, sobre uma época, sobre um acontecimento, ou sobre uma sequência de acontecimentos passados. O uso tradicional do termo é esse e não vamos pedir desculpas por segui-lo. Novamente, lembrando nossa definição de poesia lírica, esperamos que você concorde conosco em que esse é o sentido comum do termo, e aqui queremos ficar com o que é comum.

O sentido que damos, porém, também é mais amplo do que muitas definições correntes do termo. Julgamos, ainda que nem todos os historiadores concordem conosco, que a essência da história é a narração, que a própria palavra – "história" – nos ajuda a entender seu sentido básico. Até mesmo uma coleção de documentos, *considerada como coleção*, conta uma história, constitui uma narrativa. A história pode não estar explícita – quer dizer, o historiador talvez não tente ordenar os documentos de modo a lhes dar "sentido". Mas ela está implícita neles, ordenados ou não. Senão, a coleção não poderia, pensamos, ser considerada um registro histórico de sua época.

Não é importante, porém, que todos os historiadores concordem com nosso conceito de história. Existem muitos registros históricos semelhantes aos que estamos discutindo, e você há de querer ler, ou há de precisar ler, ao menos alguns deles. Tentaremos ajudá-lo nessa tarefa.

## O CARÁTER ESQUIVO DOS FATOS HISTÓRICOS

Talvez você já tenha participado de um júri no qual ouviu o testemunho a respeito de uma simples questão de fato, como um acidente automobilístico. Ou talvez tenha participado de outro tipo de júri[1] onde tenha sido levado a avaliar se uma pessoa matou outra ou não. Se você já participou de qualquer um desses júris, sabe como é difícil reconstruir o passado, e até mesmo um único acontecimento passado, a partir das memórias das pessoas que efetivamente o testemunharam.

O tribunal se volta para acontecimentos que se deram muito recentemente e na presença de testemunhas vivas. Além disso, há o rigor das regras de prova legal. Uma testemunha não pode *supor* nada, não pode imaginar, fazer hipóteses ou estimar (exceto em condições cuidadosamente controladas). Além disso, é claro que ela não pode mentir.

Mesmo com todas as cuidadosas regras de prova e com as confrontações de testemunhos, você já teve certeza absoluta, como jurado, de que realmente sabia o que *aconteceu*?

[1] No original, *blue ribbon jury*, um júri formado por pessoas supostamente mais qualificadas (por terem curso superior, por exemplo) para julgar casos considerados mais complexos. Nos Estados Unidos, essa instituição já foi extinta. (N. T.)

A lei presume que você não terá certeza absoluta. Ela presume que sempre haverá alguma dúvida na cabeça do jurado. Por questões práticas, para que se possa chegar a um veredicto, positivo ou negativo, a lei diz que a dúvida tem de ser "razoável", caso possa afetar seu julgamento. Em outras palavras, a dúvida tem de ser grande o bastante para perturbar sua consciência.

O historiador se volta para eventos que se passaram, em sua maioria, há muito tempo. Todas as testemunhas desses eventos normalmente já morreram. Os indícios que elas fornecem não são fornecidos num tribunal – isto é, não são regulados por critérios rigorosos e cuidadosos. Essas testemunhas frequentemente supõem, imaginam, fazem hipóteses, presumem e estimam. Não podemos ver o rosto delas para julgar se estão mentindo (se é que realmente se pode saber isso de alguém). Seus testemunhos não são confrontados. E não há garantia alguma de que elas tenham ideia daquilo que estão falando.

Assim, se é difícil ter certeza de que se sabe a verdade sobre alguma questão relativamente simples, como as julgadas por um júri num tribunal, muito mais difícil é saber o que realmente aconteceu na história. Um fato *histórico*, ainda que sintamos certa confiança e solidez na palavra, é uma das coisas mais esquivas do mundo.

Claro que podemos ter bastante certeza quanto a alguns tipos de fatos históricos. Os Estados Unidos foram envolvidos por uma Guerra de Secessão que começou com o bombardeio do Fort Sumter, em 12 de abril de 1861, e terminou com a rendição do general Lee ao general Grant no Tribunal de Appomattox em 9 de abril de 1865. Ninguém discorda dessas datas. Não é provável (ainda que não seja totalmente impossível) que todos os calendários americanos estivessem incorretos à época.

Mas quanto teremos descoberto se soubermos exatamente quando a Guerra de Secessão começou e quando ela terminou? Na realidade, essas datas provocaram polêmicas – não com base no argumento de que os calendários estavam errados, mas de que a guerra efetivamente começou com a eleição de Lincoln no outono de 1860 e terminou com seu assassinato, cinco dias após a rendição de Lee. Há também quem diga que ela começou muito antes – cinco, dez ou mesmo vinte anos antes de 1861 – e sabemos que ela ainda estava sendo travada em partes distantes dos Estados Unidos em maio, junho e julho de 1865, aonde não havia chegado ainda a notícia de que o Norte vencera. E há também aqueles que acham que a Guerra ainda não acabou, que ela não terá acabado enquanto os americanos negros não forem completamente livres e iguais, ou até que o Sul consiga separar-se da União, ou até que o direito do governo federal de controlar todos os estados esteja finalmente consolidado e aceito por todo o povo norte-americano, em toda parte.

Ao menos sabemos, pode-se dizer, que, tendo o bombardeio de Fort Sumter iniciado ou não a Guerra de Secessão, ele ocorreu em 12 de abril de 1861. Isso é verdade – dentro dos limites de possibilidade que citamos anteriormente. Mas por que bombardearam o Fort Sumter? Essa é, obviamente, a pergunta seguinte. E será que a guerra poderia ter sido evitada após o ataque? Se tivesse sido, será que daríamos importância ao fato de que tal ou qual ataque foi feito em tal ou qual dia de primavera há mais de cem anos? Se não déssemos – e não damos importância a muitos ataques a fortes que sem dúvida ocorreram, mas sobre os quais não sabemos rigorosamente nada –, será que o bombardeio do Fort Sumter ainda seria um fato histórico significativo?

## TEORIAS DA HISTÓRIA

Classificamos a história, a *história* do passado, mais frequentemente como ficção do que como ciência – se é que ela tem de estar associada a uma delas. Caso contrário, se aceitarmos que a história pode ficar entre as duas principais divisões dos tipos de livros, então admitiremos que a história está *mais próxima* da ficção que da ciência.

Isso não significa que um historiador *invente* seus fatos, como um poeta ou um ficcionista. Aqui, poderíamos arrumar encrenca se insistíssemos muito em que um autor de ficção inventa os fatos *dele*. Ele cria um mundo, como vimos. Mas esse mundo novo não é totalmente diferente do nosso – na realidade, é melhor que não seja –, e um poeta é um homem comum, com capacidades comuns que lhe permitiram entender as coisas. Ele não vê coisas que não vemos (ele pode ver melhor ou de modo um pouco diferente). Somente em sonhos as pessoas criam mundos novos realmente estranhos – e mesmo no sonho mais fantástico os eventos e os entes são feitos de elementos da experiência cotidiana. Eles só estão dispostos de maneiras novas e estranhas.

Claro que um bom historiador não inventa o passado. Ele se considera obrigado de modo responsável por algum conceito ou critério de precisão factual. Ainda assim, é importante lembrar que o historiador sempre tem de inventar alguma coisa. Ele tem de encontrar um padrão geral nos eventos ou então impor-lhes um padrão; ele tem de presumir que sabe por que as pessoas em sua história fizeram as coisas que fizeram. Ele pode ter uma teoria geral ou uma filosofia, como a de que a Providência governa as coisas humanas, e fazer que sua história caiba nela. Ou ele pode desdenhar de todo e qualquer padrão, que sempre seria uma imposição de fora ou de cima, e insistir em que está meramente reportando os eventos reais que sucederam. Mas nesse caso é provável que ele seja forçado a atribuir causas a eventos e intenções a ações. É essencial reconhecer o modo de operar do historiador que você está lendo.

A única maneira de evitar a tomada de uma ou outra posição é presumir que os homens não agem propositadamente, ou que esse propósito, caso exista, é indiscernível – em outras palavras, que não há nenhum padrão na história.

Tolstói tinha uma teoria semelhante sobre a história. Ele não era, claro, historiador; era romancista. Mas muitos historiadores tinham uma perspectiva idêntica, sobretudo na época moderna. Tolstói pensava que as causas de toda ação humana são tão variadas, tão complexas e tão profundamente ocultadas por motivações inconscientes que é impossível saber por que qualquer coisa aconteceu.

Como há diferenças entre as teorias da história, e como a teoria de um historiador afeta sua versão dos fatos, é necessário ler mais de um relato sobre um acontecimento ou período se quisermos entendê-lo. Na realidade, essa é a primeira regra para a leitura de livros de história, mais importante ainda se o evento que nos interessa tem para nós importância prática. Saber alguma coisa sobre a história da Guerra de Secessão provavelmente tem importância prática para todos os cidadãos dos Estados Unidos. Eles ainda vivem as reverberações daquele conflito imenso e terrível; vivem no mundo que ele ajudou a criar. Mas não podem achar que vão entendê-lo se o enxergarem com os olhos de um só homem, ou de um só lado, ou de uma só facção de historiadores acadêmicos modernos. Outro dia abrimos um novo livro de *História da Guerra de Secessão* e observamos que seu autor o considerava "um relato imparcial e objetivo da guerra civil desde o ponto de vista do Sul". O autor parecia estar falando sério. Talvez estivesse; talvez isso seja até possível. De qualquer modo, admitimos que qualquer narrativa histórica tem de ser escrita a partir de *algum* ponto de vista. Mas, para chegar à verdade, é preciso olhá-la a partir de mais de um ponto de vista.

## O UNIVERSAL NA HISTÓRIA

Nem sempre conseguimos ler mais de um livro sobre um acontecimento. Quando não conseguimos, temos de admitir que não temos grandes chances de descobrir a verdade sobre o assunto em questão – de descobrir *o que realmente aconteceu*. Porém, essa não é a única razão para ler livros de história. Pode-se dizer que apenas o historiador profissional, o sujeito que escreve livros de história, está obrigado a confrontar os testemunhos de suas fontes exaustivamente. Ele tem de revirar tudo se quiser saber o que tem de saber a respeito do assunto dele. Nós, leitores leigos de livros de história, ficamos em algum lugar entre o historiador profissional, de um lado, e o amador irresponsável, de outro, o qual só lê livros de história por diversão.

Tomemos o exemplo de Tucídides. Talvez você saiba que ele escreveu o único relato contemporâneo da Guerra do Peloponeso, ao fim do século V a.C. Num certo sentido, não há nada com que possamos confrontar sua obra. O que, então, podemos esperar que ela nos ensine?

A Grécia é hoje um país pequenino; uma guerra que tenha acontecido nela há vinte e cinco séculos só pode ter um efeito real mínimo sobre nossa vida contemporânea. Todos que lutaram na guerra já morreram há muito tempo, e as coisas específicas pelas quais eles lutaram também já morreram há muito tempo. As vitórias hoje não têm sentido, e as derrotas não doem mais. As cidades conquistadas e perdidas já não são mais que pó. Realmente, se formos parar para pensar, praticamente a única coisa que sobrou da Guerra do Peloponeso foi a história dela, escrita por Tucídides.

Esse relato, porém, ainda é importante. Afinal, a história – podemos até usar essa palavra – escrita por Tucídides teve uma grande influência na história humana subsequente. Os líderes das eras posteriores liam Tucídides. Quando eles se encontravam em situações que remotamente se aproximavam daquela das cidades-Estado gregas, tragicamente divididas, comparavam suas posições com a de Atenas ou de Esparta. Eles usavam Tucídides como desculpa e como justificativa, e até como padrão de conduta. O resultado foi que talvez a história do mundo tenha sido um pouco mas perceptivelmente mudada pela visão que Tucídides tinha de uma pequena parte dele no século V a.C. Por isso, lemos Tucídides não porque ele descreveu perfeitamente o que aconteceu antes de seu livro ser escrito, mas porque ele, em certa medida, determinou o que aconteceu depois. E o lemos, por mais estranho que pareça, para saber o que está acontecendo agora.

"A poesia é mais filosófica do que a história", escreveu Aristóteles. O que ele queria dizer era que a poesia é mais geral, mais universal. Um bom poema é fiel não apenas a seu tempo e lugar, mas a todos os tempos e lugares. Ele tem sentido e força para todos os homens. A história não é tão universal assim. Ela está relacionada aos acontecimentos de um modo como a poesia não está. Mas qualquer bom livro de história também é universal.

O próprio Tucídides disse que escrevia sua obra no intuito de que os homens do futuro não tivessem de repetir os erros que ele viu serem cometidos e que o afetaram não só pessoalmente, como também por meio da agonia de sua terra. Ele descreveu os tipos de erros humanos que teriam sentido para outras pessoas além dele mesmo, outras pessoas além das gregas. Contudo, alguns dos mesmíssimos erros que os atenienses e os espartanos cometeram 2.500 anos atrás, ou ao menos erros muito parecidos, estão sendo cometidos hoje, exatamente como vêm sendo repetidamente cometidos desde a época de Tucídides.

Se nossa visão da história é limitada, se você for ler livros de história só para descobrir o que realmente se passou, não aprenderá a principal lição que

Tucídides – e, na realidade, qualquer outro bom historiador – tem a ensinar. Se você ler Tucídides bem, talvez até acabe desistindo de tentar descobrir o que realmente aconteceu no passado.

A história é a narrativa do que nos trouxe até aqui. É o presente que nos interessa – o presente e o futuro. O futuro será parcialmente determinado pelo presente. Assim, você também pode aprender algo sobre o futuro com um historiador, e até mesmo com um historiador como Tucídides, que viveu há mais de dois mil anos.

Vamos agora resumir as duas sugestões para a leitura de livros de história. A primeira é: se puder, leia mais de um texto sobre um evento ou período que lhe interesse. A segunda: leia um livro de história não só para saber o que realmente aconteceu em determinado tempo e lugar no passado, mas também para ver como os homens agem em todo tempo e lugar, sobretudo agora.

## O QUE PERGUNTAR A UM LIVRO DE HISTÓRIA

Apesar do fato de que a maior parte dos livros de história está mais próxima da ficção do que da ciência, eles podem ser lidos como obras expositivas, e portanto é assim que devem ser lidos. Por isso, temos de fazer a um livro de história as mesmas perguntas que faríamos a um livro expositivo. Por causa da natureza peculiar da história, temos de fazer essas perguntas de um modo um pouco diferente e temos de saber que vamos receber respostas ligeiramente diferentes.

No que diz respeito à primeira pergunta, todo livro de história tem um assunto particular e limitado. É surpreendente, portanto, que os leitores muitas vezes não se deem ao trabalho de saber qual é. Em particular, nem sempre eles observam cuidadosamente os limites que o autor impôs a si mesmo. Um livro de história sobre a Guerra de Secessão não é um livro sobre a história do mundo no século XIX. Ele provavelmente não contará a história do Oeste americano na década de 1860. Ele poderia, embora talvez não devesse, ignorar o estado da educação nos Estados Unidos naquela década, ou o movimento da fronteira americana,[2] ou o progresso da liberdade americana. Assim, para ler bem um livro de história, é necessário saber precisamente do que ele trata e do que ele não trata. Se pretendemos criticá-lo, certamente temos de saber do que ele não trata. Não se pode culpar um autor por não ter feito o que ele nem tentou fazer.

Em relação à segunda questão, o historiador conta uma história e essa história, é claro, aconteceu no tempo. Suas linhas gerais são determinadas por isso e não temos de procurar por elas. Só que existe mais de um jeito de contar uma história, e temos de saber como o historiador decidiu contar a dele. Será que ele divide sua obra em capítulos que correspondem a anos ou a décadas? Ou será que ele a divide de acordo com outros critérios? Será que ele discute, num capítulo, a história econômica da época, e deixa suas guerras, movimentos religiosos e produções literárias para outros? Desses, qual ou quais são mais importantes para ele? Se descobrirmos isso, se pudermos dizer qual aspecto da história que ele está contando lhe parece o mais importante, poderemos entendê-lo melhor. Talvez não concordemos com seu julgamento a respeito do básico, mas ainda podemos aprender algo com ele.

Há duas formas de criticar livros de história. Podemos julgar – mas só, como sempre, após termos entendido o que se diz – que a obra de um historiador carece de verossimilhança. Talvez achemos que as pessoas simplesmente não agem daquele jeito. Mesmo que o historiador documente o que diz, dando-nos acesso a suas fontes, e mesmo que saibamos que elas são relevantes, ainda assim podemos sentir que as entendeu mal, que ele as julgou de maneira errônea, talvez por causa de alguma deficiência na sua apreensão da natureza humana ou das coisas humanas. Tendemos a achar isso, por exemplo, de muitos historiadores mais antigos, que não incluem muitas discussões de questões econômicas em suas obras. As pessoas, como hoje estamos inclinados a pensar, agem por interesse próprio; se o "herói" de uma história for nobre demais, ficaremos desconfiados.

[2] Não exatamente um "movimento" organizado em algum sentido, mas a crença, comum na época, de que o verdadeiro espírito americano estava nas fronteiras a oeste, longe da vida institucionalizada e domesticada da região Leste. (N. T.)

Podemos achar, entretanto, sobretudo se tivermos algum conhecimento particular sobre o assunto, que o historiador usou mal suas fontes. Podemos ficar indignados ao descobrir que ele não leu certo livro que nós lemos. E ele pode estar mal informado quanto aos fatos da questão. Nesse caso, ele não poderia ter escrito um bom livro de história. Esperamos que um bom historiador esteja bem informado.

A primeira crítica, porém, é a mais importante. Um bom historiador tem de combinar os talentos do contador de histórias com os do cientista. Ele tem de saber o que *tem chance* de ter acontecido, assim como aquilo que algumas testemunhas ou autores disseram que *efetivamente* aconteceu.

Com relação à última questão, "E daí?", é possível que nenhuma outra espécie de literatura tenha efeito maior sobre as ações dos homens do que a história. As sátiras e os desenhos de utopias filosóficas surtem muito pouco efeito; todos queríamos que o mundo fosse melhor, mas raramente somos inspirados pelas recomendações de autores que nada fazem além de descrever, muitas vezes com rancor, a diferença entre o real e o ideal. A história, que nos conta as ações dos homens do passado, frequentemente nos leva a fazer mudanças que permitam melhorar nosso destino. Em geral, os estadistas conheciam mais história do que outras disciplinas. A história sugere o possível, pois descreve coisas que já foram feitas. Se elas já foram feitas, talvez possam ser feitas de novo – ou talvez possam ser evitadas.

A principal resposta à questão "E daí?" está relacionada, portanto, à ação prática, política. Por essa razão é muito importante que a história seja bem lida. Infelizmente, os líderes com frequência agiram com algum conhecimento de história, mas não o suficiente. O mundo ficou pequeno e perigoso, de modo que seria boa ideia todos nós começarmos a ler melhor os livros de história.

## COMO LER BIOGRAFIAS E AUTOBIOGRAFIAS

Uma biografia é a história de uma pessoa real. Essa característica mista dá a ela uma natureza mista.

Alguns biógrafos objetariam a essa descrição. Mas no sentido comum, ao menos, uma biografia é uma narrativa da vida ou da história de uma pessoa ou de um grupo de pessoas; assim, uma biografia apresenta muitos problemas iguais aos de um livro de história. O leitor tem de fazer os mesmos tipos de perguntas: Qual o propósito do autor? Quais seus critérios de verdade? E também, é claro, fazer as perguntas que se deve fazer a qualquer livro.

Existem muitos tipos de biografias. A biografia *definitiva* se pretende a obra final, exaustiva, erudita, sobre a vida de alguém importante o bastante para merecer uma biografia definitiva. Não é possível escrever biografias definitivas a respeito de pessoas vivas. Elas só costumam ser escritas depois de várias biografias não definitivas terem sido publicadas, todas inadequadas em algum aspecto. O autor consulta todas as fontes, lê todas as cartas e examina muita história contemporânea. Como a capacidade de reunir os materiais é um tanto diferente do talento de transformá-los num bom livro, nem sempre as biografias definitivas rendem boas leituras. Isso é péssimo. Um livro erudito não precisa ser chato. Uma das maiores biografias que há é *A Vida de Johnson* (*Life of Johnson*), de Boswell, que permanece fascinante. Ela com certeza é definitiva (ainda que outras biografias do dr. Samuel Johnson tenham sido publicadas posteriormente), mas também é particularmente interessante.

Uma biografia definitiva é um corte da história – a história de um homem e de sua época, vista pelos olhos dele. Deve ser lida como história. Uma biografia *autorizada* não é de modo algum a mesma coisa. Essas obras costumam ser encomendadas pelos herdeiros ou pelos amigos de alguma pessoa importante e são escritas com cuidado, de modo que os erros que a pessoa cometeu e os triunfos que obteve sejam vistos sob a melhor luz possível. Às vezes elas podem ser mesmo muito boas, porque o autor tem a vantagem – que nem sempre os outros autores têm – de os donos dos materiais pertinentes lhe franquearem o acesso a eles. É claro, porém, que não se pode confiar numa biografia autorizada como se confia numa biografia definitiva. Em vez de lê-la apenas como História, o leitor precisa considerar que ela pode ser tendenciosa, que ela representa aquilo que se espera que o leitor pense do assunto do livro; é assim que os amigos e colegas dele querem que ele seja visto pelo mundo.

A biografia autorizada é uma espécie de livro de história, mas com uma diferença. Podemos ter curiosidade de saber o que certas pessoas interessadas querem que o público saiba sobre a vida privada de alguém, mas não devemos ter esperanças de saber como era de fato essa vida privada. A leitura de uma biografia autorizada frequentemente nos dirá muito sobre a época em que foi escrita, sobre seus costumes e maneiras, e sobre as ações e atitudes que eram aceitáveis – e, por derivação, e com alguma extrapolação, sobre as que não eram. Mas não devemos achar que ali vamos conhecer a vida real de um ser humano, assim como não achamos que vamos conhecer a verdadeira história de uma guerra se lermos as comunicações que circularam em apenas um dos lados. Para chegar à verdade, temos de ler todas as comunicações, conversar com as pessoas que participaram da guerra e usar nossa mente para tirar algum sentido daquela bagunça. Uma biografia definitiva já teve esse trabalho; no caso de uma biografia autorizada (e a maior parte das biografias de pessoas vivas são autorizadas), ainda há muito a fazer.

Restam as biografias que não são nem definitivas nem autorizadas. Talvez possamos chamá-las de biografias comuns. Queremos acima de tudo que nos deem a sensação de que estamos assistindo à vida de uma pessoa real em outro tempo e lugar. Os seres humanos são curiosos, sobretudo a respeito de outros seres humanos.

Esses livros, ainda que não sejam confiáveis como as biografias definitivas, costumam render ótimas leituras. O mundo estaria mais pobre sem *Lives*, as biografias que Izaak Walton escreveu sobre seus amigos, entre os quais estavam, por exemplo, os poetas John Donne e George Herbert (Walton, é claro, é mais famoso por ter escrito *O Pescador Completo* [*The Compleat Angler*]); ou sem *Faraday como Descobridor* (*Faraday the Discoverer*), a biografia de Michael Faraday escrita por seu amigo John Tyndall.

Algumas biografias são didáticas. Têm propósito moral. Não se escreve muito mais biografias desse tipo, mas elas eram comuns. (Ainda são escritas para crianças, claro.) *Vidas dos Nobres Gregos e Romanos*, de Plutarco, pertence a esse gênero. Plutarco contou as histórias dos grandes homens do passado grego e romano para poder ajudar seus contemporâneos a também ser grandes e para ajudá-los a evitar os erros em que os grandes tantas vezes caem – ao menos na opinião dele. *Vidas* é um livro maravilhoso; mas, ainda que muitos dos relatos ali presentes sejam os únicos a respeito daquelas pessoas, não os lemos tanto por suas informações biográficas, mas sobretudo por sua perspectiva da vida em geral. Os biografados são pessoas interessantes, boas e más, mas nunca indiferentes. Plutarco sabia disso. Dizia ele que sua motivação original para escrever era instruir os demais, mas que no curso da escrita percebeu ser ele mesmo quem tirava proveito e estímulo de "hospedar esses homens um após o outro em minha casa".

Aliás, a obra de Plutarco é outra que exerceu profunda influência sobre a história subsequente. Por exemplo, assim como Plutarco mostra que Alexandre Magno pautava sua vida na de Aquiles (sobre cuja vida aprendeu com Homero), muitos conquistadores posteriores tentaram pautar a vida na do Alexandre de Plutarco.

*

As autobiografias apresentam alguns problemas diferentes e interessantes. Primeiro, podemos nos perguntar se alguém já escreveu uma autobiografia verdadeira. É difícil conhecer a vida de outra pessoa e mais difícil ainda conhecer a própria. E, é claro, só é possível escrever autobiografias a respeito de vidas ainda incompletas.

A tentação de dizer mais ou menos do que a verdade (é possível que primeira opção seja a mais comum) quando ninguém vai desmentir nada é quase irresistível. Todo mundo tem segredos que não gostaria de ver divulgados; todo mundo também tem ilusões sobre si mesmo, e é quase impossível vê-las como ilusões. Porém, ainda que não seja possível escrever uma autobiografia quase inteiramente verdadeira, também não é possível escrever uma autobiografia que não contenha verdade alguma. Como nenhum homem é perfeito na mentira, toda autobiografia nos diz algo sobre seu autor, nem que seja que há coisas que ele prefere esconder.

É costume dizer que as *Confissões* de Rousseau ou algum outro livro escrito mais ou menos na mesma época (meados do século XVIII) são a primeira verdadeira autobiografia. Isso equivale a desprezar as *Confissões* de Agostinho, por exemplo, e também os *Ensaios* de Montaigne; mas o erro é ainda mais grave. Na realidade, boa parte do que qualquer pessoa escreve sobre qualquer assunto é autobiográfico. Há muito de Platão na *República*, de Milton no *Paraíso Perdido*, de Goethe no *Fausto* – ainda que não consigamos apontar exatamente o quê. Se temos interesse pela humanidade, tenderemos, dentro de limites razoáveis, a ler qualquer livro em parte para descobrir a personalidade do autor.

Isso nunca deveria ser o objetivo fundamental, e leva, quando em exagero, à chamada falácia patética. Devemos lembrar, porém, que as palavras não se escrevem a si mesmas – as palavras que lemos foram escolhidas e escritas por alguma pessoa viva. Platão e Aristóteles disseram algumas coisas semelhantes e outras dessemelhantes; mas, mesmo que tivessem concordado em tudo, seria impossível escreverem os mesmos livros, pois eram pessoas diferentes. Talvez seja possível até mesmo descobrir algo de Santo Tomás de Aquino numa obra aparentemente impessoal como a *Suma Teológica*.

Assim, tem muito pouca importância o fato de que a autobiografia *formal* é um gênero literário relativamente novo. Ninguém jamais conseguiu manter-se totalmente de fora de seu próprio livro. Como disse Montaigne, "Não fiz meu livro mais do que meu livro fez a mim; um livro e seu autor são cossubstanciais, e o livro trata de mim mesmo, é uma parte integral da minha vida". E acrescentou: "Todos me reconhecem em meu livro, e meu livro em mim". Isso é verdade, e não só no caso de Montaigne. "Isto não é um livro", disse Walt Whitman sobre seu *Folhas da Relva*; "quem tocar nele, estará tocando num homem".

Haverá outras pistas para ler biografias e autobiografias? Eis uma importante. Apesar do fato de que esses livros, particularmente as autobiografias, revelam muito sobre seus autores, não devemos perder tanto tempo buscando descobrir os segredos de um autor e deixar de entender aquilo que ele diz diretamente. Fora isso, considerando o fato de que esses livros frequentemente são mais poéticos do que discursivos ou filosóficos e que eles são tipos peculiares de livros de história, há talvez pouco a acrescentar. Você deve lembrar, é claro, que, se quer conhecer a verdade sobre a vida de alguém, tem de ler o máximo de biografias desse alguém que conseguir encontrar, incluindo sua autobiografia, caso a tenha escrito. Leia a biografia como história e como causa da história; leia todas as autobiografias com uma pitada de sal; e nunca esqueça que você não deve discutir com um livro enquanto não tiver entendido perfeitamente o que ele diz. Quanto à questão "E daí?", diremos apenas isto: a biografia, como a história, pode levar a ações práticas, morais. Uma biografia pode ser inspiradora. É a história de uma vida, normalmente uma vida até certo ponto bem-sucedida – e nós também temos vida a viver.

## COMO LER SOBRE ATUALIDADES

Dissemos que nossa exposição da arte da leitura analítica vale para qualquer coisa que você vá ler, não só para livros. Agora precisamos relativizar um pouco aquela afirmação. A leitura analítica nem sempre é necessária. Muitas coisas que lemos não demandam a habilidade e o esforço necessários neste terceiro nível de capacidade de leitura. Ainda assim, apesar de nem sempre ser preciso aplicar as regras de leitura, devemos fazer sempre as quatro perguntas a respeito de qualquer coisa a ser lida. Isso significa, é claro, que essas perguntas têm de ser feitas quando você depara com o tipo de coisas a que a maioria de nós dedica boa parte do seu tempo de leitura: jornais, revistas, livros sobre atualidades etc.

A história, afinal, não parou há mil anos nem há cem. O mundo gira, e as pessoas continuam a escrever a respeito do que acontece e de como as coisas mudam. Talvez nenhum livro moderno de história seja tão grande quanto a obra de Tucídides; caberá à posteridade julgar isso. Mas temos uma obrigação, como cidadãos e como seres humanos, de tentar entender o mundo à nossa volta.

O problema se resume em saber o que está acontecendo atualmente. Escolhemos a palavra "atualmente" nesta última sentença de propósito. A palavra francesa para noticiário é *actualités*; a ideia mesma de uma literatura a respeito de atualidades é de algum modo idêntica à de "notícias".[3] Como lemos as notícias e como sabemos que aquilo que nos chega é verdade?

[3] Adler evidentemente se vale da polissemia da palavra *news* em inglês, que é tanto notícia como novidade.

Você deve ter percebido que estamos diante do mesmo problema apresentado pela história. Não temos como ter certeza de que estamos em contato com os fatos – não podemos ter certeza de que sabemos o que está acontecendo agora mais do que podemos ter certeza acerca do que aconteceu no passado. E ainda assim devemos tentar saber, na medida do possível.

Se pudéssemos estar em todos os lugares de uma vez, escutar todas as conversas do planeta, olhar dentro do coração de cada pessoa viva, talvez pudéssemos avaliar qual a verdade das atualidades. Sendo humanos, e portanto limitados, somos obrigados a depender dos serviços de repórteres. Repórteres são pessoas que supostamente sabem o que acontece numa pequena área. Eles reportam o que sabem em notícias de jornal, em revistas ou em livros. Aquilo que podemos saber depende deles.

Idealmente, um repórter, de qualquer espécie, é um espelho límpido, no qual a realidade é refletida, ou então um vidro através do qual ela brilha. Só que a mente humana não é nem um espelho nem um vidro límpido. Não reflete bem as coisas e, quando a realidade brilha através dela, a mente não a filtra muito bem. Ela separa aquilo que considera irrealidade, inverdade. Não que isso seja errado, claro: um repórter não deveria reportar aquilo que ele acha que é falso. Só que ele pode se enganar.

Assim, a coisa mais importante a saber, ao ler quaisquer relatos de atualidades, é *quem é seu autor*. O que interessa aqui não é tanto ficar conhecendo o próprio repórter, mas conhecer o *tipo* de mente que ele tem. Existem diversos tipos de filtros-repórteres, e eles se dividem em grupos. Para saber a que tipo de filtro corresponde a mente do nosso repórter, temos de fazer uma série de perguntas a respeito dela. Isso equivale a fazer uma série de perguntas a respeito de qualquer material que trate de atualidades. As questões são:

1. O que o autor pretende provar?
2. Quem ele pretende convencer?
3. O autor pressupõe que você tenha algum conhecimento particular?
4. Ele usa algum linguajar peculiar?
5. Ele sabe mesmo do que está falando?

Normalmente, pode-se presumir com segurança que todos os livros sobre atualidades pretendem provar alguma coisa e costuma ser fácil descobrir o que é. O texto da contracapa costuma dizer qual é o principal argumento ou tese desses livros. Se não estiver ali, talvez o autor o explicite no prefácio.

Tendo perguntado o que o livro pretende provar, é preciso que agora você pergunte quem o autor pretende convencer. Será que o livro se dirige "aos que estão por dentro" – e será que você faz parte desse grupo? Será que ele se dirige a pequenos grupos de pessoas que podem fazer algo, e logo, a respeito da situação descrita pelo autor? Ou será que é para todo mundo? Se você não faz parte do público a que o livro se dirige, talvez não queira lê-lo.

Depois, é preciso descobrir que conhecimento particular ele pressupõe que você possua. A palavra "conhecimento", aqui, é bastante ampla. "Opinião" ou "preconceito" poderiam ter sido escolhas melhores. Muitos autores só escrevem para pessoas que concordam com eles. Se você discordar fortemente dos pressupostos de um repórter, talvez não faça outra coisa além de ficar irritado se tentar ler o livro dele.

Os pressupostos de um autor, e que ele presume que você compartilhe, podem ser muito difíceis de descobrir. Em *The Seventeenth Century Background* [A Situação do Século XVII] Basil Willey disse:

> (...) há uma dificuldade quase insuperável em ter uma consciência crítica dos próprios pressupostos habituais; só é possível enxergar como doutrinas as "doutrinas percebidas como fatos" após vastos esforços mentais, e normalmente só com a ajuda de um filósofo de primeira linha.

Depois, ele sugere que é mais fácil enxergar as "doutrinas sentidas como fatos" de uma época diferente da nossa, e é isso que ele tenta fazer em seu livro. Ao ler livros sobre nossa própria época, porém, não temos a vantagem da distância. Assim, temos de tentar enxergar através não só do filtro da mente do autor-repórter, mas também da nossa.

A próxima coisa a fazer é perguntar se há algum linguajar peculiar que o autor use. Isso é importante sobretudo na leitura de revistas e jornais, mas também vale para todos os livros de história contemporânea. Certas palavras provocam em nós respostas particulares, respostas que talvez não surjam em outros leitores, daqui a cem anos. Um exemplo desse tipo de palavra é "comunismo" ou "comunista". Devemos tentar controlar essas respostas ou ao menos saber quando elas ocorrem.

Por fim, é preciso considerar a última das cinco questões, que é provavelmente a mais difícil de responder. Será que o repórter cujo texto você lê conhece mesmo os fatos? Será que ele conhece os pensamentos e as decisões talvez secretos das pessoas sobre quem escreve? Será que ele sabe tudo que deveria saber para poder fazer um relato justo e equilibrado da situação?

O que estamos sugerindo, em outras palavras, é que as possíveis inclinações do autor-repórter não são a única coisa a levar em conta. Ouvimos falar muito, ultimamente, a respeito do "gerenciamento das notícias"; é importante perceber que isso se aplica não somente a nós, do público, mas também aos repórteres que supostamente estão "por dentro". Talvez eles não estejam. Com a maior boa vontade do mundo, e com toda a intenção de nos trazer a verdade das coisas, um repórter ainda assim pode estar "desinformado" em relação a atos secretos, tratados etc. Ele mesmo pode ter consciência disso ou pode não ter. Neste último caso, é claro que a situação é particularmente prejudicial ao leitor.

Você há de notar que essas cinco perguntas na realidade não passam de variações das perguntas que, como dissemos, devem ser feitas sobre qualquer livro expositivo. Conhecer o linguajar peculiar de um autor, por exemplo, é o mesmo que chegar a um acordo com ele. Mas, como os livros de atualidades e outros materiais sobre o mundo contemporâneo apresentam problemas específicos para nós, leitores, reformulamos as questões de um modo diferente.

Talvez o mais útil seja sintetizar a diferença na forma de um aviso e não na forma de um conjunto de regras para a leitura de livros desse tipo. O aviso é este: *Caveat lector* – "Tome cuidado, leitor". Os leitores não precisam tomar cuidado quando vão ler Aristóteles, Dante ou Shakespeare. Mas o autor de qualquer livro contemporâneo pode ter – ainda que não necessariamente tenha – interesse em ser entendido de determinado modo. Ou, se ele não tem, então suas fontes de informação talvez tenham. É preciso que você saiba qual é esse interesse e o leve em consideração em tudo que ler.

## UMA NOTA SOBRE OS TEXTOS RESUMIDOS

Há outra consequência de nossa distinção básica – a distinção entre ler para obter informações e ler para compreender – que subjaz a tudo que dissemos sobre a leitura. É que às vezes temos de ler para obter informações sobre compreender – para saber como outras pessoas interpretaram os fatos. Vamos tentar explicar o que isso significa.

Normalmente, lemos jornais e revistas, e até material publicitário, em busca da informação ali contida. Esses materiais existem em vasta quantidade, tão vasta que ninguém hoje tem tempo de ler mais do que uma pequenina parte deles. A necessidade foi a mãe de um considerável número de invenções nesse campo de leitura. Por exemplo, as revistas de notícias, como a *Time* e a *Newsweek*, fazem um trabalho de valor inestimável ao *ler* as notícias e reduzi-las a seus elementos informativos essenciais. As pessoas que escrevem essas revistas são fundamentalmente leitores que desenvolveram a arte de ler para obter informações num grau muito acima da competência do leitor médio.

O mesmo pode ser dito de uma publicação como a revista *Reader's Digest* (ou *Seleções*, na edição em português), que pretende apresentar condensadamente muito daquilo que merece nossa atenção em revistas atuais de interesse geral no formato compacto de um único e pequeno volume. Claro que os melhores artigos, assim como os melhores livros, não podem ser condensados sem que algo se perca. Se os ensaios de Montaigne, por exemplo, fossem publicados num periódico atual, dificilmente ficaríamos satisfeitos com a leitura de uma versão resumida deles. Um resumo, nesse caso, só funcionaria bem se nos levasse a ler o original. Um artigo médio se presta bem a uma condensação e muitas vezes a condensação é melhor do que o original, porque o artigo médio é meramente informativo. A habilidade por trás da produção do *Reader's Digest* e de diversos outros periódicos é, antes de tudo, uma habilidade de leitura, e só depois a capacidade de escrever de modo simples e claro. Ela faz por nós aquilo que muito poucos dentre nós estamos tecnicamente capacitados a fazer, mesmo que tivéssemos tempo. Ela recorta o núcleo de pura informação e o separa de páginas e páginas menos relevantes.

Mas, depois de tudo, ainda é preciso ler os periódicos que produzem esses resumos de atualidades e informação. Se queremos estar informados, não podemos evitar o trabalho de ler, não importa quão bons sejam os textos resumidos. E o trabalho de lê-los equivale, em última análise, ao que é feito pelos editores dessas revistas sobre o material que disponibilizam de forma compacta. Eles nos pouparam um esforço no que diz respeito à nossa leitura, mas não nos pouparam, nem podem nos poupar, do trabalho de ler. Em certo sentido, a tarefa que realizam só nos interessa se conseguirmos ler seus resumos informativos tão bem quanto eles fizeram a primeira leitura que lhes possibilitou fazer os resumos.

E isso envolve ler para compreender e também ler para obter informação. Obviamente, quanto mais condensado um resumo, maior foi a seleção. Não temos de nos preocupar muito se mil páginas viraram, digamos, novecentas; mas se mil páginas reduziram-se a dez, ou apenas uma, então a questão "o que ficou de fora?" torna-se crucial. Por isso, quanto maior a condensação, mais importante é conhecer algo da natureza do condensador; o mesmo *caveat* mencionado antes vale aqui com força ainda maior. Em última instância, talvez isso se resuma a ler nas entrelinhas de uma condensação muito bem feita. Não é possível reportar-se ao original para saber o que ficou de fora; é preciso, de algum modo, inferir isso a partir da própria condensação. A leitura de textos resumidos talvez seja, portanto, a leitura mais exigente e difícil que se pode fazer.

# 17. COMO LER LIVROS DE CIÊNCIAS E DE MATEMÁTICA

O título deste capítulo pode ser enganoso. Não é nossa pretensão dar-lhe conselhos para a leitura de todos os tipos de ciências e matemática. Vamos nos limitar à discussão de dois tipos apenas: de um lado, os grandes clássicos científicos e matemáticos da nossa tradição e, de outro, as obras de divulgação científica. O que vamos dizer muitas vezes poderá ser aplicado à leitura de monografias especializadas sobre assuntos obscuros e restritos, mas não temos como ajudá-lo nessas leituras. Há duas razões para isso. A primeira é que simplesmente não estamos qualificados.

A segunda é esta: até mais ou menos o fim do século XIX, os grandes livros científicos eram escritos para uma plateia de leigos. Seus autores – homens como Galileu, Newton e Darwin – não tinham nada contra ser lidos por especialistas em suas áreas; na realidade, eles queriam alcançar esses leitores. Mas, naquela época, as especializações ainda não haviam sido institucionalizadas: era a época que Albert Einstein chamou de "infância feliz da ciência". Esperava-se que pessoas inteligentes e cultas lessem, além de livros de história e de filosofia, livros de ciências; não havia distinções rígidas e fechadas nem fronteiras que não se pudessem atravessar. Também não havia o desprezo pelo leitor em geral, ou leigo, que é evidente nos textos científicos contemporâneos. A maior parte dos cientistas modernos não se importa com a opinião dos leitores leigos e por isso nem sequer tenta chegar a eles.

Hoje a tendência é que os livros de ciências sejam escritos por especialistas e para especialistas. Uma comunicação séria sobre um assunto científico presume que o leitor tenha tanto conhecimento especializado que normalmente não pode ser lida por alguém que não tenha feito estudos naquela área. Existem vantagens óbvias nessa abordagem, como o fato de que a ciência pode progredir mais rapidamente. Quando especialistas falam entre si, conseguem muito rapidamente chegar aos limites de sua especialidade – conseguem ver os problemas imediatamente e começar a tentar resolvê-los. O custo, porém, é igualmente óbvio. Você – o leitor comum e inteligente a quem dirigimos este livro – é simplesmente deixado de lado.

De fato, essa situação, ainda que seja mais grave nas ciências, também ocorre nas outras áreas. Hoje em dia, os filósofos raramente escrevem para qualquer pessoa que não seja um filósofo; os economistas escrevem para os economistas; e até os historiadores estão começando a ver que a comunicação por monografias especializadas dirigidas a outros especialistas é mais conveniente para transmitir suas ideias do que a obra narrativa tradicional, escrita para todos.

Que pode o leitor comum fazer nessas circunstâncias? Não é possível que ele se torne especialista em todas as áreas. A ele resta, portanto, valer-se de obras de divulgação científica. Algumas delas são boas, e outras são ruins. Mas não é só saber a diferença que é importante; também é importante ser capaz de ler bem as boas obras.

## PARA COMPREENDER O PROJETO CIENTÍFICO

Uma das disciplinas acadêmicas que mais crescem é a história da ciência. Assistimos a claras mudanças nessa área nos anos recentes. Não faz muito tempo que os cientistas "sérios" olhavam com desdém os historiadores da ciência. Estes últimos eram vistos como pessoas que estudavam a história de um assunto porque não seriam capazes de expandir suas fronteiras. A atitude dos cientistas perante os historiadores poderia ser sintetizada pela famosa observação de George Bernard Shaw: "Quem sabe, faz; quem não sabe, ensina".

Hoje em dia raramente se ouvem manifestações dessa atitude. Os departamentos de história da ciência tornaram-se respeitáveis e há excelentes cientistas que estudam a história do assunto e escrevem sobre ela. Um exemplo disso está naquilo que se chamou de "indústria Newton". Atualmente, há muitas pesquisas, intensivas e extensivas, em muitos países, sobre a obra e sobre a estranha personalidade de Isaac Newton. Vários livros foram recentemente publicados ou anunciados. A razão é que os cientistas estão mais interessados do que nunca na natureza mesma do projeto científico.

Assim, não hesitamos em recomendar que você tente ler ao menos alguns dos grandes clássicos científicos de nossa tradição. Na realidade, não existe desculpa consistente para não *tentar* lê-los. Nenhum deles apresenta dificuldades impossíveis, nem mesmo o *Philosophiae Naturalis Principia Mathematica* [Princípios Matemáticos da Filosofia Natural], de Newton, se você estiver disposto a se esforçar.

O melhor conselho que podemos oferecer é este: as regras para a leitura de obras expositivas exigem que você formule, da maneira mais clara possível, o problema que o autor tentou resolver. Essa regra da leitura analítica é importante para todas as obras expositivas, mas *é particularmente importante no caso de obras das áreas de ciências e matemática*.

Há outra maneira de dizer isso. Sendo leigo, você não lê livros clássicos de ciências para tornar-se conhecedor de seus assuntos num sentido contemporâneo. Você os lê, na realidade, para compreender a história e a filosofia da ciência. Esta, sim, é a responsabilidade do leigo em relação à ciência. A melhor maneira de atender a ela é estar ciente dos problemas que os grandes cientistas estavam tentando resolver – ciente dos problemas e ciente, também, do contexto dos problemas.

Seguir os caminhos do desenvolvimento científico, acompanhar as maneiras como fatos, pressuposições, princípios e provas estão inter-relacionados é tomar parte na atividade da razão humana em que ela provavelmente operou com maior sucesso. Isso só já basta, talvez, para justificar o estudo histórico da ciência. Além disso, o estudo servirá para afastar, em alguma medida, a aparente ininteligibilidade da ciência. Mais importante, trata-se de uma atividade da mente que é essencial para a educação, o objetivo central daquilo que sempre se reconheceu, dos dias de Sócrates até hoje, como a libertação da mente por meio da disciplina do espanto.[1]

[1] A belíssima expressão de Adler, no original, é "*The freeing of the mind through the discipline of wonder*", e se tornou muito famosa nos Estados Unidos. Note a polissemia da palavra *wonder* – com o sentido de admiração, espanto, assombro,

# SUGESTÕES PARA A LEITURA DE LIVROS CIENTÍFICOS CLÁSSICOS

Consideramos "livros científicos" os relatórios de descobertas ou conclusões em alguma área de pesquisa, tenham elas sido obtidas por meio de experiências em laboratório ou por meio de observações diretas da natureza. O problema científico está sempre em descrever os fenômenos de maneira tão precisa quanto possível e perceber como diferentes tipos de fenômenos estão inter-relacionados.

Nas grandes obras científicas não há retórica nem propaganda, ainda que possa haver uma predisposição no sentido de que existem pressupostos iniciais. É possível detectar isso e estar ciente disso, distinguindo aquilo que o autor *presume* daquilo que ele *conclui* por meio de argumentos. Quanto mais "objetivo" for um autor científico, mais explicitamente ele pedirá que você presuma isto ou aquilo. A objetividade científica não é a *ausência de uma predisposição inicial*. Ela é obtida pela *franca admissão dela*.

Os principais termos de uma obra científica normalmente são expressos por palavras incomuns ou técnicas. Elas são relativamente fáceis de notar e por meio delas você pode rapidamente apreender as proposições. As principais proposições são sempre gerais. A ciência, portanto, não é cronotópica. Exatamente o contrário: um cientista, ao contrário de um historiador, tenta distanciar-se da localidade no tempo e no espaço. Ele busca dizer como as coisas são de modo geral, como as coisas geralmente funcionam.

Há duas prováveis dificuldades na leitura de um livro científico. Uma diz respeito aos argumentos. A ciência é fundamentalmente indutiva; isto é, seus argumentos primários estabelecem uma proposição geral que se refere a dados observáveis – um único caso criado por um experimento ou um vasto número

---

maravilhamento, mas também imaginação; isto é, não apenas uma disposição interior, como também uma faculdade operativa da alma – que nesse contexto ultrapassa a capacidade deste tradutor, ao menos neste momento. A opção por "espanto" vem de Adler estar discutindo ciência, e Aristóteles ter dito que o conhecimento nasce do espanto. (N. T.)

de casos reunidos por uma paciente investigação. Existem outros argumentos, do tipo chamado dedutivo. Nestes, uma proposição é provada por outras proposições de algum modo já estabelecidas. No que diz respeito à prova, a ciência não é muito diferente da filosofia. Mas o argumento indutivo é típico da ciência.

A primeira dificuldade surge porque, para entender os argumentos indutivos de um livro científico, é preciso que você conheça os dados que, segundo o cientista, serviram-lhe de base. Infelizmente, nem sempre isso é possível quando se dispõe apenas do livro. Se o livro mesmo não pode ajudá-lo, nada resta ao leitor além de obter por conta própria a experiência especial necessária, em primeira mão. Talvez ele tenha de testemunhar uma demonstração em laboratório. Talvez ele tenha de olhar e usar apetrechos similares àqueles referidos no livro. Talvez ele tenha de ir a um museu e observar espécimes ou modelos.

Qualquer pessoa que deseje obter uma boa compreensão da história da ciência não tem de ler apenas os textos clássicos, mas tem de conhecer também, por experiência direta, os experimentos cruciais dessa história. Assim como há livros clássicos, também há experimentos clássicos. Os clássicos científicos ficam mais inteligíveis para aqueles que viram com seus próprios olhos e fizeram com as próprias mãos aquilo que, segundo algum grande cientista, foi o procedimento usado para chegar a suas intuições.

Isso não significa que você não pode começar sem passar por todos os passos descritos. Veja, por exemplo, *Elementos de Química*, de Lavoisier. Publicada em 1789, a obra não é mais considerada útil como livro-texto de química, e, de fato, não seria boa ideia que um aluno fosse estudá-la nem mesmo para fazer uma prova do ensino médio sobre o assunto. Ainda assim, o método era revolucionário à época e seu conceito de elemento químico ainda é, no todo, o mesmo que temos hoje em dia. O que queremos dizer é que, agora, não é preciso ler o livro inteiro, em detalhe, para ter essas impressões dele. Por exemplo, o "Prefácio", que enfatiza a importância do método para a ciência, é esclarecedor. Como escreve Lavoisier,

> Todo ramo da ciência física há de consistir em três coisas: a série dos fatos que são os objetos da ciência, as ideias que representam esses fatos e

> as palavras que expressam esses fatos ... E, como as ideias são preservadas e comunicadas por meio de palavras, segue-se necessariamente que não se pode aprimorar a linguagem de ciência nenhuma sem, ao mesmo tempo, aprimorar a ciência mesma; nem se pode, por outro lado, aprimorar a ciência sem aprimorar a linguagem ou nomenclatura que lhe pertence.

Foi exatamente isso que Lavoisier fez. Ele aprimorou a química aprimorando sua linguagem, exatamente como Newton, um século antes, aprimorara a física ao sistematizar e ordenar a *sua* linguagem – e ao desenvolver, em meio ao processo, o cálculo diferencial e o integral.

A menção do cálculo leva-nos a considerar a segunda principal dificuldade na leitura de livros científicos. Trata-se do problema da matemática.

## COMO ENFRENTAR O PROBLEMA DA MATEMÁTICA

Muitas pessoas têm medo de matemática e acham que jamais conseguirão ler textos relacionados a ela. Ninguém sabe direito por que isso acontece. Alguns psicólogos supõem que exista uma espécie de "cegueira para símbolos" – a incapacidade de deixar de lado a dependência em relação ao concreto e seguir uma alternância controlada de símbolos. Isso pode até conter alguma verdade, mas é preciso recordar que as palavras também se alternam, e que suas alternâncias, mais ou menos não controladas, são talvez ainda mais difíceis de acompanhar. Outros creem que o problema esteja no ensino da matemática. Se for isso, podemos ficar felizes por saber que atualmente há muitas pesquisas dedicadas à questão de como ensiná-la melhor.

O problema é parcialmente este: não nos dizem, ou não nos dizem cedo o bastante para que entre em nossa cabeça, que a matemática é uma linguagem e que podemos aprendê-la como qualquer outra, inclusive a nossa própria. Temos de aprender nossa língua duas vezes: primeiro quando aprendemos a falar, depois quando aprendemos a ler. Felizmente, a matemática só tem de ser aprendida uma vez, já que é uma língua quase que totalmente escrita.

Como já observamos, o aprendizado de uma nova língua sempre nos coloca diante de problemas de leitura elementar. Quando nos ensinaram a ler no ensino básico, o problema com que deparávamos era reconhecer certos símbolos arbitrários quando eles apareciam numa página e memorizar certas relações entre esses símbolos. Mesmo os melhores leitores continuam a ler, ao menos ocasionalmente, no nível elementar: por exemplo, sempre que esbarramos numa palavra que desconhecemos e temos de buscá-la no dicionário. Se ficamos confusos com a sintaxe de um período, também voltamos ao nível elementar. Somente quando esses problemas estão resolvidos é que podemos passar para a leitura em níveis mais elevados.

Como a matemática é uma linguagem, ela tem seu próprio vocabulário, sua gramática e sua sintaxe, os quais devem ser aprendidos pelo leitor iniciante. Certos símbolos e relações entre símbolos têm de ser memorizados. O problema é diferente, porque a linguagem é diferente, mas não é mais difícil, *teoricamente*, do que aprender a ler inglês, francês ou alemão. No nível elementar, pode até ser mais fácil.

Toda linguagem é um meio de comunicação entre os homens, sobre assuntos que os comunicadores conseguem compreender mutuamente. Os assuntos do discurso comum são sobretudo fatos e relações emocionais. Esses assuntos não são *inteiramente* compreensíveis por quaisquer duas pessoas diferentes, mas duas pessoas diferentes podem compreender uma terceira coisa que está fora e emocionalmente separada de ambas, como um circuito elétrico, um triângulo isósceles ou um silogismo. É sobretudo quando atribuímos conotações emocionais a essas coisas que temos dificuldade em entendê-las. A matemática nos permite evitar isso. Não há conotações emocionais nos termos, proposições e conotações matemáticas quando são devidamente usados.

Também não nos dizem, ao menos não tão cedo quanto deviam, como a matemática pode ser bela e intelectualmente satisfatória. Talvez não seja tarde demais para perceber isso, desde que haja disposição para certo esforço. Pode-se começar com *Elementos de Geometria*, de Euclides, uma das obras mais belas e lúcidas já escritas, em qualquer gênero.

Consideremos, por exemplo, as primeiras cinco proposições do Livro I dos *Elementos*. (Se houver à mão um exemplar desse livro, vale a pena dar uma olhada.) As proposições da geometria elementar são de dois tipos: (1) a formulação de problemas na construção de figuras; e (2) teoremas a respeito das relações entre as figuras ou entre suas partes. Os problemas de construção exigem que se faça algo, os teoremas exigem que se prove algo. Ao final de um problema euclidiano de construção, você encontrará as letras Q.E.F., que significam *quod erat faciendum*, "o que se devia fazer". Ao final de um teorema euclidiano, você encontrará as letras Q.E.D., que significam *quod erat demonstrandum*, "o que se devia demonstrar".

As primeiras três proposições do Livro I dos *Elementos* são todas problemas de construção. Por quê? Uma resposta é que as construções são necessárias para as provas dos teoremas. Isso não fica claro nas quatro primeiras proposições, mas já pode ser visto a partir da quinta, que é um teorema. Ela diz que, num triângulo isósceles (um triângulo com dois lados iguais), os ângulos da base são iguais. Isso requer o uso da Proposição 3, que diz que uma linha menor é uma parte de uma linha maior. Como a Proposição 3, por sua vez, depende do uso da construção que há na Proposição 2, e a Proposição 2 depende da Proposição 1, vemos que essas três construções são necessárias para a Proposição 5.

Também podemos interpretar as construções como instrumentos que servem a outro propósito. Elas têm uma semelhança óbvia com os postulados; tanto as construções quanto os postulados afirmam a possibilidade de realizar operações geométricas. No caso dos postulados, a possibilidade é *pressuposta*; no das proposições, *provada*. A prova, é claro, envolve o uso de postulados. Assim, podemos perguntar, por exemplo, se existe mesmo o tal do triângulo equilátero definido na Definição 20. Sem nos preocuparmos aqui com a espinhosa questão da existência dos objetos matemáticos, podemos ver que a Proposição 1 mostra que, a partir do *pressuposto* de que existem linhas retas e círculos, *segue-se* que existem triângulos equiláteros.

Retornemos à Proposição 5, o teorema a respeito da igualdade dos ângulos da base de um triângulo isósceles. Quando se chega à conclusão, após uma série de passos que se referem a proposições anteriores e aos postulados, a proposição está provada. Assim, ficou demonstrado que *se algo é verdadeiro* (no caso, a hipótese de que um triângulo isósceles existe), *então algo mais também é verdadeiro*, isto é, a conclusão. A proposição afirma uma relação *se-então*. Ela não afirma a verdade da hipótese nem afirma a verdade da conclusão, exceto quando a hipótese é verdadeira. Essa conexão entre a hipótese e a conclusão também não é considerada verdadeira enquanto a proposição não for provada. É exatamente a veracidade dessa conexão que é provada, e nada mais.

Será exagerado dizer que isso é belo? Achamos que não. O que temos aqui é *uma exposição verdadeiramente lógica* de um *problema verdadeiramente limitado*. Há algo muito atraente tanto na clareza da exposição quanto na natureza limitada do problema. O discurso comum, ou mesmo um discurso filosófico excelente, tem dificuldades para limitar desse modo seus problemas. E o uso da lógica em problemas filosóficos quase nunca é tão claro quanto aqui.

Considere a diferença entre o argumento da Proposição 5, como exposto aqui, e o mais simples dos silogismos:

> Todos os animais são mortais.
> Todos os homens são animais.
> Logo, todos os homens são mortais.

Nele também há algo satisfatório. Podemos tratá-lo como se fosse um raciocínio matemático. Pressupondo que animais e homens existam, e que os animais sejam mortais, daí se segue uma conclusão que oferece a mesma certeza que aquela sobre os ângulos de um triângulo; estamos pressupondo algo sobre coisas reais, algo que pode ou não ser verdade. É preciso que examinemos nossos pressupostos, de um modo diferente de como os examinamos na matemática. Isso não prejudica a proposição de Euclides. Não lhe interessa se os triângulos isósceles existem. *Se* existem, diz, e *se* são definidos assim e assado, *então* segue-se absolutamente que seus ângulos de base são iguais. Não pode haver qualquer dúvida a respeito disso, agora e para sempre.

# COMO LIDAR COM A MATEMÁTICA NOS LIVROS DE CIÊNCIAS

A digressão sobre Euclides nos desviou um pouco do caminho. Dizíamos que a presença da matemática em livros científicos é um dos principais obstáculos à sua leitura. É preciso dizer algumas coisas a respeito disso.

Primeiro, é provável que você consiga entender a matemática elementar melhor do que imagina. Já sugerimos que você começasse com Euclides e confiamos que, se passar diversas noites com os *Elementos*, vai superar grande parte do medo. Após ter estudado Euclides um pouco, você pode dar uma olhada nas obras dos outros matemáticos gregos clássicos – Arquimedes, Apolônio, Nicômaco. Eles não são muito difíceis e, além disso, você pode pular páginas.

Isso nos leva à segunda coisa que queremos dizer. Se sua intenção é ler *um livro de matemática em si e por si mesmo*, é preciso que você o leia, obviamente, do início ao fim – e de lápis na mão, porque escrever nas margens ou mesmo num bloco de notas é mais necessário aqui do que no caso de quaisquer outros livros. Mas talvez essa não seja sua intenção, e sim ler *uma obra científica que usa a matemática*. Neste caso, mais vale pular páginas que enfrentá-las.

Considere, por exemplo, os *Princípios*, de Newton. O livro contém diversas proposições, tanto problemas de construção quanto teoremas, mas não é necessário lê-las todas em detalhe, ainda mais da primeira vez. Leia a formulação da proposição e corra os olhos pela prova para ter uma ideia dela; leia as formulações dos "lemas" e dos corolários; leia também os escólios, que são essencialmente discussões das relações entre as proposições e de suas relações com a obra como um todo. Se você fizer isso, começará a enxergar esse todo e assim perceberá o esquema da construção do sistema de Newton – o que vem antes e o que vem depois, e como essas partes se encaixam. Leia assim a obra inteira, evitando os diagramas se eles o perturbam (e perturbam muitos leitores), apenas dando uma olhada no que está entre eles, mas prestando atenção para encontrar e ler as passagens em que Newton expõe suas teses principais. Uma delas aparece no finalzinho do livro, quando o Livro III, intitulado "O sistema do mundo", está terminando. Esse "Escólio geral", como Newton o chamou, não apenas resume aquilo que veio antes como também formula a grande questão de quase toda a física posterior.

A *Óptica* de Newton é outro clássico científico que talvez você queira tentar ler. Nela, há muito pouca matemática, ainda que à primeira vista pareça haver, porque as páginas estão repletas de diagramas. Mas esses diagramas são só ilustrações que descrevem os experimentos de Newton com buracos que permitiam ao brilho do Sol entrar numa sala escura e ser interceptado por prismas, e com pedaços de papel branco arranjados de modo a permitir que todas as cores do raio fossem captadas por eles. É muito fácil – e divertido – repetir alguns desses experimentos, porque as cores são bonitas e as descrições são bastante claras. Você há de querer ler, além das descrições dos experimentos, as formulações de diversos teoremas ou proposições e as discussões que ocorrem ao final de cada um dos três Livros, em que Newton resume suas descobertas e sugere as consequências delas. O fim do livro III é célebre por conter algumas afirmações de Newton sobre o próprio projeto científico cuja leitura vale muito a pena.

Os autores científicos muitas vezes se valem da matemática, sobretudo porque ela tem as qualidades que descrevemos: precisão, clareza e capacidade de restrição. Normalmente, você poderá entender algo do que está sendo discutido sem se aprofundar muito na parte matemática, como no caso de Newton. Estranhamente, porém, ainda que a matemática lhe seja absolutamente assustadora, sua ausência, em certas obras, poderia intimidar ainda mais. Um exemplo é *As Duas Ciências Novas*, o famoso tratado de Galileu sobre a dureza dos materiais e sobre o movimento. Essa obra é particularmente difícil para os leitores contemporâneos porque *não* é fundamentalmente matemática, e sim apresentada na forma de diálogo. O diálogo, ainda que apropriado para o teatro e útil na filosofia quando empregado por um mestre da categoria de Platão, não é muito apropriado para as ciências. Fica difícil entender o que Galileu está dizendo, mas, quando se entende, também se entende que ele está dizendo algumas coisas revolucionárias.

Claro que nem todos os clássicos científicos valem-se da matemática, nem precisam valer-se dela. As obras de Hipócrates, fundador da medicina grega, não são matemáticas. Você pode lê-las para ver qual é a visão que Hipócrates tem da medicina, ou seja, que ela é a arte de manter as pessoas saudáveis, e não de curá-las quando ficam doentes. Infelizmente, esta última ideia é muito comum hoje. O trabalho de William Harvey sobre a circulação do sangue também não é matemático, nem o livro de William Gilbert sobre o magnetismo. Esses podem ser lidos sem grandes dificuldades, desde que você sempre tenha em mente que sua obrigação básica *não é adquirir competência no assunto, e sim entender o problema*.

## UMA NOTA SOBRE DIVULGAÇÃO CIENTÍFICA

Em certo sentido, pouco resta a dizer a respeito da leitura de textos de divulgação científica. Por definição, trata-se de obras – sejam livros, sejam artigos – escritos para o público em geral e não só para especialistas. Assim, se você conseguiu ler alguns dos clássicos da tradição científica, provavelmente não terá problemas com esses livros. Isso porque, apesar de falar de ciências, eles geralmente saltam ou evitam os dois principais problemas com que se defronta o leitor de uma contribuição científica original. Primeiro, *eles trazem relativamente poucas descrições de experiências* (em vez disso, apenas mencionam os resultados das experiências). Segundo, *eles usam relativamente pouca matemática* (a menos que eles mesmos sejam livros de divulgação da matemática).

Artigos de divulgação científica geralmente são mais fáceis de ler do que livros de divulgação científica, mas nem sempre. Às vezes esses artigos são muito bons – por exemplo, os artigos da *Scientific American*, revista mensal, ou da *Science*, publicação semanal um pouco mais técnica. Claro que essas publicações, por melhores ou mais cuidadosa e responsavelmente editadas que sejam, apresentam o problema que foi discutido ao final do capítulo anterior. Ao lê-las, ficamos à mercê dos repórteres que filtram a informação para nós. Se forem bons repórteres, estaremos bem, caso contrário, praticamente não teremos recursos.

As obras de divulgação científica nunca são leituras tão fáceis quanto uma narrativa, ou ao menos quanto ela parece ser. Mesmo um artigo de três páginas sobre o DNA que não mencione nenhuma experiência, nenhum diagrama e nenhuma fórmula matemática exige um esforço considerável por parte do leitor. Não é possível ler tendo em vista a compreensão sem manter desperta a mente. Assim, a exigência de uma leitura ativa é mais importante aqui do que praticamente em qualquer outra leitura. Identifique o assunto. Perceba a relação entre o todo e as partes. Chegue a um acordo e descreva as proposições e os argumentos. Tente primeiro entender, para depois começar a criticar ou avaliar a importância da obra. A esta altura, essas regras são familiares. Mas aqui elas valem com mais força ainda.

Os artigos curtos são fundamentalmente informativos e assim exigem menos pensamento ativo do leitor. É preciso fazer um esforço para entender, para acompanhar o relato oferecido pelo autor, mas normalmente não é preciso ir além disso. No caso de excelentes livros de divulgação como a *Introdução à Matemática*, de Alfred North Whitehead, *O Universo e o Dr. Einstein*, de Lincoln Barnett, e *O Círculo que se Fecha* (*The Closing Circle*), de Barry Commoner, é necessário algo mais, sobretudo no caso de um livro como o de Commoner, cujo assunto, a crise ambiental, tem particular interesse e importância para nós hoje. Seu estilo é econômico e exige muita atenção. Mas, como um todo, o livro tem implicações que o leitor atencioso não deixará de perceber. Ainda que não seja uma obra prática, no sentido definido no capítulo 13, suas conclusões teóricas têm graves consequências. A mera menção do assunto do livro – a crise ambiental – sugere isso. O ambiente em questão é o nosso; se ele está passando por alguma espécie de crise, segue-se inevitavelmente que, ainda que o autor não o diga – mas disse –, nós também estamos envolvidos por uma crise. Numa crise, é preciso (frequentemente) agir de determinado modo ou deixar de agir de determinado modo. Assim, o livro de Commoner, apesar de essencialmente teórico, tem uma significância que transcende o teórico e chega ao nível do prático.

Com isso, não se pretende sugerir que o livro de Commoner é importante, diferentemente dos livros de Whitehead e Barnett. Quando *O Universo e o Dr. Einstein* foi escrito, como relato teórico (dirigido a um público leigo) da história das pesquisas atômicas, as pessoas tinham ampla consciência dos riscos inerentes à física atômica, representados sobretudo, mas não exclusivamente, pela bomba atômica. Assim, aquele livro teórico também teve consequências práticas. Mas, mesmo que as pessoas hoje não estejam tão preocupadas com a iminência de uma guerra atômica ou nuclear, ainda existe, por assim dizer, uma necessidade prática de ler esse livro teórico ou um livro semelhante. A razão é que a física atômica e nuclear é uma das grandes realizações de nossa era. Ela promete ao homem grandes coisas e apresenta simultaneamente grandes riscos. Um leitor informado e interessado deveria saber tudo que pode sobre o assunto.

A urgência de *Introdução à Matemática*, de Whitehead, é um pouco diferente. A matemática é um dos grandes mistérios modernos. Talvez seja o principal deles, ocupando em nossa sociedade posição similar à dos grandes mistérios religiosos de outras eras. Se quisermos entender as grandes questões da nossa época, temos de conhecer algo de matemática e saber como opera e pensa um matemático. O livro de Whitehead, ainda que não se aprofunde muito nas áreas mais obscuras dessa ciência, explica muito bem os princípios do raciocínio matemático. No mínimo, ele mostra ao leitor atento que o matemático é um homem comum, não um mágico. E essa descoberta, por sua vez, é importante para todo leitor que deseje expandir seus horizontes para além do aqui e agora imediatos do pensamento e da experiência.

# 18. COMO LER LIVROS DE FILOSOFIA

As crianças fazem perguntas admiráveis: "Por que as pessoas existem?" "O que é que o gato quer?" "Qual o nome do mundo?" "Por que Deus criou o mundo?". Da boca das crianças sai, senão a sabedoria, ao menos a busca por ela. A filosofia, segundo Aristóteles, nasce do espanto. Ela certamente começa na infância, mesmo que, para a maioria de nós, também acabe nela.

A criança é um questionador natural. Não é o número de perguntas que ela faz, mas sua natureza que a distingue do adulto. Os adultos não perdem a curiosidade que parece um traço inato do ser humano, mas a qualidade dessa curiosidade vai se deteriorando. Eles querem saber se uma coisa é de um jeito, mas não por quê. Mas as questões das crianças não ficam limitadas ao tipo que pode ser respondido por uma enciclopédia.

O que será que acontece entre o jardim de infância e a universidade para secar o fluxo de questões, ou melhor, para transformá-lo nos canais adultos, mais chatos, da curiosidade a respeito de questões factuais? Uma inteligência que não seja agitada por boas questões não tem como apreciar nem mesmo a importância das melhores respostas. Aprender as respostas é bastante fácil. Mas desenvolver inteligências ativamente inquisitivas, avivadas por questões reais e profundas – isso é outra história.

Por que deveríamos tentar desenvolver essas inteligências, se as crianças já nascem com elas? Em algum momento, a curiosidade dos adultos perde a profundidade que tinha originalmente. Talvez a própria escola debilite a inteligência com o peso morto dos saberes decorados, muitos dos quais nem são necessários. É bem provável que os pais sejam ainda mais culpados por essa perda. Tantas vezes dizemos a uma criança que não há resposta, mesmo quando há, ou pedimos a ela que pare de fazer perguntas. Mal conseguimos esconder nossa irritação quando ficamos desnorteados pela questão aparentemente irrespondível. Tudo isso tira o entusiasmo da criança. Ela pode ficar com a impressão de que não é educado ser muito inquisitivo. A curiosidade humana nunca é destruída, mas rapidamente é rebaixada àquelas perguntas feitas pela maior parte dos universitários, que, assim como os adultos que logo serão, só querem informações.

Não temos solução para esse problema; certamente não temos a arrogância de julgar que sabemos lhe dizer como responder às perguntas profundas e maravilhosas que as crianças fazem. Mas queremos que você reconheça que uma das coisas mais impressionantes dos livros clássicos da filosofia é que eles fazem o mesmo tipo de perguntas profundas que as crianças fazem. A capacidade de reter a visão que a criança tem do mundo, junto a uma compreensão madura daquilo que significa retê-la, é extremamente rara – e uma pessoa que tenha essas qualidades provavelmente dará alguma contribuição realmente importante ao nosso pensamento.

Não é preciso pensar como crianças para compreender a existência. As crianças certamente não a compreendem nem conseguiriam compreendê-la – se é que alguém realmente consegue. Mas é preciso ser capaz de ver como as crianças veem, de sentir o espanto que elas sentem, de questionar como elas questionam. As complexidades da vida adulta atrapalham a verdade. Os grandes filósofos sempre foram capazes de dissipar as complexidades e enxergar distinções simples – simples uma vez que sejam formuladas, e que antes eram imensamente difíceis. Se formos segui-los, nós também teremos de ser infantilmente simples em nossas perguntas – e ter a maturidade da sabedoria em nossas respostas.

## AS PERGUNTAS FEITAS PELOS FILÓSOFOS

Quais serão essas perguntas "infantilmente simples" que os filósofos fazem? Quando as escrevemos, elas não parecem simples, porque respondê-las é muito difícil. Ainda assim, elas são inicialmente simples, no sentido de serem básicas ou fundamentais.

Considere estas questões sobre *o ser* ou *a existência*, por exemplo: qual a diferença entre existir e não existir? O que é comum a todas as coisas que existem e quais são as propriedades de tudo que existe? Será que há maneiras diferentes de as coisas existirem – modos diferentes de ser ou de existência? Será que algumas coisas só existem na mente ou para a mente, ao passo que outras existem fora da mente, sendo ou não conhecidas ou mesmo conhecíveis por nós? Será que tudo que existe existe fisicamente ou será que há coisas que existem separadas da corporificação material? Será que tudo muda, ou será que existe algo imutável? Será que algo existe necessariamente, ou será que tudo que existe poderia não ter existido? Será que o campo da existência possível é maior que o campo daquilo que efetivamente existe?

Quando um filósofo está interessado em investigar a natureza do próprio ser e dos campos do ser, as perguntas que ele faz costumam ser desse tipo. Como perguntas, não são difíceis de formular nem de compreender, mas são imensamente difíceis de responder – tão difíceis, na realidade, que, sobretudo em épocas recentes, alguns filósofos afirmaram que elas não podem ser respondidas de modo satisfatório.

Outro grupo de questões filosóficas diz respeito à *mudança* ou ao *devir* mais do que ao ser. Podemos dizer que os objetos de nossa experiência a que atribuiríamos existência sem hesitar estão todos sujeitos à mudança. Eles passam a existir e deixam de existir;[1] enquanto existem, a maior parte deles muda de um lugar para outro; e muitos deles se alteram em quantidade e qualidade: ficam maiores ou menores, mais pesados ou mais leves; ou, como a maçã que vai amadurecendo, ou como a carne que vai maturando, mudam de cor.

O que está presente em toda mudança? Em todo processo de mudança, haverá algo que permanece inalterado e algum aspecto daquela coisa inalterada que sofre alteração? Quando você aprende algo que não sabia antes, certamente muda em relação ao conhecimento adquirido, mas também continua sendo o mesmo indivíduo que era antes; não fosse assim, não se poderia dizer que *você* se alterou pelo aprendizado. Será que isso vale para todas as mudanças?

[1] No original, *"They come into being and pass away"*. Há uma clara referência ao tratado de Aristóteles *Sobre a Geração e a Corrupção*, também conhecido em inglês como *On Coming-to-Be and Passing-Away*. Geração e corrupção referem-se aos processos de começar a existir e deixar de existir, respectivamente. Não por acaso, até o fim do parágrafo serão descritas as espécies de movimento segundo Aristóteles. (N. T.)

Por exemplo, será que isso vale para mudanças extraordinárias, como o nascimento e a morte – a geração e a corrupção –, ou somente para mudanças menos fundamentais, como o movimento, o crescimento ou a mudança de qualidade? Quantos tipos diferentes de mudanças existem? Será que os mesmos elementos ou condições fundamentais fazem parte de todos os processos de mudança e será que as mesmas causas operam em todos eles? O que queremos dizer por causa de mudança? Há tipos diferentes de causas responsáveis pelas mudanças? Será que as causas das mudanças – do devir – são as mesmas causas do ser ou da existência?

Essas perguntas são feitas pelo filósofo que volta sua atenção do ser para o devir e busca, ainda, relacionar ser e devir. Mais uma vez, não são questões difíceis de formular nem de entender, mas são extremamente difíceis de responder clara e satisfatoriamente. De todo modo, pode-se ver como elas partem de uma atitude infantilmente simples em relação ao mundo e à nossa experiência dele.

Infelizmente, não temos espaço para nos aprofundar em toda a gama de questões. Podemos apenas listar algumas outras questões que os filósofos levantam e buscam responder. Há questões que dizem respeito não apenas ao ser e ao devir, mas também à necessidade e à contingência; ao material e ao imaterial; ao físico e ao não físico; à liberdade e à indeterminação; às faculdades da alma humana; à natureza e à extensão do conhecimento humano; à liberdade da vontade.

Todas essas questões são especulativas ou teóricas no sentido dos termos que usamos ao distinguir entre os campos teórico e prático. Mas a filosofia, como sabemos, não se restringe às questões teóricas.

Considere, por exemplo, *o bem e o mal*. As crianças se preocupam muito com a diferença entre o que é bom e o que é mau; é provável que sua retaguarda venha a sofrer caso elas se enganem a esse respeito. Haverá uma distinção universalmente válida entre o bem e o mal? Será que há certas coisas que são sempre boas e outras que são sempre más, independentemente das circunstâncias? Ou será que Hamlet tinha razão quando, fazendo eco a Montaigne, disse que "Nada é bom ou mau, é o pensar que as deixa assim"?

Bem e mal, é claro, não são a mesma coisa que certo e errado; os dois pares de termos parecem referir-se a classes diferentes de coisas. Em particular, ainda que achemos que qualquer coisa certa é boa, provavelmente não achamos que qualquer coisa errada é má. Mas como tornamos essa distinção mais precisa?

"Bem" é um termo filosófico importante, mas é também uma palavra importante de nosso vocabulário cotidiano. Tentar expressar seu significado é um exercício dos mais difíceis; antes que você perceba, já terá mergulhado na filosofia. Muitas coisas há que são boas, ou, como preferimos dizer, há muitos bens. Será possível classificar esses bens? Será que alguns são mais importantes que outros? Será que alguns dependem de outros? Será que há circunstâncias em que os bens entram em conflito, de modo que é preciso escolher um bem à custa de privar-se de outro?

Novamente, não temos espaço para nos alongarmos na discussão dessas questões. O que podemos fazer é listar algumas outras questões no campo prático. Existem questões não apenas a respeito do bem e do mal, do certo e do errado, e da classificação dos bens, mas a respeito também dos deveres e das obrigações; das virtudes e dos vícios; da felicidade, do sentido ou objetivo da vida; da justiça e dos direitos na esfera das relações humanas e da interação social; do Estado e de sua relação com o indivíduo; da boa sociedade, da *politeia* justa, da economia justa; da guerra e da paz.

Os dois grupos de questões que discutimos determinam ou identificam as duas principais divisões da filosofia. As questões do primeiro grupo, as questões a respeito do ser e do devir, têm a ver com o que *é* ou *acontece* no mundo. Essas questões têm a ver com a divisão da filosofia chamada teórica ou especulativa. As questões do segundo grupo, aquelas relacionadas ao bem e ao mal, ou ao certo e ao errado, têm a ver com aquilo que *deve* ser feito ou buscado e pertencem àquela divisão da filosofia que às vezes é chamada de prática, mas que seria mais precisamente denominada normativa. Os livros que lhe dizem como fazer alguma coisa – um livro de receitas, por exemplo – ou como operar algo – o manual de um carro – não precisam tentar persuadi-lo a cozinhar bem a dirigir bem; eles podem presumir que você queira fazer alguma coisa e simplesmente expliquem como ter sucesso em seus esforços. Porém, os livros de filosofia normativa estão preocupados fundamentalmente com os objetivos que os homens *devem* buscar – objetivos como levar uma boa vida ou instituir uma boa sociedade – e, ao contrário dos livros de receitas ou dos manuais de automóveis, eles se limitam a prescrever com os termos mais gerais possíveis os meios que *devem* ser utilizados para atingir esses objetivos.

As perguntas feitas pelos filósofos também servem para distinguir ramos subordinados das duas principais divisões da filosofia. Uma obra de filosofia teórica ou especulativa é metafísica somente se seu assunto principal tratar de questões sobre o ser ou a existência. Será uma obra de filosofia da natureza se estiver preocupada com o devir – com a natureza e com os tipos de mudanças, com suas condições e causas. Se o interesse básico da obra for o conhecimento – questões a respeito do que interfere no conhecimento de qualquer coisa, as causas, a extensão e os limites do conhecimento humano, e suas certezas e incertezas –, então ela é de epistemologia, que é o outro nome para a teoria do conhecimento. Passando da filosofia teórica à normativa, a principal distinção é entre, por um lado, questões a respeito da boa vida e aquilo que é certo ou errado na conduta do indivíduo – tudo o que faz parte do terreno da ética – e, por outro lado, questões a respeito da boa sociedade e da conduta do indivíduo em relação à comunidade – o terreno da política ou da filosofia política.

## A FILOSOFIA MODERNA E A GRANDE TRADIÇÃO

Para que possamos ser breves nas próximas páginas, vamos chamar as questões a respeito do mundo e daquilo que acontece nele, ou a respeito daquilo que os homens deveriam buscar, de "questões de primeira ordem". Deveríamos reconhecer, então, que também existem "questões de segunda ordem": questões a respeito do nosso conhecimento de primeira ordem, questões sobre o conteúdo do nosso pensamento quando tentamos responder a questões de primeira ordem, questões a respeito dos modos como expressamos esses pensamentos por meio da linguagem.

Essa distinção entre questões de primeira e de segunda ordem é útil porque ajuda a explicar o que aconteceu com a filosofia nos últimos anos. A maioria dos filósofos profissionais já não acredita que as questões de primeira ordem possam ser respondidas por filósofos. A maioria dos filósofos profissionais de hoje dedica sua atenção exclusivamente às questões de segunda ordem, frequentemente às questões que têm a ver com o idioma em que se expressa o pensamento.

Isso é certamente bem-vindo, pois ser crítico nunca faz mal. O problema é a desistência completa das questões filosóficas de primeira ordem, que são as que têm mais chance de despertar o interesse dos leitores leigos. Na realidade, assim como hoje não se escrevem mais livros de ciências ou matemática voltados ao público leigo, o mesmo acontece com os livros de filosofia. As questões de segunda ordem têm, quase por definição, apelo limitado, e os filósofos profissionais, assim como os cientistas, não estão interessados na opinião de ninguém, exceto os outros especialistas.

Isso torna a filosofia moderna muito difícil de ler para os não filósofos – tão difícil, na realidade, quanto as ciências, para os não cientistas. Neste livro, não temos como lhe dar nenhuma orientação sobre como ler livros de filosofia moderna voltados exclusivamente para questões de segunda ordem. Todavia, existem livros filosóficos que você pode ler e que achamos que você deve ler. Esses livros tratam das questões que classificamos como de primeira ordem. Não é por acidente que eles foram escritos fundamentalmente para uma plateia leiga, e não exclusivamente para outros filósofos.

Até mais ou menos 1930, talvez um pouco depois, os livros de filosofia eram escritos para o público em geral. Os filósofos esperavam que seus pares os lessem, mas também queriam ser lidos por pessoas comuns e inteligentes. Como as questões que levantavam e que buscavam responder interessavam a todos, tais filósofos achavam que todos deveriam saber o que eles pensavam.

Todas as obras clássicas da filosofia, de Platão em diante, foram escritas a partir desse ponto de vista. Tais livros são acessíveis ao leigo; você conseguirá lê-los, se quiser. Tudo que temos a dizer neste capítulo pretende ajudá-lo a fazer isso.

# SOBRE O MÉTODO FILOSÓFICO

É importante entender em que consiste o método filosófico – ao menos na medida em que a filosofia trata de propor e tentar responder *questões de primeira ordem*. Suponha que você seja um filósofo preocupado com uma das questões infantilmente simples que mencionamos – por exemplo, a questão das propriedades de tudo aquilo que existe ou a questão a respeito da natureza e das causas da mudança. Como proceder?

Se sua questão fosse científica, você saberia que para respondê-la teria de fazer alguma espécie de pesquisa, seja desenvolvendo um experimento para testar sua resposta, seja observando uma vasta gama de fenômenos. Se sua pergunta fosse histórica, você saberia que também teria de fazer pesquisas, ainda que de natureza diferente. Mas não existe experimento que vá dizer o que é que todas as coisas que existem têm em comum simplesmente porque têm existência. Não há tipos peculiares de fenômenos que você possa observar nem documentos que possa procurar e ler no intuito de descobrir o que é a mudança ou por que as coisas mudam. Tudo que você pode fazer é meditar sobre a questão. Em suma, nada há a fazer além de pensar.

Você não pensa no vácuo, claro. A filosofia, quando é boa, não é "pura" especulação – um pensamento distanciado da experiência. Não podemos juntar as ideias de qualquer jeito. As respostas às questões filosóficas têm de passar por testes rigorosos. Mas esses testes se baseiam apenas na experiência comum – na experiência que você já tem porque é um ser humano, não porque é filósofo. A experiência comum faz que você conheça os fenômenos de mudança tão bem quanto qualquer outra pessoa; tudo no mundo à sua volta manifesta a mutabilidade. No tocante à simples experiência da mudança, você está em posição tão adequada para pensar sobre sua natureza e suas causas quanto os maiores filósofos. O que os distingue é que eles pensaram nisso extremamente bem; eles formularam as questões mais incisivas e mais pertinentes, e deram-se ao trabalho de desenvolver respostas clara e cuidadosamente elaboradas. Por quais meios? Não pela investigação. Não pela busca ou agregação de mais experiências do que as vividas por nós outros, e sim pelo pensamento, de modo mais profundo que o nosso, sobre a experiência.

Entender isso não basta. Ainda é preciso perceber que nem todas as perguntas feitas e analisadas pelos filósofos são verdadeiramente filosóficas. Nem sempre eles mesmos tinham consciência disso, e sua ignorância ou erro nesse aspecto crucial pode gerar dificuldades consideráveis para leitores pouco perceptivos. Para evitar essas dificuldades, é necessário ser capaz de distinguir as questões verdadeiramente filosóficas das outras questões que talvez sejam discutidas por um filósofo, mas cuja resposta ele deveria ter deixado para a investigação científica posterior. O filósofo enganou-se por não ver que essas questões só podem ser respondidas pela investigação científica, ainda que talvez não lhe fosse possível saber disso quando escreveu.

Um exemplo disso está na questão, discutida pelos filósofos da Antiguidade, a respeito da diferença entre a matéria dos corpos terrestres e a dos corpos celestes. A olho nu, sem a ajuda de telescópios, parecia que os corpos celestes mudavam apenas de lugar; eles não pareciam passar a existir, nem deixar de existir, como as plantas e os animais; também não pareciam mudar em tamanho ou qualidade. Como os corpos celestes só estavam sujeitos a um único tipo de mudança – o movimento local –, ao passo que todos os corpos terrestres também mudavam em outros aspectos, os antigos concluíram que eles deveriam ser compostos de outro tipo de matéria. Eles não imaginavam, nem poderiam ter imaginado, que, com a invenção do telescópio, os corpos celestes nos proporcionariam um conhecimento de sua mutabilidade muito além de tudo que podemos conhecer por meio da experiência comum. Por isso, consideraram caber aos filósofos responder a uma questão que deveria ter sido deixada para as investigações científicas posteriores. Essa investigação começou com o uso do telescópio por Galileu e com sua descoberta das luas de Júpiter; isso levou à afirmação revolucionária de Kepler de que a matéria dos corpos celestes é exatamente a mesma que a matéria dos corpos terrestres; e isso, por sua vez, lançou as bases para a mecânica celestial de Newton, em que as mesmas leis do movimento aplicam-se sem alterações para todos os corpos, onde quer que estejam no universo físico.

De modo geral, tirando as confusões que podem surgir, os erros ou a falta de informação a respeito de assuntos científicos que maculam a obra dos filósofos clássicos é irrelevante. A razão é que, quando lemos obras filosóficas, estamos interessados em questões filosóficas, e não científicas ou históricas. Correndo o risco de nos repetir, devemos enfatizar que não há outra maneira de responder a essas perguntas senão pensando. Se pudéssemos construir um telescópio ou um microscópio para examinar as propriedades da existência, claro que faríamos isso. Só que esses instrumentos são impossíveis.

Não queremos dar a impressão de que só os filósofos cometem os erros que estamos discutindo aqui. Imagine que um cientista se preocupe com a questão do tipo de vida que se deve levar. Essa questão pertence à filosofia normativa e a única maneira de respondê-la é pensar nela. Mas o cientista talvez não perceba isso e imagine que alguma espécie de experimento ou pesquisa possa lhe dar uma resposta. Ele pode decidir perguntar a mil pessoas que tipo de vida elas gostariam de levar e basear sua resposta à questão nas respostas delas. Mas deveria ser óbvio que sua resposta, nesse caso, seria tão irrelevante quanto as especulações de Aristóteles sobre a matéria dos corpos celestes.

## OS ESTILOS FILOSÓFICOS

Ainda que só haja um método filosófico, ao menos cinco estilos expositivos foram empregados pelos grandes filósofos da tradição ocidental. O estudante ou leitor de filosofia deveria ser capaz de distingui-los e de conhecer as vantagens e desvantagens de cada um deles.

1. O DIÁLOGO FILOSÓFICO: O primeiro estilo filosófico de exposição – primeiro cronologicamente, mas não o primeiro em eficácia – é aquele adotado por Platão em seus *Diálogos*. O estilo é de conversa, até mesmo coloquial; alguns homens discutem um assunto com Sócrates (ou, nos diálogos posteriores, com um participante conhecido como o Estrangeiro de Atenas); normalmente, após falar um pouco a esmo, Sócrates

começa a fazer uma série de perguntas e comentários que ajudam a elucidar um problema. Nas mãos de um mestre como Platão, esse estilo é heurístico, isto é, ele ajuda o leitor e até mesmo o leva a descobrir as coisas por si mesmo. Quando esse estilo é enriquecido pela grande teatralidade – pela grande comédia, diriam alguns – da história de Sócrates, ganha um vigor tremendo.

Dissemos "um mestre como Platão", mas não há ninguém "como" Platão. Outros filósofos buscaram escrever diálogos – Cícero e Berkeley, por exemplo –, mas tiveram pouco sucesso. Seus diálogos são chatos, monótonos, quase ilegíveis. Que Platão tenha conseguido escrever diálogos filosóficos que, em termos de espírito, charme e profundidade estejam entre os melhores livros jamais produzidos por qualquer pessoa, é algo que dá a medida de sua grandeza. Contudo, um sinal da inadequação desse estilo de filosofar pode estar no fato de que ninguém além de Platão conseguiu usá-lo bem.

Desnecessário dizer que Platão conseguiu. Toda a filosofia ocidental, como disse uma vez Whitehead, não passa de "uma nota de rodapé a Platão"; e os próprios gregos vieram a dizer entre si: "Aonde quer que eu vá em minha mente, encontro Platão, que já está voltando". Essas afirmações, porém, não deveriam ser mal interpretadas. Aparentemente, Platão não criou um sistema filosófico, não criou uma doutrina – a menos que ela significasse que não há doutrina e que devemos simplesmente continuar dialogando. E fazendo perguntas. Platão e Sócrates, que o antecedeu, de fato levantaram a maior parte das questões importantes que os filósofos posteriores julgaram necessário discutir.

2. O TRATADO FILOSÓFICO OU ENSAIO: Aristóteles foi o melhor aluno de Platão; estudou com ele por vinte anos. Diz-se que também escreveu diálogos, mas nenhum deles sobreviveu integralmente. Sobreviveram, porém, ensaios ou tratados curiosamente difíceis a respeito de diversos assuntos. Obviamente, Aristóteles era um pensador claro, mas a dificuldade das obras que sobreviveram levou os estudiosos a sugerir que eram originalmente notas para aulas ou para livros – feitas pelo próprio

Aristóteles ou por um aluno que assistira às aulas do mestre. Talvez nunca descubramos a verdade. De qualquer modo, o tratado aristotélico criou um novo estilo filosófico.

Os assuntos discutidos por Aristóteles em seus tratados e os vários estilos adotados por ele na apresentação de suas descobertas também ajudaram a estabelecer os ramos e as abordagens da filosofia nos séculos posteriores. Há, antes de tudo, as chamadas obras populares – sobretudo diálogos, dos quais nos chegaram apenas fragmentos. Depois, há as coleções de documentos. A maior que conhecemos teria sido uma coleção de 158 Constituições de Estados gregos. Apenas uma delas sobreviveu, a Constituição de Atenas, que foi encontrada em um papiro em 1890. Por fim, há os grandes tratados, alguns dos quais, como a *Física* e a *Metafísica*, ou a *Ética*, a *Política* e a *Poética*, são obras puramente filosóficas, teóricas ou normativas; algumas delas, como o tratado *Da Alma*, são misturas de teoria filosófica e investigação científica primitiva; outros, como os tratados biológicos, são sobretudo obras científicas da área de história natural.

Apesar de ter sido provavelmente mais influenciado por Platão num sentido filosófico, Immanuel Kant adotou o estilo expositivo de Aristóteles. Seus tratados são obras de arte acabadas, contrastando nesse aspecto com os de Aristóteles. Eles começam formulando o problema principal, discutem o assunto de maneira meticulosa e minuciosa, e tratam de problemas especiais no meio ou no final. Pode-se dizer que a clareza tanto de Kant como de Aristóteles está na ordem que esses autores impõem a um assunto. Vemos um começo, um meio e um fim filosóficos. Também, particularmente no caso de Aristóteles, somos informados das opiniões e objeções de outros, sejam filósofos, sejam homens comuns. Assim, num sentido o estilo do tratado é similar ao estilo do diálogo. Mas fica faltando o elemento dramático nos tratados aristotélicos ou kantianos; desenvolve-se uma opinião filosófica por meio da exposição direta e não do conflito de posições e opiniões, como em Platão.

3. O CONFRONTO DE OBJEÇÕES: O estilo filosófico desenvolvido na Idade Média e aperfeiçoado por Santo Tomás de Aquino na *Suma Teológica* tem semelhanças com os dois estilos já discutidos. Platão, como observamos, levanta a maior parte das questões filosóficas que ainda hoje discutimos; Sócrates, como poderíamos ter observado, faz nos diálogos aquelas mesmas perguntas simples, mas profundas das crianças. E Aristóteles, como também observamos, leva em conta as objeções de outros filósofos e responde a elas.

O estilo de Tomás de Aquino combina a proposição de questões com o confronto das objeções. A *Suma* é dividida em partes, tratados, questões e artigos. A forma de todos os artigos é a mesma. Propõe-se uma questão; apresenta-se a resposta contrária (errada) a ela; enumeram-se argumentos em favor da resposta errada; esses são primeiro rebatidos por texto de autoridade (frequentemente uma citação bíblica); por fim, Tomás apresenta sua própria resposta ou solução com as palavras "respondo que". Após dar sua própria opinião sobre o assunto, ele então responde a cada um dos argumentos dados em favor da resposta errada.

A limpeza e a ordem desse estilo têm apelo para pessoas de mente organizada, mas essa não é a característica mais importante do estilo tomista de filosofar. Antes, é o fato de Tomás de Aquino reconhecer explicitamente os conflitos, de descrever as opiniões divergentes e de tentar enfrentar todas as objeções possíveis a suas próprias soluções. A ideia de que a verdade de algum modo surge da oposição e do conflito era comum na Idade Média. Os filósofos na época de Tomás de Aquino achavam absolutamente normal ter de defender suas ideias em disputas públicas e abertas, que muitas vezes eram acompanhadas por multidões de estudantes e interessados. A civilização da Idade Média era essencialmente oral, em parte porque os livros eram poucos e difíceis de obter. Não se aceitava que uma proposição fosse verdadeira sem que ela pudesse enfrentar o teste da discussão aberta; o filósofo não era um pensador solitário, mas alguém que enfrentava seus adversários no mercado intelectual (como talvez Sócrates dissesse). Por isso, a *Suma Teológica* está imbuída do espírito do debate e da discussão.

4. A SISTEMATIZAÇÃO DA FILOSOFIA. No século XVII, dois filósofos notáveis, Descartes e Espinosa, desenvolveram um quarto estilo de exposição filosófica. Fascinados pelo sucesso que a matemática prometia obter na organização do conhecimento da natureza, eles buscaram organizar a filosofia mesma como se fosse a matemática.

   Descartes era um grande matemático e, ainda que talvez estivesse errado em alguns pontos, um filósofo formidável. O que ele tentou fazer, essencialmente, foi vestir a filosofia com as roupas da matemática, ou dar a ela a certeza e a estrutura formal que Euclides dera à geometria dois mil anos antes. Descartes não fracassou completamente nessa empresa e sua demanda por clareza e diferenciação era em certa medida justificada pelo caos do ambiente intelectual de sua época. Ele também escreveu tratados filosóficos em formato mais ou menos tradicional, incluindo respostas a objeções a suas teses.

   Espinosa levou esse conceito adiante. Sua *Ética* foi escrita num formato estritamente matemático, com proposições, provas, corolários, lemas, escólios etc. Porém, o objeto da metafísica e da moral não se presta bem a esse formato, que é mais apropriado para a geometria e outros assuntos matemáticos do que para os filosóficos. Sinal disso é que, ao ler Espinosa, podemos saltar muitas partes, exatamente como se pode fazer ao ler Newton. Não se pode ignorar nada de Kant ou de Aristóteles, porque a linha de raciocínio é ininterrupta; e não se pode saltar nada de Platão, assim como não se pode saltar um trecho de uma peça teatral ou de um poema.

   Provavelmente não há regras absolutas de estilo. Ainda assim, pode-se questionar a possibilidade de escrever uma obra filosófica satisfatória em formato matemático, como tentou Espinosa, ou uma obra científica satisfatória em forma de diálogo, como tentou Galileu. O fato é que os dois em alguma medida não conseguiram comunicar aquilo que pretendiam comunicar e parece provável que a forma escolhida por eles foi uma das principais razões disso.

5. O ESTILO AFORÍSTICO. Existe outro estilo de exposição filosófica digno de nota, ainda que provavelmente não seja tão importante quanto os outros quatro. Trata-se do estilo aforístico adotado por Nietzsche em obras como *Assim Falou Zaratustra* e por alguns filósofos franceses modernos. A popularidade desse estilo no século XX se deve talvez ao grande interesse dos leitores ocidentais nos livros sapienciais do Oriente, escritos em estilo aforístico. Esse estilo talvez deva algo também aos *Pensamentos* de Pascal. Este, porém, claramente não queria que sua grande obra fosse composta de afirmações curtas e enigmáticas, mas morreu antes de terminar de escrever o livro no formato de ensaio.

A grande vantagem da forma aforística em filosofia é ser heurística; o leitor tem a impressão de que se está falando mais do que aquilo que está efetivamente dito, já que ele mesmo assume boa parte do ônus da reflexão – de fazer conexões entre as afirmações e de montar argumentos para defender as posições. Porém, ao mesmo tempo, essa é a grande desvantagem do estilo, que na realidade nada tem de expositivo. O autor é como um motorista que atropela uma vítima e a abandona; ele bate num assunto e depois sai correndo em direção a outro sem ao menos dar atenção àquilo que disse. Assim, ainda que o estilo aforístico seja agradável àqueles de inclinação poética, é irritante para filósofos sérios que preferem acompanhar e criticar a linha de raciocínio de um autor.

Até onde sabemos, não há outro estilo importante de exposição filosófica que tenha sido usado em nossa tradição filosófica. (Uma obra como *De Rerum Natura* [Sobre a Natureza das Coisas], de Lucrécio, não é exceção. Foi originalmente escrita em verso. Mas, no que diz respeito ao estilo, não difere de outros ensaios filosóficos; e, de todo modo, hoje em dia nós a lemos em traduções em prosa.) Isso significa que todos os grandes filósofos usaram um desses cinco estilos; às vezes, claro, um filósofo experimenta mais de um. O tratado ou ensaio é o formato mais comum, tanto no passado quanto no presente. Ele pode incluir não só as obras altamente formais e difíceis, como as de Kant, mas também ensaios populares ou cartas. Os diálogos são muito difíceis de escrever, como se sabe, e o estilo geométrico é difícil de ler e de escrever. O estilo aforístico é muito insatisfatório do ponto de vista filosófico. O estilo tomista não tem sido muito usado recentemente. Talvez os leitores modernos tenham dificuldades em aceitá-lo, o que, diante de todas as suas vantagens, é uma vergonha.

## INDICAÇÕES PARA LER LIVROS DE FILOSOFIA

Talvez tenha ficado claro, graças ao que discutimos até agora, que a coisa mais importante a descobrir na leitura de qualquer obra filosófica é qual a questão ou quais as questões que ela busca responder. As questões podem ser propostas explicitamente, ou podem, em certa medida, ficar implícitas. Nos dois casos, é preciso descobrir quais são elas.

A maneira como o autor responde a essas questões será profundamente influenciada por seus princípios diretores. Esses podem estar explicitados, mas nem sempre isso acontece. Já citamos o que disse Basil Willey sobre a dificuldade – e a importância – de descobrir os pressupostos ocultos e implícitos de um autor, de não acrescentar nada. Isso vale para qualquer livro. Isso se aplica especialmente a livros de filosofia.

Não podemos acusar os grandes filósofos de terem sido desonestos e de terem escondido seus pressupostos nem de terem sido obscuros em suas definições e postulados. A marca do grande filósofo é justamente ser capaz de clarificar essas coisas mais do que outros autores. Ainda assim, a obra de todo grande filósofo tem princípios diretores. É fácil encontrá-los, caso ele os formule no livro que você lê. Mas talvez ele não tenha feito isso e tenha deixado sua discussão para outro livro. Ou talvez ele nunca os discuta explicitamente, ainda que sua presença se faça sentir em todas as suas obras.

É difícil dar exemplos desses princípios diretores. Se enunciarmos algum, provavelmente os filósofos irão questioná-lo, e não temos espaço para defender nossas escolhas. Podemos, porém, mencionar que, para Platão, talvez a conversa a respeito de assuntos filosóficos seja a mais importante de todas as atividades humanas. Essa ideia raramente é explicitada nos diálogos, ainda que Sócrates talvez a esteja propondo quando, na *Apologia*, diz que a vida não examinada não vale a pena ser vivida, e Platão a menciona na *Carta Sete*. A questão é que Platão expressa essa ideia em diversos lugares, ainda que não tão diretamente – por exemplo, no *Protágoras*, no qual se mostra que a plateia não aprova a recusa de Protágoras em continuar conversando com Sócrates. Outro exemplo está em Céfalo, do Livro I da *República*, o qual parece ter outras coisas a resolver e por isso sai. Platão parece estar dizendo, ainda que não explicitamente, que a recusa de participar da busca da verdade é uma traição da natureza mais profunda do homem. Mas, como já observamos, isso não costuma ser mencionado como uma das "ideias" de Platão, porque raramente em suas obras ela é explicitamente discutida.

Podemos encontrar outros exemplos em Aristóteles. Em primeiro lugar, é sempre importante perceber, ao ler qualquer obra aristotélica, que coisas que tenham sido ditas em outras obras são relevantes para a discussão. Assim, os princípios básicos da lógica, expostos no *Organon*, são pressupostos na *Física*. Em segundo lugar, os princípios diretores nem sempre são enunciados de modo suficientemente claro, o que se deve, em parte, ao fato de que os tratados não são obras de arte acabadas. A *Ética* fala de muitas coisas: da felicidade, do hábito, da virtude, do prazer etc. – a lista poderia ser imensa –, mas só o leitor muito cuidadoso capta a intuição diretora. Trata-se da intuição de que a felicidade é o bem em seu *todo*, não o bem *supremo*, pois neste caso ela seria apenas um bem entre outros. Ao perceber isso, vemos que a felicidade não consiste no aperfeiçoamento de si próprio nem nos bens do autoaprimoramento, ainda que esses sejam os maiores dentre os bens parciais. A felicidade, como diz Aristóteles, é a qualidade de uma vida *inteira*, e ele diz "inteira" não só no sentido temporal, como também no sentido de todos os aspectos pelos quais se pode enxergar uma vida. O homem feliz é alguém, como diríamos hoje, que é bem resolvido em tudo – e permanece assim ao longo de sua vida. Essa intuição é diretora no sentido de que afeta quase todas as outras ideias e intuições na *Ética*, mas ela nunca é formulada tão explicitamente quanto poderia ter sido.

Outro exemplo. O pensamento maduro de Kant é muitas vezes chamado de filosofia crítica. Ele mesmo distinguia a "crítica" do "dogmatismo", que atribuía a muitos filósofos anteriores. Ao falar em "dogmatismo", ele referia a presunção de que o intelecto humano pode chegar às verdades mais importantes por meio do puro pensamento, sem estar ciente de suas próprias limitações. O primeiro passo necessário, segundo Kant, é fazer um inventário e uma avaliação dos recursos e capacidades da inteligência. Assim, a limitação da inteligência é um princípio diretor para Kant, diferentemente de qualquer filósofo que o tenha precedido no tempo. Mas, se isso está perfeitamente claro por ter sido explicitamente formulado na *Crítica da Razão Pura*, não está formulado, por estar presumido, na *Crítica da Faculdade do Juízo*, a grande obra de Kant sobre Estética. Ainda assim, é também nela um princípio diretor.

Isso é tudo que podemos dizer sobre encontrar os princípios diretores num livro filosófico, porque não temos certeza de que sabemos ensinar como descobri-los. Às vezes isso leva anos e muitas leituras e releituras. Ainda assim, esse é o objetivo ideal de uma leitura intensa e minuciosa, e é preciso ter em mente que, em última instância, é isso que você deve tentar fazer se pretende entender o autor que está lendo. Contudo, apesar da dificuldade em descobrir esses princípios diretores, não recomendamos que você pegue um atalho e leia livros sobre os filósofos, sobre a vida e as opiniões deles. A descoberta que você faz por si mesmo terá valor muito maior do que as ideias de outra pessoa.

Uma vez que você tenha encontrado esses princípios diretores, há de querer julgar se o autor é fiel a eles em sua obra. Infelizmente, nem mesmo os melhores filósofos costumam ser. A coerência, dizia Emerson, "é um monstro que assusta as inteligências menores". Essa afirmação é bem relaxada, mas, ainda que provavelmente seja sábio recordá-la, também não há dúvida de que, num filósofo, a incoerência é um problema sério. Se um filósofo é incoerente, é preciso julgar qual de dois grupos de proposições corresponde àquilo que ele realmente quer dizer: os primeiros princípios, tais como ele os formula, ou as conclusões, que na realidade não se seguem dos princípios formulados. Você pode ainda julgar que nenhum dos dois grupos é válido.

A leitura de obras filosóficas tem aspectos peculiares, relacionados à diferença entre a filosofia e as ciências. Aqui estamos considerando apenas obras teóricas de filosofia, como tratados metafísicos ou livros de filosofia da natureza.

O problema da filosofia é explicar a natureza das coisas e não, como fazem as ciências, descrevê-la. A filosofia questiona mais do que as conexões entre os fenômenos. Ela pretende chegar a suas causas e condições últimas. Esses problemas só são explorados satisfatoriamente quando as respostas a eles têm o apoio de argumentos e análises claros.

O maior esforço do leitor, portanto, será voltado para os termos e para as proposições iniciais. Ainda que o filósofo, assim como o cientista, tenha uma terminologia técnica, as palavras que expressam seus termos costumam vir da linguagem corrente, mesmo que sejam usadas em sentido muito peculiar. Se o leitor não superar a tendência de usar palavras conhecidas de um modo conhecido, provavelmente entenderá o livro de maneira totalmente errada.

Os termos básicos das discussões filosóficas são abstratos, é claro. Mas os das ciências também são. Não se pode expressar nenhum conhecimento geral senão em termos abstratos. Não há nada particularmente difícil em relação às abstrações. Nós as usamos todos os dias e em todos os tipos de conversas. Contudo, as palavras "abstrato" e "concreto" parecem perturbar muita gente.

Sempre que você fala de algo de modo geral, usa abstrações, mas aquilo que percebe por meio dos sentidos é sempre concreto e particular. Aquilo que você pensa com sua mente é sempre abstrato e geral. Entender "uma palavra abstrata" é ter a ideia que ela expressa. "Ter uma ideia" é só um modo de dizer que você entendeu algum aspecto geral das coisas que fazem parte da sua experiência concreta. Você não consegue ver, tocar ou imaginar o aspecto geral referido. Se conseguisse, não haveria diferença entre os sentidos e a mente. As pessoas que buscam imaginar a que as ideias se referem tendem a se confundir, e todas as abstrações acabam por causar-lhes desespero.

Assim como os argumentos indutivos devem ser o principal foco do leitor no caso de livros científicos, também aqui, no caso da filosofia, deve-se prestar a máxima atenção aos princípios do filósofo. Podem ser pressupostos que ele espera ver compartilhados por você ou teses que ele considera autoevidentes.

Não há nenhum problema em ter pressupostos. Aceite-os para ver aonde levam, ainda que você mesmo tenha pressupostos contrários. Fingir que você acredita em algo em que não acredita de verdade é um bom exercício mental. E, quanto mais claramente você conhecer seus próprios prejulgamentos, menos chance terá de avaliar mal os dos outros.

O outro tipo de princípios é que pode causar problemas. Poucos livros de filosofia deixam de explicitar algumas proposições que o autor considera autoevidentes. Essas proposições são tiradas diretamente da experiência e não provadas por outras proposições.

O que se deve lembrar é que a experiência da qual elas são tiradas, como observamos repetidas vezes, é, ao contrário da experiência especial do cientista, a experiência comum da humanidade. O filósofo não trabalha em laboratórios, não faz pesquisas de campo. Assim, para entender e testar os princípios de um filósofo, você não precisa da ajuda extrínseca da experiência especial que se obtém pela investigação metódica. O filósofo pede apenas que você use seu bom-senso e suas observações diárias do mundo em que vive.

Em outras palavras, o método para ler um livro filosófico é muito semelhante ao método usado para escrevê-lo. Não há nada que um filósofo possa fazer diante de um problema além de pensar nele. Não há nada que um leitor possa fazer com um livro filosófico além de lê-lo – o que significa, como sabemos, pensar nele. Não há outros auxílios além da própria mente.

Mas essa solidão essencial de leitor e livro é precisamente a situação que imaginamos no início de nossa longa discussão sobre as regras da leitura analítica. Assim, você pode ver por que dizemos que as regras da leitura, do modo como as formulamos e explicamos, aplicam-se mais diretamente à leitura de livros filosóficos do que a qualquer outro tipo de leitura.

## SOBRE TER OPINIÕES PRÓPRIAS

Como qualquer bom tratado científico, uma boa obra teórica de filosofia não contém retórica nem propaganda. Não é preciso preocupar-se com a "personalidade" do autor nem investigar seu *background* social e econômico. Porém, é útil ler as obras de outros grandes filósofos que tenham discutido os mesmos problemas abordados pelo autor que você está lendo. Os filósofos vêm mantendo uma longa conversa entre si na história do pensamento. É melhor ouvi-la antes de formar uma opinião a respeito do que qualquer um deles diz.

O fato de que os filósofos discordam não deveria perturbá-lo, por duas razões. Primeiro, o fato de haver discórdia, se persiste, pode sugerir um problema grande e ainda não resolvido – aliás, talvez impossível de ser resolvido. É bom saber onde estão os verdadeiros mistérios. Segundo, as discordâncias dos outros têm relativamente pouca importância. A responsabilidade do leitor é formar a sua própria opinião. Diante da longa conversa que os filósofos mantiveram por meio de seus livros, cabe a você julgar o que é verdadeiro e o que é falso. Quando você tiver lido bem uma obra filosófica – e isso significa ler outros filósofos que falem do mesmo assunto –, estará em posição de julgar.

De fato, a marca mais distintiva das questões filosóficas é que todos precisam dar a própria resposta a elas. Usar as opiniões dos outros não é respondê-las, mas fugir delas. E suas respostas devem ter bases sólidas, com argumentos que as sustentem. Isso significa, acima de tudo, que você não pode depender do testemunho de especialistas, algo talvez necessário no caso das ciências.

A razão disso é que as perguntas feitas pelos filósofos são simplesmente mais importantes do que as questões feitas por quaisquer outras pessoas. À exceção das crianças.

## UMA NOTA SOBRE A TEOLOGIA

Existem dois tipos de teologia: a teologia natural e a teologia dogmática. A primeira é um ramo da filosofia; é como o último capítulo da metafísica. Se você perguntar, por exemplo, se a causalidade é um processo infinito, se tudo é causado, você pode, caso responda afirmativamente, ver-se numa regressão infinita. Assim, você talvez tenha de presumir a existência de uma causa originária que não é, ela mesma, causada. Aristóteles chamou essa causa não causada de motor imóvel. Você pode lhe dar outros nomes – pode até dizer que se trata apenas de outro nome para Deus –, mas o importante é que terá chegado a esse conceito por meio do esforço solitário – pelo trabalho natural – de sua mente.

A teologia dogmática é diferente da filosofia na medida em que seus primeiros princípios são artigos de fé compartilhados pelos praticantes de alguma religião. Uma obra de teologia dogmática sempre depende de dogmas e da autoridade da Igreja que os proclama.

Se você não faz parte dessa Igreja, se não professa essa fé, ainda assim pode ler *bem* um livro de teologia dogmática se tratar esses dogmas com o mesmo respeito com que trata os pressupostos de um matemático. Mas é preciso ter sempre em mente que um artigo de fé não é algo que os fiéis *presumem*. A fé, para aqueles que a possuem, não é uma opinião provisória, mas a forma mais certa de conhecimento.

Compreender isso parece difícil para muitos leitores de hoje. Normalmente, eles cometem um ou dois erros quando deparam com a teologia dogmática. O primeiro erro é a recusa em aceitar, nem que seja temporariamente, os artigos de fé que são os primeiros princípios do autor. O resultado é que o leitor continua a debater-se com esses primeiros princípios sem jamais realmente prestar atenção ao livro. O segundo erro é presumir que, como os primeiros princípios são dogmáticos, os argumentos e raciocínios baseados neles, e as conclusões a que levam, são todos igualmente dogmáticos. É verdade, é claro, que, se certos princípios são aceitos e se o raciocínio que se baseia neles é lógico, então as conclusões também devem ser aceitas – ao menos na mesma medida em que os princípios são aceitos. Mas, se o raciocínio estiver errado, os mais aceitáveis primeiros princípios levarão a conclusões inválidas.

Como você pode ver, aqui estamos falando das dificuldades enfrentadas por um leitor não crente de uma obra teológica. A ele cabe aceitar, enquanto lê o livro, que os primeiros princípios são verdadeiros, e assim lê-lo com todo o cuidado que qualquer boa obra expositiva merece. O leitor fiel de uma obra que é essencial para sua religião tem de enfrentar outras dificuldades. Porém, esses problemas não estão limitados à leitura de teologia.

# COMO LER LIVROS "CANÔNICOS"

Existe um tipo interessante de livro e de leitura que ainda não foi discutido. Usamos o termo "canônico" para fazer referência a esses livros; numa tradição mais antiga, poderíamos tê-los chamado de "sacros" ou "santos", mas essas palavras não se aplicam mais a todas essas obras, ainda que se apliquem a algumas delas.

O melhor exemplo é a Bíblia quando lida não como literatura, mas como a palavra revelada de Deus. Para os marxistas ortodoxos, porém, as obras de Marx devem ser lidas do mesmo modo que a Bíblia deve ser lida por judeus ou cristãos ortodoxos. O *Livro Vermelho de Mao* tem uma natureza igualmente "canônica" para um "fiel" comunista chinês.

A ideia de livro canônico pode ser ampliada para além desses exemplos óbvios. Considere uma instituição qualquer – uma Igreja, um partido político, uma sociedade – que, entre outras coisas, (1) é uma instituição de ensino; (2) possui um corpo doutrinário a transmitir; e (3) tem membros fiéis e obedientes. Os membros de todas essas organizações leem de modo *reverente*. Eles não questionam – nem podem questionar – a leitura autorizada ou correta dos livros que consideram canônicos. Os fiéis são proibidos por sua fé de encontrar qualquer erro no texto "sagrado", isso para não falarmos da proibição de ver algum *nonsense* nele.

É assim que os judeus ortodoxos leem o Antigo Testamento; os cristãos, o Novo Testamento; os muçulmanos, o Corão; os marxistas ortodoxos, as obras de Marx e Lênin e, dependendo do clima político, as de Stálin; os psicanalistas freudianos, as obras de Freud; os oficiais do exército americano, o manual da infantaria. E você pode pensar em muitos outros exemplos por conta própria.

De fato, quase todos nós, ainda que não tenhamos ainda chegado lá, já nos aproximamos da situação em que temos de ler canonicamente. Um advogado inexperiente, que precisa passar nos exames da Ordem, tem de ler certos textos de certo modo para poder tirar a nota máxima. O mesmo sucede com médicos e com outros profissionais; e, de fato, com todos nós quando, na posição de estudantes, éramos obrigados a ler um texto segundo a interpretação dada pelo nosso professor, correndo o risco de "tirar zero". (Claro que nem todos os professores reprovam seus alunos por discordar deles!)

As características desse tipo de leitura estão provavelmente resumidas na palavra "ortodoxo", que vale em quase todos os casos. A palavra vem de duas raízes gregas e significa "opinião correta". Para esses livros, só existe *uma leitura correta, e apenas uma*; qualquer outra leitura traz muitos riscos, da perda de uma "nota 10" à danação da alma. Essa característica traz consigo uma obrigação. O leitor fiel de um livro canônico é *obrigado a entendê-lo* e a considerá-lo verdadeiro em algum sentido da palavra "verdadeiro". Se ele não consegue fazer isso por si, *é obrigado a procurar alguém que consiga*. Esse alguém pode ser um padre ou um rabino, ou seu superior na hierarquia do partido, ou seu professor. De todo modo, ele está obrigado a aceitar a resolução do problema que lhe é oferecida. Ele lê essencialmente sem liberdade; mas ganha, em troca, um tipo de satisfação que talvez nunca seja obtido na leitura de outros livros.

Aqui, de fato, é preciso parar. O problema de ler a Bíblia – se sua fé diz que ela é a Palavra de Deus – é o problema mais difícil em toda a área da leitura. Existem mais livros sobre como ler as Escrituras do que a respeito de todos os outros aspectos da arte de ler, juntos. A Palavra de Deus é obviamente o texto mais difícil que o homem pode ler; mas é também, se para você trata-se da Palavra de Deus, o mais importante a ler. O esforço dos fiéis tem sido devidamente proporcional à tarefa. É verdade que, ao menos na tradição europeia, a Bíblia é *o* livro, em mais de um sentido. Não só é o livro mais lido, mas também o livro lido com mais cuidado.

# 19. COMO LER LIVROS DE CIÊNCIAS SOCIAIS

Os conceitos e a terminologia das ciências sociais estão presentes em quase tudo que lemos hoje.

O jornalismo moderno, por exemplo, não se limita a reportar fatos, exceto nas notícias do tipo "quem - o que - por que - quando - onde" que encontramos na primeira página de um jornal. É muito mais comum os jornalistas combinarem os fatos à interpretação, ao comentário, à análise das notícias. Essas interpretações e comentários baseiam-se nos conceitos e na terminologia das ciências sociais.

Esses conceitos e essa terminologia também se refletem no vasto número de livros e artigos atuais que podem ser classificados como crítica social. Deparamos com um fluxo ininterrupto de livros sobre assuntos como problemas raciais, crime, policiamento, pobreza, bem-estar social, guerra e paz, boa e má administração pública. Boa parte dessa literatura toma emprestados sua ideologia e seu linguajar das ciências sociais.

Os livros de ciências sociais não se limitam à não ficção. Há uma importante e vasta categoria de textos contemporâneos que pode ser chamada de "ficção científica social". Nela o objetivo é criar modelos artificiais de sociedades que nos permitam, por exemplo, explorar as consequências sociais da inovação tecnológica. A organização do poder social, as espécies de propriedade e de posse e a distribuição de riqueza são descritas, condenadas ou elogiadas de várias maneiras em romances, peças, contos, filmes e séries de televisão. Na medida em que fazem isso, pode-se dizer que têm importância social ou que contêm "mensagens relevantes". Ao mesmo tempo, tais obras usam e disseminam elementos das ciências sociais.

Além disso, praticamente não há problema social, econômico ou político que não tenha sido abordado por especialistas nessas áreas, seja por conta própria, seja por causa de um convite de autoridades que estejam trabalhando com esses problemas. Os especialistas em ciências sociais ajudam a formular os problemas e ajudam a lidar com eles.

Um dos fatores não menos importantes para a crescente difusão das ciências sociais é sua introdução no currículo escolar e nos cursos técnicos de nível superior. Na realidade, as inscrições nos cursos de ciências sociais são muito mais numerosas que as inscrições nos cursos tradicionais de língua e literatura. E são, também, muito mais numerosas que nos cursos de ciência "pura".

## O QUE SÃO AS CIÊNCIAS SOCIAIS?

Falamos de ciências sociais como se fossem uma entidade unitária, o que realmente não é adequado.

Quais, de fato, são as ciências sociais? Uma maneira de responder à questão é examinar os departamentos e as disciplinas que as universidades agrupam sob esse nome. As divisões nas ciências sociais costumam incluir departamentos de antropologia, economia, política e sociologia. Por que não costumam incluir também os departamentos de direito, educação, administração, serviço social e administração pública, se todos esses, para desenvolverem-se, baseiam-se em conceitos e métodos das ciências sociais? A razão que se costuma dar para a separação entre esses departamentos e os das ciências sociais é que o principal propósito de tais departamentos é oferecer treinamento para o trabalho profissional fora da universidade, ao passo que aqueles mencionados antes são mais exclusivamente dedicados à busca de conhecimento sistemático da sociedade humana, atividade que normalmente se realiza dentro de uma universidade.

Há hoje nas universidades uma tendência ao estabelecimento de centros e institutos de estudos interdisciplinares. Esses centros perpassam os departamentos comuns de ciências sociais e os departamentos profissionalizantes, incluindo estudos de teorias e métodos de estatística, de demografia, de psefologia (a ciência das eleições e das pesquisas de opinião), de tomada de decisões e de elaboração de políticas públicas, de recrutamento e tratamento de pessoal, de administração pública, de ecologia humana e muitos outros. Tais centros produzem estudos e relatórios que incluem as descobertas de uma dúzia dessas especialidades ou mais. É necessária uma considerável sofisticação até mesmo para discernir as diversas ramificações desses esforços, isso para não falar no julgamento da validade de suas descobertas e conclusões.

E a psicologia? Os cientistas sociais que fazem uma interpretação estrita de sua área tendem a excluir a psicologia, argumentando que ela se volta para características individuais e pessoais, ao passo que as ciências sociais propriamente ditas estudam fatores culturais, institucionais e ambientais. Os menos estritos, embora admitam que a psicologia fisiológica deve permanecer sob a classificação das ciências biológicas, creem que a psicologia – em ambas as modalidades, que estudam o comportamento normal e o anormal – deva ser considerada uma ciência social porque o indivíduo seria inseparável de seu ambiente social.

A psicologia, aliás, é um ótimo exemplo de área da ciência social que atualmente goza de grande popularidade entre os universitários. É possível que as matrículas em psicologia nos Estados Unidos sejam mais numerosas do que em qualquer outra área. E a bibliografia do assunto, em todos os níveis, do mais leigo ao mais técnico, é imensa.

E as ciências comportamentais? Qual o lugar delas no quadro das ciências sociais? Originalmente o termo incluía sociologia, antropologia e os aspectos comportamentais de biologia, da economia, da geografia do direito, da psicologia, da psiquiatria e da ciência política. A ênfase comportamental servia para enfatizar comportamentos observáveis e mensuráveis, que poderiam ser investigados sistematicamente e oferecer resultados verificáveis. Recentemente, o termo "ciências comportamentais" veio a ser utilizado quase como sinônimo de ciências sociais, mas muitos puristas contestam esse uso.

Por fim, e a história? Admite-se que as ciências sociais tiram da história os dados e os exemplos de suas generalizações. Porém, ainda que a história, tomada como relatos e descrições de eventos e pessoas individuais, possa ser científica no sentido básico de constituir um conhecimento sistemático, não é uma ciência no sentido de que ela própria gera conhecimento sistemático de padrões ou leis do comportamento e do desenvolvimento.

Será possível, assim, definir o que se quer dizer por ciência social? Pensamos que sim, ao menos para os propósitos deste capítulo. Campos como a antropologia, a economia, a política e a sociologia constituem uma espécie de núcleo central da ciência social, que quase todos os cientistas incluiriam em qualquer definição. Além disso, julgamos que a maioria dos cientistas sociais concordaria em que boa parte da literatura – mas não toda – de áreas como o direito, a educação e a administração pública, e parte da literatura de áreas como administração e serviço social, mais uma parte considerável da literatura sobre psicologia, pode ser incluída sob uma definição razoável. Presumiremos que essa definição, ainda que obviamente imprecisa, esteja clara para você naquilo que se segue.

## A APARENTE FACILIDADE DE LER LIVROS DE CIÊNCIAS SOCIAIS

Boa parte dos textos de ciências sociais parece a coisa mais fácil de ler que existe. Os dados muitas vezes são extraídos de experiências que o leitor conhece – nesse sentido, as ciências sociais são como a poesia ou a filosofia – e o estilo expositivo costuma ser narrativo, que o leitor já conhece de sua leitura de ficção e de textos de história.

Além disso, já nos familiarizamos com o jargão das ciências sociais e o usamos bastante. Termos como cultura (intercultural, contracultura, subcultura), tribo, alienação, *status*, *input/output*, infraestrutura, étnico, comportamental, consenso e muitos outros tendem a aparecer em quase todas as nossas conversas e em quase tudo que lemos.

Considere a própria palavra "sociedade". Veja que palavra camaleônica, quantos adjetivos podem lhe ser associados sem que ela deixe de transmitir a ideia de pessoas vivendo em conjunto e não isoladas. Ouvimos falar da sociedade aberrante, da sociedade abortiva, da sociedade consumista, da sociedade obediente, da sociedade próspera, e poderíamos passar por todo o alfabeto até chegar à sociedade zimótica, a sociedade em perpétuo estado de fermentação, bem parecida com a nossa.

"Social", como adjetivo, é também uma palavra de significados diversos e conhecidos. Há o poder social, a pressão social e a promessa social – e, é claro, há os onipresentes problemas sociais. Esta última expressão, aliás, é um belo exemplo da enganosa facilidade com que se leem e escrevem textos de ciências sociais. Poderíamos apostar que nos últimos meses, se não nas últimas semanas, você leu e provavelmente escreveu "problemas políticos, econômicos e sociais". Quando leu ou escreveu isso, provavelmente sabia o que significavam problemas políticos e econômicos. Mas o que você, ou o autor, referiu por problemas sociais?

O jargão e as metáforas de boa parte dos textos de ciências sociais, além dos profundos sentimentos que frequentemente os imbuem, criam uma leitura enganosamente fácil. As referências falam de questões imediatamente familiares ao leitor; de fato, ele lê ou ouve falar delas quase diariamente. Além disso, suas atitudes e seus sentimentos em relação a elas já estão, quase sempre, fortemente desenvolvidos. A filosofia também trata do mundo de nossa experiência comum, mas não é comum estarmos "comprometidos" com questões filosóficas. Já em assuntos tratados pelas ciências sociais, é grande a probabilidade de termos opiniões fortes.

## DIFICULDADES DA LEITURA DE CIÊNCIAS SOCIAIS

Paradoxalmente, os mesmos fatores aqui discutidos, os fatores que fazem as ciências sociais parecerem fáceis de ler, também as tornam difíceis de ler. Considere o último fator mencionado, por exemplo – o comprometimento que você, leitor, provavelmente tem com alguma perspectiva do assunto discutido por um autor. Muitos leitores temem que seja uma deslealdade para com seu comprometimento ficar de fora e questionar impessoalmente aquilo que estão lendo. Ainda assim, é necessário fazer isso sempre que se lê analiticamente. As regras da leitura obrigam a essa atitude, ao menos as regras do delineamento e da interpretação estruturais. Se você vai responder às duas primeiras perguntas que deveriam ser feitas sobre qualquer coisa que se leia, é preciso, de certo modo, deixar as opiniões na sala de espera. Não é possível entender um livro quando há uma recusa em ouvir aquilo que ele diz.

A familiaridade dos termos e das proposições presentes nas ciências sociais também é um obstáculo ao entendimento. Muitos cientistas sociais admitem isso. Eles recusam fortemente o uso de termos e conceitos mais ou menos técnicos no jornalismo popular e em outros textos. Um exemplo desse conceito é o de Produto Nacional Bruto (PNB). Nos textos econômicos sérios, esse conceito é usado em sentido relativamente limitado. Mas, segundo alguns cientistas sociais, muitos repórteres e articulistas usam o conceito em sentido amplo demais, sem realmente entenderem seu significado. Obviamente, se o autor de algum texto está confuso a respeito do uso de um termo-chave, você, leitor, também há de ficar inseguro.

Tentemos deixar isso mais claro fazendo uma distinção entre as ciências sociais, de um lado, e as chamadas ciências exatas – física, química etc. –, de outro. Observamos que o autor de um livro científico (tomando "científico" neste último sentido) explicita aquilo que pressupõe e aquilo que deseja provar, e também garante que seja fácil encontrar seus termos e proposições. Mas chegar a um acordo e encontrar as proposições é uma das partes principais na leitura de uma obra expositiva, e isso significa que, no caso desses livros, boa parte do trabalho já está feita. Você pode ter dificuldades com a forma matemática da enunciação; e, se não tiver um conhecimento firme dos argumentos e da base experimental ou observacional das conclusões, terá dificuldades em criticar o livro – isto é, em responder a questões como "É verdade?" e "E daí?". Mesmo assim, num sentido importante, esses livros científicos são mais fáceis de ler do que quase todas as outras obras expositivas.

Outra maneira de explicar o que é que o cientista "exato" faz é dizer que ele "estipula seu uso" – isto é, informa ao leitor quais são os termos essenciais para seu raciocínio e como pretende usá-los. Essas estipulações normalmente acontecem no início do livro, na forma de definições, postulados, axiomas etc. Como a estipulação do uso é característica dessas áreas, já se disse que elas são como jogos ou que têm "a estrutura de um jogo". A estipulação do uso é como o estabelecimento das regras de um jogo. Se você quer jogar pôquer, não vai discutir a regra segundo a qual "ter na mão três cartas iguais é melhor que ter dois pares"; se quer jogar *bridge*, não vai discutir a convenção de que uma rainha vale mais que um valete (no mesmo naipe) ou que o maior trunfo vale mais que qualquer outra carta (no contrato). Da mesma maneira, ao ler o livro de um cientista "exato", você não vai discutir o que ele estipulou.

Até muito recentemente, a estipulação do uso não era tão comum nas ciências sociais quanto nas exatas. Uma razão disso é que as ciências sociais não costumavam ser matematizadas. Outra razão é que *é mais difícil* estipular usos nas ciências sociais ou comportamentais. Uma coisa é definir um círculo ou um triângulo isósceles; outra coisa é definir uma depressão econômica ou a saúde mental. Mesmo que um cientista social procure definir esses termos, os leitores estarão dispostos a questionar seu uso. O resultado é que o cientista social terá de continuar lutando com seus próprios termos ao longo de sua obra – e essa luta cria problemas para o leitor.

A fonte mais importante de dificuldades para a leitura de ciências sociais vem do fato de que essa área literária é composta de textos não puramente expositivos, mas mistos. Já vimos como a história é uma mistura de ficção e ciência, e como é preciso ler livros de história tendo isso em mente. Conhecemos esse tipo de mistura; já tivemos muitas experiências com ele. A situação nas ciências sociais é bem diferente. Boa parte das ciências sociais é uma mistura de ciências, filosofia e história, e sempre se adiciona um pouco de ficção como tempero.

Se as ciências sociais fossem sempre o mesmo tipo de mistura, poderíamos ficar tão familiarizados com ela quanto com a história. Mas estamos longe disso. A própria mistura muda de livro para livro, e o leitor depara com a tarefa de identificar a composição relativa dos itens que formam aquilo que ele está lendo. Essa composição pode mudar ao longo de um livro e de um livro para outro. Não é fácil distingui-la.

Você deve se lembrar que o primeiro passo que o leitor analítico tem de dar é responder à pergunta "Que tipo de livro é esse?". No caso da ficção, a questão é relativamente fácil de responder. No caso das ciências e da filosofia, também; e, ainda que a história seja uma forma mista, ao menos o leitor leigo sabe que está lendo um texto sobre história. Mas os vários itens que compõem as ciências sociais – às vezes costurados segundo um padrão, às vezes segundo outro, às vezes segundo outro ainda – tornam muito difícil a resposta a essa questão quando estamos lendo uma obra em qualquer das áreas relacionadas. O problema, na realidade, *é difícil na exata medida em que definir as ciências sociais também é difícil*.

Ainda assim, o leitor analítico tem de responder, de algum modo, à pergunta. Essa não é apenas sua primeira tarefa, mas também a mais importante. Se ele for capaz de apontar os itens que compõem o livro que está lendo, terá caminhado muito no sentido de entendê-lo.

Delinear uma obra de ciências sociais não apresenta problemas particulares, mas chegar a um acordo com o autor, como já sugerimos, pode ser extremamente difícil, por causa da relativa impossibilidade de o autor estipular seus termos. Mesmo assim, costuma ser possível chegar a um entendimento comum dos termos-chave. Dos termos passamos às proposições e aos argumentos, e aqui também não surge problema algum se o livro for bom. Mas a última questão, "E daí?", exige muito comedimento por parte do leitor. É aqui que a situação que descrevemos antes pode ocorrer – a saber, a situação em que o leitor diz: "Não consigo ver o erro nas conclusões do autor, mas discordo delas mesmo assim". Isso acontece, claro, por causa dos prejulgamentos que o leitor provavelmente guarda em relação à abordagem e às conclusões do autor.

## A LEITURA DE LITERATURA DE CIÊNCIAS SOCIAIS

Usamos mais de uma vez, neste capítulo, a expressão "literatura de ciências sociais", em vez de "livro de ciências sociais". A razão é que é costumeiro nessa área ler diversos livros sobre um assunto, em vez de apenas um. Isso ocorre não apenas porque as ciências sociais são uma área relativamente nova, que ainda não dispõe de muitos textos clássicos, mas também porque, ao ler ciências sociais, frequentemente estamos interessados em *um assunto ou problema específico*, e não em *um autor ou livro específico*. Por exemplo, ficamos interessados na verificação da obediência às leis e lemos meia dúzia de obras sobre o assunto. Ou talvez estejamos interessados em relações raciais, ou em educação, ou em tributos, ou nos problemas das prefeituras. O mais comum é não haver uma única obra de autoridade inconteste sobre nenhum desses assuntos e por isso temos de ler diversos livros. Um sinal disso é que os próprios autores de ciências sociais, buscando mostrar-se atualizados, sempre têm de produzir edições novas e revisadas de suas obras; e as novas obras superam as mais antigas e logo as tornam obsoletas.

Em certa medida, uma situação similar existe na filosofia, como já observamos. Para compreender integralmente um filósofo, é preciso tentar, de algum modo, ler os filósofos que aquele autor leu, os filósofos que o influenciaram. Em certo sentido, isso também se aplica à história: para descobrir a verdade sobre o passado, já sugerimos a leitura de diversos textos a seu respeito, e não um só. Mas, naqueles casos, a chance de você encontrar uma obra importante, de autoridade, era muito maior. Nas ciências sociais isso não é muito comum, por isso a necessidade de ler diversas obras e não apenas uma é muito mais urgente.

As regras da leitura analítica não são aplicáveis em si mesmas à leitura de diversas obras sobre o mesmo assunto. Elas valem para cada uma das obras lidas, claro, e se você quiser ler bem qualquer uma delas, terá de observá-las. Mas é preciso observar novas regras de leitura ao passar do terceiro nível de leitura (a leitura analítica) para o quarto (a leitura sintópica). Agora estamos prontos para tratar desse quarto nível, tendo sentido necessidade, por causa dessa característica das ciências sociais.

Ao observar isso, fica claro por que deixamos a discussão das ciências sociais para o último capítulo da Parte 3. Agora deve estar claro por que organizamos a discussão do modo como fizemos. Começamos com a leitura de livros práticos, que são diferentes de todos os outros em virtude da obrigação particular de agir que o leitor assume uma vez que concorde com o que lê e o aceite. Depois falamos da ficção e da poesia, que apresentam problemas específicos, distintos daqueles dos livros expositivos. Por fim, tratamos dos três tipos de leitura teórica e expositiva: as ciências e a matemática, a filosofia e, agora, as ciências sociais. Estas vieram por último por causa da necessidade de lê-las sintopicamente. Assim, este capítulo serve não apenas como fim da Parte 3, mas também como introdução à Parte 4.

# PARTE 4

# OS FINS ÚLTIMOS DA LEITURA

# 20. O QUARTO NÍVEL DA LEITURA: A LEITURA SINTÓPICA[1]

Até agora não dissemos nada específico sobre como ler dois ou mais livros sobre o mesmo assunto. Sugerimos que, em relação a certos assuntos, há mais de um livro relevante, e mencionamos algumas vezes, de modo muito informal, certos autores e livros inter-relacionados, em diversas áreas. Saber que existe mais de um livro relevante para a abordagem de uma questão específica é a primeira obrigação de qualquer projeto de leitura sintópica. Saber quais livros ler, de modo geral, é a segunda. É muito mais difícil cumprir a segunda obrigação do que a primeira.

A dificuldade fica nítida tão logo examinemos a frase "dois ou mais livros sobre o mesmo assunto". O que queremos dizer com "o mesmo assunto"? Talvez isso seja claro quando o assunto é um único evento ou período histórico, mas em praticamente nenhuma outra área dispomos de tanta clareza assim. *E o Vento Levou* e *Guerra e Paz* são romances sobre uma grande guerra – mas aí acaba a semelhança entre eles. *A Cartuxa de Parma*, de Stendhal, e o romance de Tolstói são "sobre" o mesmo conflito – isto é, as guerras napoleônicas. Mas obviamente nenhum dos dois é sobre a guerra e nem mesmo sobre a guerra em geral. A guerra serve de contexto ou pano de fundo para as duas narrativas – como serve para boa parte da vida humana –, mas é com as narrativas que os autores capturam nossa atenção. Podemos aprender algo sobre a guerra – aliás, Tolstói chegou a dizer que aprendera muito do que sabia sobre batalhas

---

[1] O dicionário Houaiss não lista a entrada "sintópico" no sentido usado neste livro, mas ele é autorizado pelos processos de formação de palavras do português. Adler usou duas raízes gregas (*syn*, que indica simultaneidade, presente em palavras como "sinônimo" e "sincronia"; e *topos*, lugar, mas também um lugar das ideias – um "tópico") para criar uma palavra que significa "a leitura sobre o mesmo assunto". (N. T.)

com a descrição de Stendhal da Batalha de Waterloo –, mas não lemos esses romances, nem outros romances, quando nossa intenção fundamental é estudar a guerra.

Seria possível prever que isso aconteceria no caso da ficção, já que o romancista não se comunica da mesma maneira que um autor expositivo. Mas o mesmo ocorre também no caso das obras expositivas.

Suponha, por exemplo, que você queira ler a respeito da ideia de amor. Como a literatura sobre o amor é vasta, você teria relativamente pouca dificuldade em escolher uma bibliografia. Suponha que tenha feito isso, pedindo ajuda a orientadores, procurando na biblioteca e examinando a bibliografia de um bom trabalho acadêmico sobre o assunto. E suponha que, além disso, você tenha se restringido às obras expositivas, apesar do inequívoco interesse dos poetas pelo assunto. (Depois explicaremos por que é aconselhável fazer isso.) Então você começa a dar uma olhada nos livros da sua bibliografia. O que encontra?

A mais rápida folheada revela um grande número de referências. É difícil encontrar um ato humano que não tenha sido considerado – sob algum aspecto – um ato de amor. Essas referências não se restringem à esfera humana. Se você progredir o bastante na leitura, verá que o amor já foi atribuído a quase tudo no universo; isto é, já se atribuiu a tudo que existe a capacidade de amar ou a de ser amado, quando não ambas.

Diz-se que as pedras amam o centro da Terra. O movimento ascensional do fogo é considerado uma função de seu amor. A atração do pó de ferro por um ímã é descrita como um ato de amor. Existem tratados sobre a vida amorosa das amebas, dos paramécios, dos caracóis e das formigas, isso para não falar dos animais superiores, que, dizem, amam tanto seus donos quanto amam uns aos outros. Quando chegamos aos seres humanos, vemos que os autores falam e escrevem sobre seu amor por homens, por mulheres, por uma mulher, por um homem, por crianças, por si próprios, pela humanidade, pelo dinheiro, pela arte, pela vida caseira, pelos princípios, por uma causa, por uma ocupação ou profissão, pela aventura, pela segurança, por ideias, pela vida no campo, pelo próprio amor, por um bife ou por vinho. Em certos tratados eruditos, diz-se que os movimentos dos corpos celestes são inspirados pelo amor; em outros, os anjos e os demônios são diferenciados pela qualidade de seu amor. E, naturalmente, diz-se que Deus *é* Amor.

Diante dessa vasta gama de referências, como podemos definir o assunto de nossa investigação? Poderemos ter certeza de que se trata de um único assunto? Quando uma pessoa diz "eu amo queijo", outra diz "eu amo futebol" e uma terceira diz "eu amo a humanidade", será que todas estão usando a palavra em algum sentido comum? Afinal, come-se queijo, mas não futebol nem a humanidade; joga-se futebol, mas não queijo nem a humanidade; e, o que quer que "eu amo a humanidade" queira dizer, o sentido dessa frase não parece ser aplicável ao queijo nem ao futebol. Ainda assim, todas as três pessoas usam a mesma palavra. Será que existe alguma razão profunda para isso, alguma razão que não seja imediatamente visível à superfície? Por mais difícil que seja essa questão, poderemos dizer que identificamos o "mesmo assunto" antes de tê-la respondido?

Diante dessa situação caótica, você pode decidir limitar a investigação ao amor humano – ao amor entre os seres humanos, do mesmo sexo ou de sexos diferentes, da mesma idade ou de idades diferentes etc. Isso excluiria as três afirmativas que acabamos de discutir. Mas você ainda encontraria, mesmo que lesse apenas uma pequena fração dos livros sobre o assunto, uma ampla gama de referências. Veria, por exemplo, que alguns autores dizem que o amor consiste integralmente no desejo de posse normalmente o desejo sexual; isto é, o amor não passa de um nome para a atração que quase todos os animais sentem em relação a membros do sexo oposto. Mas você também encontraria em outros autores a afirmação de que o amor, propriamente falando, não contém nenhum desejo de posse e consiste na pura benevolência.[2] Será que o desejo de posse e a benevolência têm algo em comum, considerando que o desejo de posse sempre supõe querer algum bem *para si*, ao passo que a benevolência supõe querer o bem *do outro*?

---

[2] "Benevolência" não no sentido de misericórdia, mas no sentido de querer o bem (*bene*, bem + *volere*, querer) do outro. (N. T.)

Ao menos o desejo de posse e a benevolência compartilham a nota de uma tendência comum, de um desejo em algum sentido muito abstrato do termo. Mas nossa investigação da literatura sobre o assunto logo traria à tona autores que consideram a essência do amor como algo cognitivo e não apetitivo. O amor, segundo esses autores, é um ato intelectual, não emocional. Em outras palavras, *saber* que outra pessoa é *admirável* sempre antecede o *desejo* por ela, em qualquer um dos dois sentidos do desejo. Esses autores não negam que o desejo entra em cena, mas negam que esse desejo deva ser chamado de amor.

Suponhamos – na realidade, achamos que é possível – que você consiga identificar algum sentido comum nessas diferentes concepções do amor humano. Mesmo assim, nem todos os seus problemas terão sido resolvidos. Considere as maneiras como o amor se manifesta entre dois ou mais seres humanos. Será que o amor que um homem e uma mulher sentem um pelo outro é o mesmo quando estão se conhecendo e quando estão casados, ou quando têm vinte anos e quando têm setenta? Será que o amor de uma mulher por seu marido é igual ao que ela sente por seus filhos? Será que o amor de uma mulher por seus filhos muda quando eles crescem? Será que o amor de um irmão por uma irmã é igual a seu amor pelo pai? Será que o amor de um filho por seus pais muda quando ele cresce? Será que o amor de um homem por uma mulher, independentemente de ser ou não sua esposa, é igual à amizade que sente por outro homem, e será que faz diferença o tipo de sua relação com o homem – seja ele seu companheiro de boliche, seu colega de trabalho, seja alguém cuja companhia intelectual ele aprecia? Será que o fato de "amor" e "amizade" serem palavras diferentes significa que as emoções que elas referem (se é que elas as referem mesmo) são diferentes? Será que dois homens de idades diferentes podem ser amigos? Será que podem ser amigos se são distintamente diferentes em algum aspecto, como riqueza ou inteligência? Será que as mulheres podem mesmo ser amigas? Será que irmãos e irmãs podem ser amigos, ou irmão e irmão, ou irmã e irmã? Será que você pode manter a amizade por alguém que lhe empresta dinheiro ou a quem você empresta? Se não, por que não? Será que um menino pode amar seu professor? Será que faz diferença se o professor é homem ou mulher? Se existissem robôs humanoides, será que os seres humanos poderiam amá-los? Se descobríssemos seres inteligentes em Marte ou em outro planeta, será que poderíamos amá-los? Poderíamos amar alguém que nunca vimos pessoalmente, como uma estrela de cinema ou o presidente da República? Se odiamos alguém, será que isso é, na realidade, uma expressão de amor?

Essas são só algumas das questões que seriam levantadas por sua leitura de apenas uma parte da literatura expositiva padrão sobre o amor. Seria possível levantar muitas outras questões. Contudo, pensamos já ter mostrado o que pretendíamos mostrar. Há um curioso paradoxo em qualquer projeto de leitura sintópica. Ainda que esse nível de leitura seja definido como a leitura de dois ou mais livros sobre o mesmo assunto, o que supõe que a identificação do assunto aconteça antes de a leitura começar, é verdade, em certo sentido, que a identificação do assunto há de acontecer após a leitura, e não antes. No caso do amor, talvez você tenha de ler uma dúzia ou uma centena de livros antes de poder julgar a respeito do que está lendo. E, quando você tiver feito isso, talvez venha a concluir que metade dos livros que leu nem sequer tratava do assunto.

## O PAPEL DA INSPEÇÃO NA LEITURA SINTÓPICA

Dissemos mais de uma vez que os níveis de leitura são cumulativos, que um nível mais elevado inclui todos os que estão abaixo ou antes dele. Agora é hora de explicar o que isso significa no caso da leitura sintópica.

Você há de lembrar que, ao explicar a relação entre a leitura inspecional e a leitura analítica, mostramos que os dois passos da leitura inspecional – primeiro, a sondagem; depois, a leitura superficial – antecipavam os dois primeiros passos da leitura analítica. A sondagem auxilia no preparo para o primeiro passo da leitura analítica, no qual você identificará o assunto do que quer que esteja lendo, saberá de que tipo de livro se trata e delineará sua estrutura. A leitura superficial, ainda que também seja importante naquele primeiro passo da leitura analítica, é fundamentalmente uma preparação para o segundo passo, em que cabe a você interpretar o conteúdo de um livro chegando a um acordo com o autor, formulando suas proposições e seguindo seus raciocínios.

De modo mais ou menos análogo, tanto a leitura inspecional quanto a analítica podem ser consideradas antecipações da leitura sintópica ou preparações para ela. É aqui, de fato, que a leitura inspecional se torna um dos mais importantes instrumentos do leitor.

Suponhamos novamente que você disponha de uma bibliografia de mais ou menos cem livros, todos aparentemente sobre o amor. Se ler cada um deles analiticamente, você não só terá uma ideia bastante clara do assunto que estava investigando – o "mesmo assunto" do projeto de leitura sintópica –, como ainda saberá quais dos livros que leu não tratavam daquele assunto e eram desnecessários, portanto. Mas ler cem livros analiticamente pode levar uns bons dez anos. Mesmo que você possa se dedicar em tempo integral ao projeto, isso ainda levaria muitos meses. Diante do paradoxo da leitura sintópica que mencionamos, um atalho é obviamente necessário.

Esse atalho é dado por sua capacidade de leitura inspecional. A primeira coisa a fazer quando você tiver reunido sua bibliografia é *inspecionar todos os livros da lista*. Você não deveria ler nenhum deles analiticamente antes de inspecionar *todos* eles. A leitura inspecional não apenas irá familiarizá-lo com todos os detalhes do assunto, ou com todas as intuições que os autores da lista podem oferecer, mas também realizará duas funções essenciais. Primeiro, ela lhe dará uma ideia suficientemente clara do assunto, de modo que sua leitura analítica posterior de *alguns* dos livros da lista seja produtiva. Em segundo lugar, permitirá que você reduza a bibliografia a um tamanho mais razoável.

Seria difícil apontar outro conselho mais útil para os estudantes, especialmente os de mestrado e os pesquisadores, do que esse, se ao menos eles lhe dessem atenção. Em nossa experiência, certo número de alunos nesses níveis avançados de estudo têm alguma capacidade de ler ativa e analiticamente. Talvez eles não existam em número suficiente e talvez estejam longe de ser leitores perfeitos, mas ao menos sabem como extrair a essência de um livro, fazer afirmações razoavelmente inteligíveis sobre ele e encaixá-lo num roteiro ou plano de seu assunto. Mas seus esforços são terrivelmente dispendiosos porque eles não sabem *como ler alguns livros mais rápido do que outros*. Gastam o mesmo tempo em cada livro ou artigo que leem. Como resultado, não leem bem os livros que merecem uma boa leitura e perdem tempo com livros que merecem menos atenção.

O leitor inspecional capaz faz mais do que classificar um livro em seu catálogo mental de fichas e do que atingir um conhecimento superficial de seus conteúdos. Ele também descobre, no breve tempo que leva para inspecioná-lo, *se o livro diz algo importante sobre o assunto ou não*. Ele pode ainda não saber precisamente que algo é esse – essa descoberta provavelmente terá de aguardar outra leitura, mas já descobriu duas coisas. Ou terá de retornar ao livro para mais esclarecimentos, ou o livro, por mais que seja agradável ou informativo, não tem nada a esclarecer e, portanto, não precisa ser lido novamente.

Há uma razão pela qual esse conselho é frequentemente desprezado. No caso da leitura analítica, dissemos que o leitor capaz realiza simultaneamente processos que o iniciante tem de realizar em separado. De modo similar, pareceria que esse tipo de preparação para a leitura sintópica – a inspeção de todos os livros de sua lista antes de iniciar a leitura analítica de qualquer um deles – poderia acontecer simultaneamente com a leitura analítica. Mas não acreditamos que isso possa ser feito por qualquer leitor, por mais capaz que seja. E é esse mesmo o erro que tantos jovens pesquisadores cometem. Ao pensar que podem juntar esses dois passos num só, acabam lendo tudo com a mesma velocidade, o que pode ser rápido demais ou vagaroso demais, para alguma obra em particular, mas, de qualquer modo, é inadequado para a maioria dos livros que leem.

Uma vez que, por meio da inspeção, você tenha identificado os livros que são relevantes para seu assunto, então pode começar a lê-los sintopicamente. Observe que, nesta última frase, não dissemos "passar a lê-los analiticamente", como você talvez tenha esperado. Em certo sentido, claro, você tem de ler cada uma das obras individuais que, juntas, constituem a literatura do assunto que quer estudar, usando as capacidades que adquiriu ao aplicar as regras da leitura analítica. Mas nunca poderá esquecer que *a arte da leitura analítica se aplica à leitura de um único livro*, quando o objetivo em vista é a compreensão desse livro. Como veremos, o objetivo da leitura sintópica é bem diferente.

## OS CINCO PASSOS DA LEITURA SINTÓPICA

Agora estamos prontos para explicar como ler sintopicamente. Vamos presumir que, graças à inspeção de diversos livros, você tenha uma ideia bastante clara do assunto tratado por ao menos alguns deles e, mais ainda, já saiba que esse é o assunto que quer investigar. O que fazer, então?

Os passos da leitura sintópica são cinco. Não vamos chamá-los de regras, ainda que pudéssemos, porque, se algum desses passos for ignorado, a leitura sintópica ficará muito mais difícil, se não impossível. Vamos discuti-los por alto, na ordem em que devem ser dados, ainda que, em certo sentido, seja preciso dar todos esses passos para poder dar qualquer um deles.

PRIMEIRO PASSO DA LEITURA SINTÓPICA: ENCONTRAR AS PASSAGENS RELEVANTES. Como estamos naturalmente presumindo que você sabe ler analiticamente, estamos também presumindo que você seria capaz de ler minuciosamente todos os livros relevantes, se quisesse. Mas isso seria dar o primeiro lugar da sua lista de prioridades aos livros e o segundo lugar aos problemas. Na realidade, a ordem é inversa. *Na leitura sintópica, você e suas preocupações serão atendidos em primeiro lugar, não os livros que você lê.*

Assim, o primeiro passo desse nível de leitura é uma nova inspeção integral das obras que você considerou relevantes. Seu objetivo é encontrar, nos livros, as passagens que são mais importantes para suas necessidades. É improvável que qualquer um dos livros em seu todo trate diretamente do assunto que você escolheu, ou que o está perturbando. Ainda que isso aconteça, como raramente acontece, você deve ler o livro rapidamente. Não pode esquecer que o lê por um propósito ulterior, isto é, pelo esclarecimento que ele pode trazer ao seu problema, e não por ele mesmo.

Talvez pareça que esse passo poderia ser dado junto à inspeção do livro descrita anteriormente, cujo propósito era descobrir apenas se o livro era relevante para suas preocupações. Em muitos casos, poderia. Mas não se recomenda considerar que isso seja sempre possível. Lembre-se de que um dos objetivos da sua primeira inspeção do livro era delimitar o assunto do seu projeto de leitura sintópica. Já dissemos que nem sempre se tem uma compreensão adequada do problema até que boa parte dos livros da lista original tenha sido inspecionada. Portanto, tentar identificar as *passagens relevantes* ao mesmo tempo em que se tenta identificar os *livros relevantes* costuma ser arriscado. A menos que você seja muito habilidoso ou que já tenha muita familiaridade com o assunto, é melhor dar cada um desses passos por vez.

O importante aqui é perceber a diferença entre os primeiros livros que você lê durante a leitura sintópica e aqueles a que você chega após ter lido muitos outros livros sobre o assunto. No caso dos livros posteriores, você provavelmente já terá uma ideia bem clara do seu problema e nesse caso os dois passos poderão ser dados em conjunto. Mas no começo devem ser dados, rigorosamente, um de cada vez. Caso contrário, é grande a chance de que você cometa erros graves na identificação das passagens relevantes, erros que terão de ser corrigidos depois, levando a um desperdício de tempo e de esforço.

Acima de tudo, lembre-se de que sua tarefa não é tanto chegar a uma compreensão geral do livro que tem em mãos, mas descobrir como ele pode ser útil a você *em relação a algo que pode estar muito distante até mesmo do propósito do autor ao escrevê-lo*. Isso não importa nesse estágio dos procedimentos. O autor pode ajudá-lo a resolver seu próprio problema sem ter tido essa intenção. Na leitura sintópica, como observamos, os livros lidos é que servem a você, não o contrário. Nesse sentido, a leitura sintópica é a leitura mais ativa que se pode fazer. A leitura analítica também é ativa, claro. Mas quando você lê um livro analiticamente, assume em relação a ele a posição de discípulo; quando lê sintopicamente, *você* é o mestre da situação.

Por causa disso, você precisa chegar a um acordo com os autores de um modo um pouco diferente do anterior.

SEGUNDO PASSO DA LEITURA SINTÓPICA: FAZER OS AUTORES CHEGAREM A UM ACORDO COM VOCÊ. Na leitura interpretativa (o segundo estágio da leitura analítica), a primeira regra exige que você chegue a um acordo com o autor, o que significa identificar suas palavras-chave e descobrir como ele as utiliza. Agora, porém, você está diante de diversos autores diferentes e é muito improvável que eles todos tenham usado as mesmas palavras, nem sequer os mesmos termos. *Por isso, cabe a você estabelecer os termos e fazer os autores concordarem com eles, não o contrário.*

Esse é provavelmente o passo mais difícil da leitura sintópica. Ele se resume, na realidade, a forçar um autor a *usar suas palavras, em vez de você usar as dele.* Todos os nossos hábitos normais de leitura são contrários a isso. Como observamos diversas vezes, presumimos que o autor de um livro que queremos ler analiticamente é melhor que nós, o que é mais verdade ainda quando o livro é um clássico. Nossa tendência é aceitar os termos do autor e a maneira como ele organizou o assunto, por mais ativamente que busquemos entendê-lo. Na leitura sintópica, porém, logo vamos nos perder se aceitarmos a terminologia de algum autor. Talvez entendamos o livro *dele*, mas não conseguiremos entender os outros, e veremos que o assunto pelo qual estamos interessados não fica assim tão mais esclarecido.

Não só temos de nos recusar obstinadamente a aceitar a terminologia de *todo e qualquer* autor, como também temos de considerar a possibilidade de que *nenhuma* terminologia, de nenhum autor, possa nos servir. Em outras palavras, temos de aceitar o fato de que uma coincidência de terminologias entre nós e qualquer um dos autores de nossa lista seja puramente acidental. Na realidade, muitas vezes essa coincidência será inconveniente; afinal, se usarmos um termo ou um grupo de termos de um autor, poderemos ficar tentados a aceitar outros, e estes podem mais atrapalhar do que ajudar.

Em suma, a leitura sintópica é, em grande medida, um exercício de tradução. Não de traduzir de uma língua natural para outra, como do francês para o inglês. Mas nela impomos uma terminologia comum a diversos autores que, independentemente da língua natural que talvez tenham compartilhado, podem não ter se interessado particularmente pelo problema que buscamos resolver e, portanto, talvez não tenham criado a terminologia ideal para lidar com ele.

Isso significa que, à medida que avançamos em nosso projeto de leitura sintópica, temos de começar a criar um grupo de termos que, em primeiro lugar, ajude-nos a entender todos os nossos autores, e não só algum ou alguns deles; e, em segundo lugar, ajude-nos a resolver nosso problema. Essa intuição leva ao terceiro passo.

Terceiro passo da leitura sintópica: esclarecer as questões. A segunda regra da leitura interpretativa ordena que encontremos as sentenças-chave do autor, e, a partir delas, desenvolvamos o entendimento de suas proposições. As proposições são feitas de termos e claro que devemos executar a mesma tarefa nas obras que lemos sintopicamente. Mas como, neste caso, nós mesmos estabelecemos os termos, *também nos cabe a tarefa de estabelecer um conjunto de proposições neutras*. A melhor maneira de fazer isso é preparar uma série de perguntas que podem esclarecer o problema, às quais cada um dos autores deve responder.

Isso também é difícil. As questões têm de ser formuladas de certo modo e em certa ordem, para que ajudem a resolver o problema que motivou tudo, mas também têm de ser formuladas de tal modo que possamos extrair respostas de todos ou de quase todos os autores selecionados. A dificuldade é que as questões que queremos que sejam respondidas podem nem ser consideradas questões pelos autores. Entre o nosso ponto de vista e o deles, o assunto pode assumir aspectos muito diferentes.

Às vezes, temos de concluir que um autor não dá *nenhuma* resposta a uma ou mais de nossas questões. Nesse caso, registramos que ele se calou ou que foi vago em sua resposta. Mas, ainda que ele não discuta a questão explicitamente, às vezes podemos encontrar uma resposta implícita em seu livro. *Se* ele tivesse considerado a questão, podemos concluir que *então* teria respondido de tal ou qual maneira. Aqui é preciso comedimento; não podemos pôr ideias na cabeça do nosso autor nem palavras em sua boca. Mas também não podemos depender integralmente de suas afirmações explícitas sobre o problema. Se pudéssemos depender tanto assim de qualquer uma delas, provavelmente não teríamos um problema a solucionar.

Dissemos que é preciso ordenar as questões de modo útil a nossa investigação. A ordem depende do assunto, naturalmente, mas é possível sugerir algumas diretrizes gerais. As primeiras questões normalmente têm a ver com *a existência ou a natureza do fenômeno ou ideia que estamos investigando*. Se um autor diz que o fenômeno existe ou que a ideia tem certa natureza, então não precisamos fazer mais perguntas a seu livro. Essas perguntas seguintes teriam a ver com *o modo como o fenômeno é observado ou como a ideia se manifesta*. A última série de perguntas diria respeito *às consequências das respostas dadas às perguntas anteriores*.

Não devemos esperar que todos os nossos autores respondam às nossas perguntas do mesmo modo. Se o fizessem, mais uma vez, não teríamos nenhum problema a solucionar; ele teria sido solucionado pelo consenso. Como os autores hão de divergir, somos obrigados a dar o passo seguinte da leitura sintópica.

QUARTO PASSO DA LEITURA SINTÓPICA: DEFINIR AS DIVERGÊNCIAS. Se uma questão está clara e se podemos ter uma certeza razoável de que os autores a respondem de maneiras diferentes – talvez contra e a favor –, então temos uma divergência. Trata-se da divergência entre os autores que respondem a uma questão de um modo e aqueles que a respondem de algum modo contrário.

Quando todos os autores examinados dão apenas duas respostas, a divergência é relativamente simples. Frequentemente, há mais que duas respostas para uma questão. Nesse caso, as respostas contrárias têm de ser ordenadas umas em relação às outras, e os autores que as adotam têm de ser classificados de acordo com suas opiniões.

Uma divergência surge quando dois autores que entendem uma questão do mesmo modo respondem-na de maneiras contrárias ou contraditórias. Mas isso não acontece com a frequência que seria desejável. Normalmente, as diferenças nas respostas podem ser atribuídas com igual frequência a *diferentes concepções da questão* e a *diferentes visões do assunto*. Cabe ao leitor sintópico a tarefa de definir as divergências de tal modo que possa participar delas com o máximo de clareza. Às vezes, isso força o leitor a adotar uma formulação da questão que não é seguida por nenhum autor.

Pode haver muitas divergências na discussão do problema que se quer solucionar, mas é provável que elas façam parte de alguns grupos. As questões sobre a natureza da ideia que se considera, por exemplo, podem gerar várias divergências relacionadas. Se tivermos muitas divergências em torno de uma série de questões intimamente relacionadas, então poderemos dizer que há uma *controvérsia* sobre aquele aspecto do assunto. Essa controvérsia pode ser bastante complicada, e cabe ao leitor sintópico discriminar as divergências e organizá-las de modo claro, ainda que nenhum autor tenha conseguido fazer isso. Essa discriminação e essa organização das divergências e das controvérsias nos levam ao último passo da leitura sintópica.

QUINTO PASSO DA LEITURA SINTÓPICA: ANALISAR A DISCUSSÃO. Até agora encontramos as passagens relevantes nas obras examinadas, criamos uma terminologia neutra que se aplica a todos os autores examinados ou à maioria deles, formulamos e ordenamos uma série de questões que, segundo nossa interpretação, a maior parte deles responde, e definimos e organizamos as divergências produzidas pelas respostas diferentes dadas às questões. O que falta fazer?

Os quatro primeiros passos correspondem aos dois primeiros grupos de regras da leitura analítica. Essas regras, quando seguidas e aplicadas a qualquer livro, permitiram-nos responder às perguntas "O que diz o livro?" e "Como ele diz?". Em nosso projeto de leitura sintópica, somos igualmente capazes, a esta altura, de responder às mesmas perguntas sobre a discussão relacionada a nosso problema. No caso da leitura analítica de uma única obra, ainda restava responder a duas questões, "É verdade" e "E daí?". No caso da leitura sintópica, agora estamos preparados para abordar questões similares a respeito da discussão.

Vamos presumir que o problema com que começamos não fosse simples, e sim um daqueles problemas perenes com que os pensadores se debatem há séculos, a respeito dos quais homens bons discordaram e podem continuar discordando. Devemos reconhecer, por causa disso, que nossa tarefa, como leitores sintópicos, não é meramente responder nós mesmos às perguntas – aquelas perguntas que tão cuidadosamente formulamos e ordenamos para elucidar tanto a discussão do assunto quanto o próprio assunto. Não se encontra facilmente a verdade de um problema dessa magnitude. Aliás, seria provavelmente presunçoso esperar que a verdade pudesse ser encontrada em qualquer série de respostas às perguntas. Antes, ela há de ser encontrada, se for encontrada, *no conflito das respostas contrárias*, e muitas, se não todas, podem trazer provas persuasivas e argumentos convincentes para apoiá-las.

A verdade, então, à medida que pode ser encontrada – a solução do problema, à medida que ela se apresenta para nós –, consiste na *própria discussão ordenada* e não em qualquer série de proposições ou afirmações a respeito dela. Assim, para apresentar essa verdade à nossa mente – e à mente dos outros – temos de fazer algo mais do que simplesmente formular perguntas e respondê-las. Temos de fazê-las numa certa ordem e temos de ser capazes de defender essa ordem; temos de ser capazes de mostrar como essas questões são respondidas de modos diferentes e tentar explicar por quê; e temos de ser capazes de apontar os textos nos livros examinados que apoiam nossa classificação das respostas. Só quando tivermos feito tudo isso poderemos dizer que analisamos a discussão do nosso problema. E somente então poderemos dizer que o entendemos.

Podemos, na realidade, ter feito mais do que isso. Uma análise minuciosa da discussão de um problema pode fornecer o arcabouço para novos trabalhos produtivos sobre o problema por outras pessoas. Ela pode varrer o pó e preparar o caminho para que um pensador original faça progresso. Sem o trabalho de análise, talvez isso não venha a ser possível, porque as dimensões do problema podem não ficar visíveis.

## A OBJETIVIDADE NECESSÁRIA

Uma análise adequada da discussão de um problema ou assunto identifica e enumera as principais divergências, ou as oposições intelectuais básicas, da discussão. Isso não significa que a discórdia seja sempre a característica dominante de toda discussão. Pelo contrário, na maior parte dos casos, a concórdia acompanha a discórdia; isto é, na maior parte das divergências, as opiniões ou perspectivas que apresentam lados opostos da disputa são compartilhadas por diversos autores, e frequentemente por muitos. É raro encontrarmos um defensor solitário de uma posição controversa.

A concórdia entre os seres humanos quanto à natureza das coisas em qualquer campo de investigação estabelece certa presunção da veracidade das opiniões que eles têm em comum. Mas a discórdia estabelece a presunção contrária – de que *nenhuma* das opiniões em conflito, quer sejam compartilhadas, quer não, pode ser inteiramente verdadeira. Claro que uma das opiniões em conflito pode ser inteiramente verdadeira e todas as outras falsas; mas também é possível que cada uma delas expresse *alguma parte da verdade toda*; e, excetuando as contradições absolutas e isoladas (que são raras em qualquer discussão do tipo de problemas com que estamos lidando aqui), é até possível que *todas as opiniões em conflito sejam falsas*, assim como é possível que seja falsa a opinião com que todos parecem concordar. Alguma opinião ainda não formulada pode representar a verdade, ou estar mais perto dela.

Isso equivale a dizer de outro modo que o objetivo de um projeto de leitura sintópica não é obter respostas definitivas para as perguntas que surgem em seu curso nem encontrar a solução final do problema que deu início ao projeto. Isso vale particularmente para o relatório que talvez venhamos a fazer dessa leitura sintópica. Seria dogmático, e não dialético, se esse relatório buscasse afirmar ou provar a veracidade ou a falsidade de qualquer opinião relacionada às divergências identificadas e analisadas. Se fizesse isso, a análise sintópica deixaria de ser sintópica; ela se tornaria apenas uma voz a mais na discussão, perdendo, assim, seu caráter distanciado e objetivo.

Não queremos dizer que uma voz a mais não tem grande importância no fórum das discussões humanas sobre assuntos importantes. O que queremos dizer é que é possível e necessário fazer um tipo diferente de contribuição à busca do conhecimento e essa contribuição consiste em manter-se resolutamente objetivo e distanciado. A qualidade particular a que uma análise sintópica tenta chegar pode, na realidade, ser resumida na expressão "objetividade dialética".

Em suma, o leitor sintópico tenta *olhar para todos os lados sem ficar de lado algum*. Claro que ele jamais atingirá esse rigoroso ideal. A objetividade absoluta não é humanamente possível. Talvez ele consiga não ficar de lado algum, apresentar os assuntos sem preconceitos em relação a qualquer ponto de vista particular e tratar as opiniões contrárias com imparcialidade. Mas é mais fácil não ficar de lado algum do que olhar para todos os lados. O leitor sintópico certamente falhará nesse aspecto. Não é possível enumerar exaustivamente todos os lados de uma divergência. Ainda assim, é preciso tentar.

Não ficar de lado algum é mais fácil do que olhar todos os lados, mas ainda assim é difícil. O leitor sintópico tem de resistir a certas tentações e tem de conhecer sua própria mente. Evitar julgamentos *explícitos* a respeito da veracidade de opiniões conflitantes não basta para garantir a perfeita objetividade dialética. A parcialidade pode manifestar-se de muitas maneiras sutis – pela maneira como os argumentos são resumidos, pelas nuanças daquilo que se coloca em primeiro ou segundo plano, pelo tom com que se faz uma pergunta ou uma observação e pela ordem em que são apresentadas as diferentes respostas a perguntas-chave.

No intuito de evitar alguns desses riscos, o leitor sintópico consciencioso pode lançar mão de um recurso óbvio e usá-lo tanto quanto possível, ou seja, *ele deve constantemente reportar-se ao próprio texto dos autores*, lendo e relendo incessantemente os trechos relevantes; e, ao apresentar os resultados de seu trabalho a uma plateia mais ampla, é preciso que ele cite a opinião ou o raciocínio de um autor com as próprias palavras do autor. Ainda que isso pareça contradizer o que dissemos antes sobre a necessidade de encontrar uma terminologia neutra com que analisar o problema, não é o que ocorre. A necessidade permanece e é preciso usar essa terminologia ao apresentar um resumo do pensamento de um autor, não as próprias palavras do autor. Mas essas, citadas com cuidado para que não fiquem descontextualizadas, devem acompanhar o resumo, de modo que o leitor possa julgar por si próprio se a interpretação daquele autor está correta.

No que diz respeito a impedir outros desvios da objetividade dialética, não se pode contar com nada além da firme intenção do leitor sintópico de evitá-los. Esse ideal exige o esforço deliberado de pesar uma questão e outra, de omitir qualquer comentário que possa ser prejudicial, de suspender toda tendência a enfatizar ou negligenciar algo. Em última análise, ainda que o leitor possa ser o juiz da qualidade do relatório de uma exposição dialética, somente seu autor – somente o próprio leitor sintópico – pode saber se atendeu a essas exigências.

## UM EXEMPLO DE EXERCÍCIO DE LEITURA SINTÓPICA: A IDEIA DE PROGRESSO

Um exemplo pode ajudar a explicar o funcionamento da leitura sintópica. Consideremos a ideia de progresso. Não escolhemos esse assunto aleatoriamente.

Já o pesquisamos extensivamente.[3] O exemplo não lhe seria tão útil se já não o tivéssemos pesquisado.

A investigação dessa importante ideia histórica e filosófica tomou vários anos. A primeira tarefa consistiu em produzir uma lista de obras em que procuramos trechos relevantes, isto é, em reunir uma bibliografia (que chegou a 450 itens). Essa tarefa foi realizada por meio de uma série de leituras inspecionais de muitos livros, artigos e outros textos. É importante notar que, no caso da ideia de progresso – e a mesma coisa aconteceria no caso de muitas outras ideias importantes –, muitos dos itens por fim considerados relevantes foram encontrados por acaso ou então porque tínhamos alguma ideia de onde procurar. Alguns lugares eram óbvios: muitos livros atuais trazem a palavra "progresso" no título. Mas outros não, e a maioria dos livros mais antigos, ainda que sejam relevantes para o assunto, nem sequer empregam o termo.

Lemos algumas obras de ficção e de poesia, mas acabamos decidindo concentrar a atenção nas obras expositivas. Já havíamos observado que, por razões diversas, é difícil incluir romances, peças teatrais e poemas num projeto de leitura sintópica. A primeira dessas razões é que a espinha dorsal ou a essência de uma narrativa é seu enredo, não suas posições diante de certas divergências. Em segundo lugar, mesmo os personagens mais falantes raramente assumem posições claras sobre um assunto – numa narrativa, eles tendem a falar de outras coisas, sobretudo de relações emocionais. Terceiro, ainda que um personagem venha a manifestar-se desse modo – por exemplo, como Settembrini fala do progresso em *A montanha mágica*, de Thomas Mann –, não é possível ter certeza de que a opinião *do autor* está sendo aí representada. Será que o autor está sendo irônico ao permitir que seu personagem fique falando do assunto? Será que a intenção é que você perceba a tolice de sua posição, e não sua sabedoria? Falando de modo geral, é necessário um esforço intenso de interpretação sintética para que se possa atribuir a uma obra de ficção uma posição qualquer sobre um

[3] Os resultados dessas pesquisas foram publicados em *The Idea of Progress* [A Ideia de Progresso], Nova York, Praeger, 1967. A obra foi escrita sob os auspícios do Institute for Philosophical Research, do qual os autores são, respectivamente, diretor e diretor associado.

assunto. O esforço é tão grande, e os resultados tão essencialmente duvidosos, que costuma ser mais prudente abster-se.

A discussão do progresso nas muitas obras ainda por examinar parecia, como de hábito, caótica. Diante disso, a tarefa era, como indicamos, desenvolver uma terminologia neutra. A empreitada era complexa, mas um exemplo pode ajudar a explicar o que foi feito.

A própria palavra "progresso" é usada pelos autores de várias maneiras diferentes. A maior parte dessas maneiras não faz mais que refletir nuanças de significado e elas podem ser discutidas na análise. Mas *alguns autores* usam a palavra para indicar algumas espécies de movimento para a frente que não correspondem a uma melhora. Como a *maioria* dos autores usa a palavra para indicar uma mudança histórica para melhor na condição humana, e a melhora é essencial nesse conceito, não se pode usar a mesma palavra para designar as duas opiniões. Nesse caso, a maioria venceu, e a facção minoritária passou a ser referida como os autores que afirmam que há um "avanço sem melhora" na história. O que se quer dizer é que, ao discutir as opiniões da facção minoritária, *não podíamos usar a palavra "progresso", embora tenha sido utilizada pelos próprios autores discutidos*.

O terceiro passo da leitura sintópica é, como observamos, esclarecer as perguntas. O exame demonstrou que nossa intuição a respeito da pergunta básica no caso do progresso estava correta. A primeira pergunta a fazer, a pergunta à qual os autores parecem ter dado várias respostas, é "Existe progresso na história? Será que o curso geral da mudança histórica aponta uma melhora da condição humana?". Basicamente, três respostas distintas aparecem na literatura a respeito: (1) sim; (2) não; e (3) não há como saber. Há, contudo, diversas maneiras de dizer sim, diversas maneiras de dizer não e ao menos três maneiras diferentes de dizer que não há como saber se o progresso humano existe ou não.

As muitas respostas diferentes entre si e inter-relacionadas a essa primeira pergunta constituem aquilo que decidimos chamar de controvérsia *geral* sobre o progresso. Ela é geral no sentido de que cada autor estudado que tinha algo importante a dizer sobre o assunto assume posições a respeito das muitas divergências que podem ser identificadas nele. Mas existe também uma controvérsia *especial* sobre o progresso, composta das divergências que só existem entre os autores que afirmam existir o progresso. Essas divergências têm a ver com a natureza ou com as propriedades do progresso que eles, *por defenderem que o progresso existe*, afirmam ser um fato histórico. Só pode haver três divergências quanto a isso, ainda que a discussão de cada uma delas seja complexa. Elas podem ser formuladas como questões: (1) Será que o progresso acontece necessariamente ou depende de outras ocorrências? (2) Será que o progresso continuará indefinidamente ou será que um dia chegará ao fim ou se estabilizará? (3) Haverá progresso na natureza humana, assim como nas instituições humanas – progresso no próprio animal humano ou apenas nas condições exteriores da vida humana?

Por fim, há um conjunto de divergências subordinadas – como decidimos chamá-las – que, mais uma vez, só existe entre os autores que creem no progresso, a respeito das *áreas* em que o progresso ocorre. Identificamos seis áreas em que, segundo esses autores, há progresso, ainda que outros autores neguem sua ocorrência em uma ou mais delas – mas nunca em todas (já que, por definição, trata-se de autores que afirmam a ocorrência de algum tipo de progresso). São elas: (1) progresso no conhecimento; (2) progresso tecnológico; (3) progresso econômico; (4) progresso político; (5) progresso moral e (6) progresso artístico. A discussão da última área levanta problemas particulares, já que, em nossa opinião, nenhum autor verdadeiramente *afirma* que esse progresso ocorre, ainda que diversos autores *neguem* qualquer progresso nessa área.

A estrutura da análise do progresso que acabamos de descrever exemplifica nosso esforço para definir as questões que fazem parte da discussão do assunto e tentar analisar a discussão mesma – em outras palavras, a dar o quarto e o quinto passos da leitura sintópica. Um leitor sintópico é sempre obrigado a fazer isso, ainda que, é claro, nem sempre ele tenha a obrigação de escrever um livro extenso explicando suas pesquisas.[4]

---

[4] Agora que esse livro foi escrito e publicado, esperamos que realmente possibilite algum avanço intelectual que corresponda ao que esperamos como fruto da leitura sintópica e que o livro sobre o progresso facilite novos trabalhos na área, assim como outros livros produzidos pelo Institute for Philosophical Research nas áreas de liberdade, felicidade, justiça e amor facilitaram o trabalho nessas áreas respectivas – trabalho bastante árduo antes de tais livros existirem.

## O SINTÓPICO E O MODO DE USÁ-LO

Se você estiver lendo este capítulo com cuidado, terá notado que, apesar de o termos discutido, não chegamos de fato a resolver aquilo que chamamos de paradoxo da leitura sintópica. Esse paradoxo pode ser formulado desta maneira: a menos que você saiba que livros precisa ler, não poderá ler sintopicamente; mas, a menos que você leia sintopicamente, não saberá que livros precisa ler. Outra maneira de dizer isso está naquilo que pode ser chamado de problema fundamental da leitura sintópica, isto é, que se você não sabe onde começar, não pode ler sintopicamente; e mesmo que você tenha alguma ideia de onde começar, o tempo necessário para encontrar os livros relevantes e as passagens relevantes nesses livros pode ser maior que o tempo necessário para todos os outros passos juntos.

Na realidade, é claro, ao menos em teoria existe uma solução para o paradoxo e uma solução para o problema. Teoricamente, você poderia conhecer tão bem a parte mais importante da literatura da nossa tradição que teria uma noção razoável sobre onde encontrar nela uma discussão de cada ideia. Mas, se você é uma dessas pessoas, não precisa da ajuda de ninguém e não há nada que possamos dizer sobre a leitura sintópica que você já não saiba.

Porém, ainda que você mesmo não tivesse esse conhecimento, poderia pedir ajuda a alguém que o tivesse. Mas teria de admitir que, se pudesse pedir ajuda a alguém assim, tais conselhos poderiam atrapalhar tanto quanto ajudar. Se essa pessoa mesma tivesse se dedicado particularmente ao assunto, seria difícil para ela simplesmente enumerar os trechos cuja leitura é mais relevante sem lhe dizer *como lê-los* – e isso pode atrapalhar. Mas, se ela não tiver se dedicado especialmente ao assunto, pode não saber muito mais do que você, ainda que você e ela tenham essa impressão.

O que é necessário, portanto, é uma obra de referência que diga onde encontrar os trechos mais importantes a respeito de diversos assuntos de interesse, mas sem dizer como essas passagens devem ser lidas – sem prejulgar seu sentido ou sua relevância. O *Syntopicon* é um livro assim. Produzido na década de 1940, trata-se de um índice tópico à série de livros intitulada *Great Books of the Western World* [Clássicos do Ocidente]. Para cerca de três mil tópicos ou assuntos, ele lista referências às páginas dos volumes da série em que o assunto é discutido. Algumas das referências levam a trechos que cobrem muitas páginas, outras a parágrafos-chave ou só a partes de parágrafos. O tempo que se gasta para encontrá-los é o tempo de pegar o volume indicado e chegar até a página.

O *Syntopicon* tem, é claro, um grande defeito. É um índice que se refere a apenas uma série de livros (mas uma série grande) e indica de modo um tanto vago como encontrar trechos em outros livros que não fazem parte da série. Mesmo assim, ele sempre dá ao menos um ponto de partida para qualquer projeto de leitura sintópica. Também é verdade que os livros que fazem parte da série são aqueles que você, no curso do projeto, provavelmente iria querer ler de qualquer jeito. Assim, o *Syntopicon* pode poupar ao estudioso maduro ou ao leitor que inicia sua pesquisa a respeito de um problema grande parte do trabalho preliminar de pesquisa e ajudá-lo a chegar rapidamente ao ponto em que ele pode começar a pensar no assunto de modo independente, porque já conhece aquilo que outros pensaram.

Por mais útil que o *Syntopicon* seja para esse tipo de leitor, ele é muito mais útil para o iniciante. O *Syntopicon* pode ajudar um leitor de três maneiras: fornecendo iniciativa, sugestões ou instruções.

Ele fornece *iniciativa* ao superar a dificuldade inicial enfrentada por qualquer pessoa que depare com os livros clássicos de nossa tradição. Essas obras intimidam um pouco. Podemos querer conhecê-las, mas nem sempre o fazemos. Todos nos incitam a lê-las e nos oferecem programas de leitura, começando pelas obras mais fáceis até chegar às mais difíceis. Todos esses programas, porém, exigem a leitura de livros inteiros ou no mínimo a leitura integral de longos trechos deles. A experiência geral demonstra que esse tipo de solução raramente atinge o resultado desejado.

Uma leitura sintópica dessas grandes obras, com a ajuda do *Syntopicon*, traz uma solução radicalmente diferente. O *Syntopicon* inicia a leitura dos clássicos permitindo às pessoas que leiam trechos específicos sobre os assuntos que lhes interessam; e, dentro desses assuntos, que leiam trechos relativamente curtos de muitos autores. Isso ajuda a ler *alguma parte* dos clássicos antes de lê-los *inteiros*.

A leitura sintópica dos clássicos, com a ajuda do *Syntopicon*, também pode oferecer *sugestões*. Com base no interesse que o leitor já tem em determinado assunto, ele pode provocar ou gerar outros interesses em assuntos relacionados. E, uma vez que o leitor comece a ler um autor, certamente há de querer explorar o contexto. Antes que você perceba, já terá lido boa parte do livro.

Por fim, a leitura sintópica, com a ajuda do *Syntopicon*, oferece *instruções* de três tipos. Na realidade, esse é um dos grandes benefícios desse nível de leitura.

*Primeiro*, o tópico relacionado ao trecho que se quer ler serve para ajudar o leitor a interpretar o trecho. Mas não lhe diz o que o trecho significa, já que o trecho pode ser relevante para o tópico de muitas e diversas maneiras. Assim, cabe ao leitor *descobrir qual a relevância exata do trecho para aquele tópico*. Aprender a fazer isso é adquirir uma grande capacidade na arte da leitura.

*Segundo*, a reunião de diversos trechos sobre o mesmo assunto, ainda que vindos de obras diferentes, escritas por autores diferentes, serve para *afiar a interpretação do leitor sobre cada trecho lido*. Às vezes, a leitura de trechos do mesmo livro em sequência, um em comparação com o outro, deixa todos eles mais claros. Às vezes, o sentido de cada trecho, numa série de trechos contrastantes ou conflitantes, se acentua pela proximidade. E às vezes os trechos de um autor, ao exagerar ou comentar os trechos de outro, ajudam materialmente o leitor a entender este segundo autor.

*Terceiro*, caso se faça uma leitura sintópica de diversos assuntos, o fato de que o mesmo trecho frequentemente aparecerá no *Syntopicon* relacionado a dois ou mais assuntos terá um efeito instrutivo. O leitor apreenderá a amplitude de sentido do trecho ao interpretá-lo de modo um pouco diferente em relação a tópicos diferentes. Essa múltipla interpretação não apenas é um exercício básico da arte da leitura, como também tende a acostumar a mente a ficar alerta para as muitas nuanças de sentido contidas em qualquer trecho rico ou complexo.

Como acreditamos que o *Syntopicon* pode ser útil a qualquer leitor que pretenda ler do modo descrito neste capítulo, seja ele um iniciante, seja um pesquisador e estudioso maduro, tomamos a liberdade de adotá-lo para este nível de leitura. Esperamos que o leitor nos perdoe pelo que pode parecer certa autocomplacência. Como retribuição pela benevolência, gostaríamos de chamar a atenção para um fato importante. Há uma diferença considerável entre a leitura sintópica, com 's' minúsculo, e a leitura Sintópica, que refere a leitura dos clássicos com a ajuda do *Syntopicon*. A leitura Sintópica, nesse sentido, pode constituir uma *parte* de qualquer projeto de leitura sintópica em que o termo seja usado no primeiro sentido, e talvez seja sempre boa ideia começar por ali. Mas a leitura sintópica com 's' minúsculo corresponde a uma expressão com aplicação muito mais ampla do que a leitura Sintópica.

## SOBRE OS PRINCÍPIOS QUE SERVEM DE BASE À LEITURA SINTÓPICA

Há quem diga que a leitura sintópica (no sentido mais amplo que acabamos de mencionar) é impossível. É errado, dizem, impor uma terminologia, mesmo que seja "neutra" (se é que isso existe), a qualquer autor. É preciso tratar sua própria terminologia como se fosse sacrossanta, porque nunca devemos ler livros "fora de contexto"; além disso, a tradução de um grupo de termos para outro é sempre perigosa, porque não é possível controlar as palavras como se fossem símbolos matemáticos. Segundo esses críticos, a leitura sintópica envolve também a leitura de autores muito distantes no tempo e no espaço, que apresentam grandes diferenças de estilo e abordagem, como se fossem parte do mesmo universo de discurso e como se estivessem falando uns com os outros – e isso distorce os fatos. Cada autor é um pequeno universo fechado em si próprio e, ainda que possamos fazer conexões entre livros distintos escritos pelo mesmo autor em épocas diferentes (até aqui há riscos, como nos previnem), não há elos claros que liguem um autor a outro. Dizem eles, por fim, que os *assuntos* discutidos pelos autores não são, por si, tão importantes quanto as *maneiras* como eles são discutidos. O estilo, dizem, é o homem; e se ignorarmos *como* um autor diz algo enquanto estamos buscando entender *o que* ele está dizendo, ficaremos sem entender as duas coisas.

Deve estar claro que discordamos de todas essas acusações e que portanto é preciso responder a cada uma delas. Vamos examinar uma de cada vez.

Primeiro, a questão da *terminologia*. Negar que uma ideia possa ser expressa com grupos de termos diferentes é como negar a possibilidade de fazer traduções de uma língua natural para outra. Nega-se isso também, é claro. Por exemplo, recentemente lemos uma introdução a uma nova tradução do Corão que começava dizendo que traduzir o Corão é impossível. Mas, como o autor depois passava a uma explicação de como tinha feito isso, só nos restou presumir que o que ele queria dizer era que é particularmente difícil traduzir um livro considerado sagrado por um vasto número de pessoas – com o que concordaríamos. Mas difícil não é impossível.

Na realidade, a ideia de que os termos de um autor devam ser considerados sacrossantos provavelmente não passa de mais um jeito de dizer que é difícil passar de uma terminologia a outra. Concordaríamos com isso também. Mas, repetindo, difícil não é impossível.

Segundo, a questão a respeito *da distância e da singularidade dos autores*. Isso equivale a dizer que se Aristóteles, por exemplo, entrasse em nosso escritório, certamente envolvido por uma túnica e acompanhado de um intérprete que soubesse nossa língua moderna e o grego clássico, não conseguiríamos entendê-lo nem ele conseguiria nos entender. Simplesmente não cremos nisso. Sem dúvida Aristóteles ficaria impressionado com algumas das coisas que veria, mas acreditamos que, em dez minutos, se quiséssemos, poderíamos iniciar uma discussão filosófica dos problemas que nos interessam. Poderia haver dificuldades recorrentes quanto a certos conceitos, mas, assim que as percebêssemos, poderíamos resolvê-las.

Se isso é possível (e não achamos realmente que qualquer pessoa fosse negá-lo), então não é impossível que um livro "fale" com outro por meio de um intérprete – isto é, de você, o leitor sintópico. Claro que é preciso ter cuidado e conhecer os dois "idiomas" – isto é, os dois livros – o melhor possível. Mas o problema não é insuperável e não passa de uma bobagem sugerir que o seja.

Por fim, a questão relacionada à *maneira* ou ao *estilo*. Isso nos parece equivalente a dizer que não existe comunicação racional entre os homens e que todos os homens só se comunicam no nível emotivo, que é o mesmo nível em que se comunicam com bichos de estimação. Se você disser "eu te amo" para o seu cachorro com voz raivosa, ele se curvará de medo, mas não o entenderá. Será que alguém realmente consegue acreditar que a comunicação vocal entre dois seres humanos não é *nada mais* que o tom de voz ou o gestual? O tom de voz é importante, sobretudo quando relações emocionais são o conteúdo básico da comunicação; e a linguagem corporal provavelmente terá algo a dizer se estivermos dispostos a escutá-la (olhá-la?). Mas a comunicação humana ainda inclui outra coisa. Se você perguntar a alguém onde fica a saída, e essa pessoa lhe diz para entrar no Corredor B, não importa o tom de voz que ela use. Ou ela está certa ou errada; ou está mentindo ou dizendo a verdade, mas o importante é que você logo saberá, quando entrar no Corredor B. Você entendeu *o que* ela disse e ainda reagiu, sem dúvida das maneiras cabíveis, a *como* ela falou.

Assim, por acreditar que a tradução é possível (até porque é feita o tempo todo), que os livros podem "falar" uns com os outros (porque os seres humanos fazem isso) e que existe um conteúdo objetivo e racional na comunicação entre os seres humanos quando eles estão buscando ser racionais (porque podemos aprender e aprendemos uns com os outros), acreditamos que a leitura sintópica é possível.

## RESUMO DA LEITURA SINTÓPICA

Encerramos agora nossa discussão da leitura sintópica. Vamos enumerar, portanto, os diversos passos que devem ser dados nesse nível de leitura, na forma de tópicos.

Como vimos, existem duas grandes fases na leitura sintópica. Uma é preparatória, a outra é a leitura sintópica propriamente dita. Vamos enunciar agora todos esses passos para revisão.

I - Inspeção de campo preparatória para a leitura sintópica

1. Prepare uma bibliografia provisória de seu assunto lançando mão de catálogos de bibliotecas, orientadores e bibliografias de livros.

2. Inspecione *todos* os livros da bibliografia provisória a fim de averiguar quais têm a ver com o assunto que lhe interessa e para formar uma ideia mais clara do assunto.

Nota: estritamente falando, esses dois passos não são cronologicamente distintos; isto é, os dois passos têm efeitos um sobre o outro; o segundo, em particular, serve para modificar o primeiro.

II - Leitura sintópica da bibliografia reunida na Fase I

1. Inspecione os livros que já foram identificados como relevantes para o assunto na Fase I a fim de encontrar as passagens mais importantes.
2. Forje um consenso entre os autores por meio da construção de uma terminologia neutra do assunto que, segundo a sua interpretação, todos, ou a grande maioria, pudesse empregar, quer eles efetivamente empreguem tais palavras, quer não.
3. Estabeleça uma série de proposições neutras para todos os autores por meio de uma série de perguntas que, segundo a sua interpretação, os autores respondem, quer eles tratem explicitamente dessas questões, quer não.
4. Delimite as divergências, grandes e pequenas, demarcando as respostas contrárias dos autores às diversas perguntas, estando eles de um lado ou de outro na divergência. Deve-se lembrar que nem sempre há uma divergência explícita entre dois ou mais autores e que às vezes é preciso construí-la por meio da interpretação das opiniões dos autores sobre assuntos que podem ter figurado entre seus interesses básicos ou não.
5. Analise a discussão ordenando as perguntas e divergências de modo a esclarecer ao máximo o assunto. As divergências mais gerais devem vir antes das menos gerais, e as relações entre as divergências têm de ser indicadas com clareza.

Nota: idealmente, deve-se manter o distanciamento dialético ou a objetividade durante todo o processo. Uma maneira de garantir isso consiste em sempre acompanhar uma interpretação das opiniões de um autor sobre um assunto com uma citação dele.

# 21. A LEITURA E O CRESCIMENTO INTELECTUAL

Agora concluímos a tarefa a que nos propusemos no início deste livro. Mostramos que a atividade é a essência da boa leitura e que, quanto mais ativa uma leitura, melhor.

Em nossa definição, ler ativamente equivale a elaborar perguntas, por isso indicamos quais perguntas devem ser feitas a respeito de qualquer livro e como essas perguntas devem ser respondidas de maneiras diferentes para tipos diferentes de livros.

Identificamos e discutimos os quatro níveis da leitura, mostramos como eles são cumulativos e como os níveis mais baixos estão contidos nos mais elevados ou posteriores. Em consequência de nossa intenção declarada, demos mais ênfase aos níveis posteriores e superiores de leitura do que aos anteriores e inferiores, e com isso enfatizamos as leituras analítica e sintópica. Como a leitura analítica é provavelmente o tipo com que a maioria dos leitores tem menos familiaridade, nós a discutimos mais extensivamente do que os outros níveis, apresentando suas regras e explicando-as na ordem em que devem ser aplicadas. Mas quase tudo o que dissemos da leitura analítica também vale, com certas adaptações mencionadas no capítulo anterior, à leitura sintópica.

Concluímos nossa tarefa, mas talvez você não tenha concluído a sua. Não precisamos lembrar-lhe que este livro é prático nem que o leitor de um livro prático tem uma obrigação particular para com ele. Se, como dissemos, o leitor de um livro prático aceita os fins propostos e concorda em que os meios recomendados são adequados e eficazes, cabe então agir do modo proposto. Talvez você não aceite nosso objetivo fundamental – isto é, que você deveria ser capaz de ler da melhor maneira possível – nem os meios que propusemos para alcançá-lo – ou seja, as regras da leitura inspecional, analítica e sintópica. (Nesse caso, porém, é provável que você nem esteja lendo esta página.) Mas se aceitou o objetivo e considerou os meios adequados, então cabe a você esforçar-se para ler como provavelmente nunca leu antes.

Eis sua tarefa e sua obrigação. Será que podemos ajudá-lo a cumpri-la?

Achamos que sim. A tarefa cabe antes de tudo a você – é você que, de agora em diante, tem de fazer todo o trabalho (e receber todos os benefícios). Mas ainda falta dizer muitas coisas sobre o fim e sobre os meios. É o que vamos discutir agora.

## O QUE OS BONS LIVROS PODEM NOS PROPORCIONAR

Podemos entender "meios" de duas maneiras. No parágrafo anterior, o termo se referia às regras da leitura, isto é, o *método* pelo qual você se torna um leitor melhor. Mas "meios" também podem ser *as coisas que você lê*. Possuir um método sem dispor de materiais aos quais se possa aplicá-lo é tão inútil quanto dispor de materiais e não possuir nenhum método a aplicar.

Neste último caso, os meios que lhe servirão no aprimoramento da sua capacidade de leitura são os livros que você lerá. Dissemos que o método vale para qualquer coisa que você leia, o que é verdade, se você entender que a frase se refere a qualquer *tipo* de livro – ficção ou não ficção, imaginativo ou expositivo, prático ou teórico. Mas, na realidade, o método, ao menos como exemplificado em nossa discussão da leitura analítica e sintópica, *não se aplica a qualquer livro*, porque existem livros que não o exigem.

Já dissemos isso antes, mas queremos repetir por causa de sua importância para a tarefa que se apresenta agora: *se você quer ler para aprimorar sua leitura, não pode ler qualquer livro ou artigo*. Você não se tornará um leitor mais capaz se tudo que lê são livros que não desafiam a sua capacidade. É preciso enfrentar livros que estão além de sua capacidade, ou, como dissemos, livros que estão acima de você. Somente os livros desse tipo vão levá-lo a ampliar sua mente. E, a menos que você a amplie, não aprenderá.

Assim, é crucial que você não apenas seja capaz de ler bem como ainda seja capaz de identificar os livros que fazem aquelas exigências associadas ao aprimoramento da capacidade de leitura. Um livro que simplesmente distraia ou entretenha pode ser uma diversão agradável numa hora ociosa, mas você não deve esperar dele algo além de distração. Não somos contra a distração em si mesma, mas queremos enfatizar que *o aprimoramento da capacidade de leitura não anda junto com ela*. O mesmo vale para um livro que simplesmente o informe de fatos que você desconhecia, sem acrescentar nada a seu entendimento desses fatos. A leitura por informação amplia a mente tanto quanto a leitura por distração. Pode parecer que amplia, mas isso é só porque agora há mais fatos na sua mente do que havia antes de você ler o livro. Contudo, sua mente está essencialmente na mesma condição que estava antes. Houve uma mudança quantitativa, mas nenhum aprimoramento em sua capacidade.

Dissemos muitas vezes que o bom leitor exige coisas de si mesmo quando lê. Ele lê ativamente, esforçando-se. Agora estamos dizendo outra coisa. Os livros que você usará para praticar sua leitura, sobretudo a sua leitura analítica, *também devem exigir coisas de você*. Eles têm de parecer estar acima de sua capacidade. Não é preciso temer que isso aconteça, porque nenhum livro estará completamente fora do seu alcance se você aplicar a ele as regras de leitura que descrevemos. Evidentemente, isso não significa que essas regras vão operar milagres imediatos. Há livros que sem dúvida parecerão estar acima de você, por melhor que seja a sua capacidade como leitor. Na realidade, esses são os livros que você deve buscar, porque são eles que mais podem ajudá-lo a tornar-se um leitor cada vez mais capaz.

Alguns leitores cometem o erro de supor que esses livros – os que representam um desafio constante e infindável à sua capacidade – sempre pertencem a áreas relativamente desconhecidas. Na prática, para muitos leitores, isso equivale a acreditar que somente livros científicos ou talvez filosóficos podem satisfazer a esse critério. Mas isso está longe de ser verdade. Já observamos que os grandes livros científicos são, em muitos aspectos, mais fáceis de ler que os não científicos por causa do cuidado com que seus autores ajudam o leitor a identificar os termos e as proposições e a formular os principais argumentos.

Esse tipo de ajuda não está presente nas obras poéticas. Por isso, é provável que, a longo prazo, esses livros sejam os mais difíceis e exigentes. Homero, por exemplo, é mais difícil de ler do que Newton, ainda que se entenda mais de Homero na primeira leitura. A razão é que é mais difícil escrever bem sobre os assuntos de que Homero trata.

As dificuldades de que falamos aqui são muito diferentes das dificuldades apresentadas por um livro ruim. Também é difícil ler um livro ruim, já que ele resiste a seus esforços de analisá-lo, escapando-lhe toda vez que você acha que entendeu alguma coisa. Na realidade, não há nada a entender em um livro ruim. Ele não vale o esforço. Não há recompensa para a luta.

Um bom livro recompensa aquele que tenta lê-lo. Os melhores livros oferecem as maiores recompensas. Naturalmente, há dois tipos de recompensa. Primeiro, há o aprimoramento de sua capacidade de leitura, que resulta de você ter enfrentado uma obra boa e difícil. Segundo – e isso, a longo prazo, é muito mais importante –, um bom livro traz ensinamentos sobre o mundo e sobre você mesmo – você não só aprende a ler melhor, como também aprende sobre a vida. Você fica mais sábio. Não fica apenas mais culto – os livros que não trazem nada além de informação também podem produzir esse resultado. Fica mais sábio, no sentido de que adquire uma consciência mais aguçada das grandes e duradouras verdades da vida humana.

Também há problemas humanos, que, afinal, não têm solução. Existem certas relações entre seres humanos e entre os seres humanos e o mundo não humano sobre as quais ninguém pode dizer a última palavra. Isso vale não só para áreas como a ciência e a filosofia, em que é óbvio que um entendimento total da natureza e de suas leis, e do ser e do devir, nunca foi atingido por ninguém e nunca o será; isso também vale para questões familiares e cotidianas como a relação entre homens e mulheres, ou entre pais e filhos, ou entre Deus e o homem. Não há pensamento cuja intensidade ou clareza abarque esses assuntos. Os maiores clássicos podem ajudá-lo a pensar melhor sobre tais questões, porque foram escritos por homens e mulheres que pensavam melhor sobre elas do que outras pessoas.

## A PIRÂMIDE DOS LIVROS

A grande maioria dos vários milhões de livros que já foram escritos só na tradição ocidental – mais de 99% deles – não será exigente a ponto de ampliar sua capacidade de leitura. Isso pode parecer perturbador, e as porcentagens podem parecer superestimadas. Mas é claro que, considerando os números em questão, isso é verdade. Esses livros só podem ser lidos por distração ou informação. A distração pode vir de várias formas, e as informações podem ser interessantes em muitos aspectos. Mas não é boa ideia esperar aprender nada importante com eles. Na realidade, você nem precisa lê-los – analiticamente. Basta folheá-los.

Há outra categoria de livros com os quais você pode aprender tanto a ler quanto a viver. Menos de um livro em cada cem pertence a essa categoria – talvez o número esteja mais próximo de um em cada mil, ou um em cada dez mil. Aqui falamos dos bons livros, aqueles que foram cuidadosamente produzidos por seus autores, aqueles que transmitem ao leitor intuições importantes a respeito de assuntos de interesse duradouro para as pessoas. Não deve haver mais do que uns poucos milhares desses livros. Eles fazem rigorosas exigências ao leitor. Vale a pena lê-los analiticamente – uma vez. Se você for habilidoso, será capaz de absorver tudo que eles têm a oferecer em uma única boa leitura. São livros para se ler uma vez e pôr de volta na estante. Você sabe que nunca mais terá de lê-los de novo, ainda que possa retornar a eles para verificar certas coisas ou para reavivar certas ideias ou episódios em sua memória. (É no caso desses livros que as notas feitas por você na margem ou em outras partes do volume serão particularmente importantes.)

Como você sabe que nunca mais terá de ler esses livros de novo? Sabe disso por causa da sua própria reação mental à experiência de lê-los. Esse tipo de livro amplia a sua inteligência e aumenta sua compreensão. Mas, à medida que sua inteligência se amplia e sua compreensão aumenta, você percebe, de um jeito mais ou menos misterioso, que aquele livro não vai modificá-lo novamente no futuro. Percebe que apreendeu o livro integralmente. Já tirou tudo dele até secá-lo. Você é grato por aquilo que ele lhe deu, mas sabe que ele não tem nada mais para lhe dar.

Dentre esses poucos milhares há um número muito menor de livros – são provavelmente menos de cem – que não serão exauridos nem mesmo pela melhor leitura possível. Como reconhecer isso? Novamente, trata-se de algo misterioso, mas, quando fechar o livro após tê-lo lido analiticamente, da melhor maneira, e colocá-lo na estante, você suspeitará de que ele ainda tem mais a oferecer. Falamos em "suspeita" porque, a essa altura, talvez seja só isso que você sinta. Se soubesse exatamente o que lhe tinha escapado, sua obrigação de leitor analítico o levaria a retornar imediatamente ao livro para buscar aquilo. Na realidade, você não consegue dizer o que é, mas sabe que está lá. Vê que não consegue esquecer o livro, que fica pensando nele e em sua reação a ele. Por fim, você retorna a ele. E aí acontece uma coisa formidável.

Se o livro pertence à segunda categoria mencionada, você vê, ao retornar a ele, que ali havia *menos do que você lembrava*. A razão, é claro, é que você mesmo cresceu após lê-lo. Sua inteligência é mais plena, sua compreensão é maior. O livro não mudou, mas você mudou. É inevitável que esse retorno traga um desapontamento.

Mas se o livro pertence à classe mais elevada – do pequeníssimo número dos livros inesgotáveis –, você percebe, ao retornar, que *o livro parece ter crescido junto com você*. Existem coisas novas nele – constelações inteiras de novidades – que você não tinha visto antes. Sua compreensão anterior do livro não fica invalidada (presumindo que você o tenha lido bem da primeira vez); ela é tão verdadeira quanto sempre foi e nos mesmos aspectos em que era verdadeira antes. Mas agora ela também é verdadeira em outros aspectos.

Como pode um livro crescer junto com você? É claro que isso é impossível; um livro, uma vez que esteja escrito e publicado, não muda. Mas aquilo que você só então começa a perceber é que o livro sempre esteve tão acima de você que continuou acima, e provavelmente sempre continuará. Como esse livro é verdadeiramente bom – um clássico, diríamos –, ele é acessível em níveis diferentes. A impressão de que ele havia aumentado sua compreensão na leitura anterior não é falsa. Isso realmente aconteceu. Mas agora, ainda que você tenha ficado mais sábio e mais culto, ele ainda pode elevá-lo. E fará isso enquanto você viver.

É óbvio que não há muitos livros que possam fazer isso com qualquer um de nós. Estimamos que seu número seja bem menor do que cem. Mas esse número é *menor ainda para qualquer leitor*. Os seres humanos têm muitas diferenças entre si, além da capacidade mental. Têm gostos diferentes; coisas diferentes têm mais apelo para uma pessoa do que para outra. Talvez você nunca sinta por Newton aquilo que sente por Shakespeare, seja porque consegue ler Newton tão bem que nunca precisa lê-lo de novo, seja porque sistematizações matemáticas do mundo não tenham tanto apelo para você. Ou, caso tenham – tinham para Charles Darwin, por exemplo –, então Newton pode estar entre os poucos livros que são grandes para você, e não Shakespeare.

Não queremos proclamar que certo livro ou certo conjunto de livros têm, obrigatoriamente, apelo para você, no sentido aqui discutido. Contudo, listamos no Apêndice A os livros que, como mostra a experiência, possuem esse valor para muitos leitores. O que queremos dizer, na realidade, é que *você deve buscar os raros livros que podem ter esse valor para você*. São eles que vão lhe dar as maiores lições, tanto sobre a leitura quanto sobre a vida. É a eles que você vai querer retornar repetidas vezes. São eles os livros que vão ajudar em seu crescimento.

## A VIDA E O CRESCIMENTO DA INTELIGÊNCIA

Existe um teste antigo – era muito popular há uma geração – destinado a dizer quais livros poderiam fazer isso por você. Suponha, dizia o teste, que você sabe que ficará isolado numa ilha deserta pelo resto da vida, ou ao menos por muito tempo. Suponha, também, que pode se preparar para essa experiência. Existem alguns artigos práticos e úteis que você não gostaria de deixar de levar. Além deles, você poderia levar dez livros. Que livros você selecionaria?

Tentar fazer essa lista pode ser instrutivo, e não só porque pode ajudá-lo a identificar os livros que você mais gostaria de ler e de reler. Na realidade, isso pode ter até uma importância menor diante daquilo que pode descobrir sobre si mesmo quando imagina como a vida seria se você estivesse isolado de todas as fontes de distração, informação e compreensão que costumam rodeá-lo.

Lembre-se, na ilha não haveria rádio nem televisão, nem biblioteca. Só haveria você e dez livros.

Essa situação imaginária parece bizarra e irreal quando começamos a pensar nela. Mas será que ela é tão irreal assim? Achamos que não. Em certa medida, estamos todos isolados numa ilha deserta. Todos nós enfrentamos o mesmo desafio que enfrentaríamos se estivéssemos realmente lá – o desafio de encontrar dentro de nós mesmos os recursos para viver uma boa vida humana.

Existe um aspecto estranho na mente humana, um aspecto que diferencia muito a mente do corpo. O corpo sofre limitações que a mente não sofre. Um sinal disso é que a força do corpo não aumenta indefinidamente nem sua graça e suas habilidades continuam a se desenvolver. Quando a maioria das pessoas chega aos trinta anos, o corpo atinge o ápice; na realidade, o corpo de muitas pessoas começa a se deteriorar nessa fase. *Mas não há limite para o crescimento e o desenvolvimento da mente.* A mente não para de crescer quando chegamos a certa idade; é só quando o cérebro mesmo perde vigor, na velhice, que a mente não pode mais crescer em termos de capacidade e compreensão.

Esse é um dos aspectos mais notáveis nos seres humanos e pode na realidade ser a grande diferença entre o *homo sapiens* e os outros animais, que não parecem crescer mentalmente após certo estágio de seu desenvolvimento. Mas essa grande vantagem do homem traz consigo um grande risco. Assim como os músculos, *a mente pode atrofiar-se se não for usada*. A atrofia dos músculos mentais é o preço que se paga por não fazer exercícios mentais. Trata-se de um preço terrível, já que há indícios de que a atrofia da mente seja uma doença fatal. Não parece haver outra explicação para o fato de que muitas pessoas muito ocupadas morrem logo após a aposentadoria. O que as mantinha vivas eram as demandas que o trabalho fazia à mente delas; elas eram como que sustentadas artificialmente por forças exteriores. Assim que essas demandas acabaram, como não tinham recursos próprios de atividade mental, essas pessoas simplesmente pararam de pensar e morreram.

A televisão, o rádio e todas as fontes de distração e informação que nos circundam em nossa vida cotidiana também são esteios artificiais. Podem nos dar a impressão de que nossa mente está ativa, porque temos de reagir a estímulos exteriores. Mas a força desses estímulos externos é muito limitada para continuar nos alimentando. Eles são como drogas. Habituamo-nos a eles e a cada vez precisamos de mais. Chega um momento em que seu efeito é mínimo ou nenhum. Então, se não tivermos os recursos em nós mesmos, nosso crescimento intelectual, moral e espiritual será interrompido. E, quando paramos de crescer, começamos a morrer.

Ler bem, no sentido de ler ativamente, não é, portanto, apenas um bem em si mesmo nem é apenas um meio de progredir no trabalho ou na carreira. É algo que também serve para manter nossa mente viva, sempre crescendo.

# APÊNDICE A

## LISTA DE LEITURAS RECOMENDADAS

Nas páginas seguintes o leitor encontra uma lista de obras cuja leitura vale a pena. Falamos muito sério quando dizemos que sua leitura "vale a pena". Ainda que nem todos os livros listados sejam "clássicos" em qualquer acepção comum do termo, todos irão recompensá-lo pelo esforço que você fizer para lê-los. Todos esses livros estão acima da compreensão da maioria das pessoas – acima o bastante, de todo modo, para forçar a maioria dos leitores a ampliar seus horizontes a fim de entendê-los e apreciá-los. Claro que é esse tipo de livro que você deve procurar se deseja melhorar sua capacidade de leitura e, ao mesmo tempo, descobrir as melhores coisas que foram pensadas e ditas em nossa tradição literária.

Alguns desses livros são clássicos naquele sentido particular do termo que usamos no capítulo anterior. Ao retornar a eles, você sempre há de encontrar alguma coisa nova e, frequentemente, muitas coisas novas. Eles podem ser relidos indefinidamente. Ou, em outras palavras, alguns desses livros – não diremos exatamente quantos nem tentaremos identificá-los, uma vez que, até certo ponto, esse julgamento é pessoal – estão acima de todos os leitores, mesmo os mais capazes. Como observamos no capítulo anterior, essas são as obras que todos deveriam esforçar-se para ler. São os verdadeiros clássicos; são os livros que todo leitor deveria levar para a sua ilha deserta.

A lista é longa e pode parecer assustadora. Sugerimos que você não se deixe abater por ela. Em primeiro lugar, é provável que reconheça os nomes da maioria dos autores. Não há nada aqui tão obscuro que chegue a ser esotérico. A coisa mais importante, lembre-se, é que é boa ideia começar com os livros pelos quais você, por alguma razão, tem mais interesse. Como dissemos diversas vezes, o principal objetivo é ler bem, não ler muito. Você não deveria ficar desapontado se não ler mais do que meia dúzia de livros por ano. A lista não é algo que se deva cumprir num período determinado. Não é um desafio que você só pode vencer se chegar ao fim de cada item. Antes, é um convite que você pode gentilmente aceitar começando pelo livro que o deixar mais à vontade.

Os autores foram listados cronologicamente, de acordo com a data conhecida ou provável de seu nascimento. Onde a lista apresenta duas ou mais obras de um autor, elas também estão dispostas em ordem cronológica, sempre que possível. Nem sempre os estudiosos concordam a respeito da data da primeira edição de um livro, mas você não precisa se preocupar com isso. O importante é lembrar que a lista, como um todo, avança no tempo. Claro que isso não significa necessariamente que você deva ler essas obras cronologicamente. Você pode até começar pelo final da lista e ler de trás para a frente até chegar a Homero e ao Antigo Testamento.

Não listamos todas as obras de cada autor. Em geral citamos apenas os títulos mais importantes, escolhendo-os, no caso dos livros expositivos, com o fim de mostrar a diversidade da contribuição de um autor a campos distintos do conhecimento. Em alguns casos, listamos as obras de um autor e especificamos, entre parênteses, aquelas que são particularmente importantes ou úteis.

Ao preparar uma lista como essa, a maior dificuldade está sempre relacionada aos itens relativamente contemporâneos. Quanto mais próximo um autor está do nosso tempo, mais difícil é fazer um julgamento distanciado dele. Não há nada de errado em dizer que o tempo dirá o que é importante, mas talvez não queiramos esperar. Assim, no que diz respeito aos autores e livros mais recentes, há muito espaço para diferenças de opinião, e não diríamos que os últimos livros da lista têm um lugar tão garantido quanto os primeiros.

Pode haver também diferenças de opinião sobre os primeiros itens e podemos vir a ser acusados de ter preconceitos contra alguns autores que nem sequer listamos. Estamos dispostos a admitir que, em alguns casos, isso é verdade. Essa é a nossa lista e pode ser diferente em alguns aspectos de listas feitas por outras pessoas. Mas ela não será tão diferente se todos concordarem seriamente com o objetivo de criar um programa de obras que valha a pena passar a vida lendo. Em última instância, claro que você deveria montar a sua própria lista e trabalhar nela. É boa ideia, porém, ler um número razoável de livros que já foram unanimemente aclamados antes de agir por conta própria. Essa lista é um ponto de partida.

Queremos mencionar uma omissão que alguns leitores considerarão infeliz. A lista só contém autores e livros do Ocidente; não há obras chinesas, japonesas nem indianas. Há muitas razões para isso. Uma é que não temos grandes conhecimentos do que existe fora da tradição literária ocidental e nossas recomendações não teriam grande valor. Outra é que no Oriente não há uma tradição única, como há no Ocidente, e teríamos de conhecer todas as tradições orientais para fazer um bom trabalho. Terceiro, é preciso conhecer sua própria tradição antes de tentar conhecer as tradições de outras partes do mundo. Muitas pessoas que hoje tentam ler livros como o *I Ching* e o *Bhagavad-Gita* ficam confusas não apenas por causa da dificuldade inerente a essas obras, mas também porque não aprenderam a ler bem utilizando livros mais acessíveis – mais acessíveis a eles – de sua própria cultura. Por fim, a lista já é longa o bastante.

Outra omissão exige um comentário. Como a lista é de livros, inclui os nomes de poucas pessoas conhecidas fundamentalmente como poetas líricos. Alguns dos autores da lista escreveram poemas líricos, claro, mas são mais conhecidos por outras obras, mais longas. Não se deve ver aí um preconceito nosso contra a poesia lírica. Mas recomendaríamos que se começasse com uma boa antologia de poesia, e não com as obras completas de um só autor. *The Golden Treasury* [Tesouro da Poesia Inglesa], de Palgrave, e *The Oxford Book of English Verse* [Antologia Oxford da Poesia Inglesa] são excelentes pontos de partida. Essas antologias mais antigas podem ser complementadas com outras mais modernas, como *One Hundred Modern Poems* [Cem Poemas Modernos], de Selden Rodman, uma antologia facilmente encontrável em brochura que amplia de maneira interessante a noção de poema lírico. Como a leitura de poesia lírica requer uma habilidade peculiar, também recomendamos algum dos diversos manuais do assunto – por exemplo, *Introduction to Poetry* [Introdução à Poesia], de Mark Van Doren, uma antologia que também contém breves discussões sobre como ler muitos poemas famosos.

Listamos os livros por autor e título, mas não tivemos a intenção de indicar uma editora ou uma edição em particular. Quase todas as obras da lista estão disponíveis em algum formato e muitas estão disponíveis em muitas edições, em brochura e capa dura. Porém, indicamos quais autores e títulos fazem parte de duas coleções que nós mesmos editamos. Títulos incluídos em *Great Books of the Western World* [Clássicos do Ocidente] estão identificados com um asterisco; autores que aparecem em *Gateway to the Great Books* [Introdução aos Clássicos] estão identificados com dois asteriscos.

1. Homero (século IX a.C.?)
   **Ilíada*
   **Odisseia*
2. Velho Testamento
3. Ésquilo (c. 525-456 a.C.)
   *Tragédias
4. Sófocles (c. 495-406 a.C.)
   *Tragédias
5. Heródoto (c. 484-425 a.C.)
   **História* (das Guerras Persas)
6. Eurípides (c. 485-406 a.C.)
   *Tragédias (especialmente *Medeia, Hipólito, Bacantes*)
7. Tucídides (c. 460-400 a.C.)
   **História da Guerra do Peloponeso*
8. Hipócrates (c. 460-377? a.C.)
   *Textos médicos
9. Aristófanes (c. 448-380 a.C.)
   *Comédias (especialmente *As Nuvens, Os Pássaros, As Rãs*)
10. Platão (c. 427-347 a.C.)
    *Diálogos (especialmente *República, Banquete, Fédon, Mênon, Apologia de Sócrates, Fedro, Protágoras, Górgias, Sofista, Teeteto*)
11. Aristóteles (c. 384-322 a.C.)
    *Obras (especialmente *Organon, Física, Metafísica, Da Alma, Ética a Nicômaco, Política, Retórica, Poética*)

12. **Epicuro (c. 341-270 a.C.)

*Carta a Heródoto*

*Carta a Meneceu*

13. Euclides (fl. c. 300 a.C.)

**Elementos (de Geometria)*

14. Arquimedes (c. 287-212 a.C.)

*Obras (especialmente *Do Equilíbrio dos Planos, Dos Flutuantes, O Arenário*)

15. Apolônio de Perga (fl. c. 240 a.C.)

**Sobre as Seções Cônicas*

16. **Cícero (106-43 a.C.)

Obras (especialmente *Orações, Da Amizade, Sobre a Velhice*)

17. Lucrécio (c. 95-55 a.C.)

**Sobre a Natureza das Coisas*

18. Virgílio (70-19 a.C.)

*Obras

19. Horácio (65-8 a.C.)

Obras (especialmente as *Odes* e as *Epodos*, e *A Arte da Poesia*)

20. Lívio (58 a.C.-17 d.C.)

*História de Roma*

21. Ovídio (43 a.C.-17 d.C.)

Obras (especialmente as *Metamorfoses*)

22. **Plutarco (c. 45-120)

**Vidas dos Nobres Gregos e Romanos*

*Moralia*

23. **Tácito (c. 55-117)

**Histórias*

**Anais*

*Agrícola*

*Germânia*

24. Nicômaco de Gerasa (fl. c. 100)

**Introdução à Aritmética*

25. **Epicteto (c. 60-120)
**Discursos*
*Enchyridion (Manual)*
26. Ptolomeu (c. 100-178; fl. 127-151)
**Almagesto*
27. **Luciano (c. 120-c. 190)
Obras (especialmente *Sobre o Modo de Escrever História, Uma História Verídica, Leilão de Vidas*)
28. Marco Aurélio (121-180)
**Meditações*
29. Galeno (c. 130-200)
**Sobre as Faculdades Naturais*
30. Novo Testamento
31. Plotino (205-270)
**Enéadas*
32. Santo Agostinho (354-430)
Obras (especialmente *Sobre o Ensino*, **Confissões*, **A Cidade de Deus*, **A Doutrina Cristã*)
33. *A Canção de Rolando* (século XII?)
34. *A Canção do Nibelungo* (século XIII)
(A *Saga dos Volsungos* é a versão escandinava dessa mesma lenda.)
35. *A Saga de Njal*
36. Santo Tomás de Aquino (c. 1225-1274)
**Suma Teológica*
37. **Dante Alighieri (1265-1321)
Obras (especialmente *Vida Nova*, *Sobre a Monarquia* e *A Divina Comédia*)
38. Geoffrey Chaucer (c. 1340-1400)
Obras (especialmente **Troilo e Créssida* e **Os Contos de Canterbury*)
39. Leonardo da Vinci (1452-1519)
*Cadernos*
40. Nicolau Maquiavel (1469-1527)
**O Príncipe*
*Discursos sobre a Primeira Década de Tito Lívio*

41. Erasmo de Rotterdam (c. 1469-1536)

*O Elogio da Loucura*

42. Nicolau Copérnico (1473-1543)

**Sobre as Revoluções das Esferas Celestiais*

43. Thomas More (c. 1478-1535)

*Utopia*

44. Martinho Lutero (1483-1546)

*Três Tratados*

*Conversas à Mesa*

45. François Rabelais (c. 1495-1553)

**Gargântua e Pantagruel*

46. João Calvino (1509-1564)

*Institutos da Religião Cristã*

47. Michel de Montaigne (1533-1592)

**Ensaios*

48. William Gilbert (1540-1603)

**Sobre o Imã e os Corpos Magnéticos*

49. Miguel de Cervantes (1547-1616)

**Dom Quixote*

50. Edmund Spenser (c. 1552-1599)

*Protalâmio*

*A Rainha das Fadas*

51. **Francis Bacon (1561-1626)

*Ensaios*

**A Evolução do Aprendizado*

**Novo Organum*

**Nova Atlântida*

52. William Shakespeare (1564-1616)

*Obras

53. **Galileu Galilei (1564-1642)

*O Mensageiro das Estrelas*

**Duas Ciências Novas*

54. Johannes Kepler (1571-1630)

*Epítome da Astronomia de Copérnico*

*Sobre a Harmonia do Mundo*

55. William Harvey (1578-1657)

*Sobre o Movimento do Coração e do Sangue nos Animais*

*Sobre a Circulação do Sangue*

*Sobre a Geração dos Animais*

56. Thomas Hobbes (1588-1679)

*Leviatã*

57. René Descartes (1596-1650)

*Regras para a Direção da Mente*

*Discurso sobre o Método*

*Geometria*

*Meditações sobre a Primeira Filosofia*

58. John Milton (1608-1674)

Obras (especialmente *Poemas Curtos, *Areopagitica*, *Paraíso Perdido* e *Samson Agonistes* [*Sansão Guerreiro*])

59. **Molière (1622-1673)

Comédias (especialmente *O Misantropo*, *Escola de Mulheres*, *O Doente Imaginário* e *Tartufo*)

60. Blaise Pascal (1623-1662)

*As Cartas da Província*

*Pensamentos*

*Tratados científicos*

61. Christiaan Huygens (1629-1695)

*Tratado sobre a Luz*

62. Espinosa (1632-1677)

*Ética*

63. John Locke (1632-1704)

*Carta sobre a Tolerância*

*Sobre o Governo Civil* (o segundo dos *Dois Tratados sobre o Governo*)

*Ensaio sobre o Entendimento Humano*

*Alguns Pensamentos sobre a Educação*

64. Jean Baptiste Racine (1639-1699)

Tragédias (especialmente *Andrômaca* e *Fedra*)

65. Isaac Newton (1642-1727)

**Philosophiæ Naturalis Principia Mathematica*

**Óptica*

66. Gottfried Wilhem von Leibniz (1646-1716)

*Discurso de Metafísica*

*Novos Ensaios sobre o Entendimento Humano*

*A Monadologia*

67. **Daniel Defoe (1660-1731)

*Robinson Crusoé*

68. **Jonathan Swift (1667-1745)

*História de um Tonel*

*Diário para Stella*

**As Viagens de Gulliver*

*Modesta Proposição*

69. William Congreve (1670-1729)

*Assim Vai o Mundo*

70. George Berkeley (1685-1753)

**Tratado sobre os Princípios do Conhecimento Humano*

71. Alexander Pope (1688-1744)

*Ensaio sobre a Crítica*

*O Rapto da Madeixa*

*Ensaio sobre o Homem*

72. Charles de Secondat, barão de Montesquieu (1689-1755)

*Cartas Persas*

**O Espírito das Leis*

73. **Voltaire (1694-1778)

*Cartas Filosóficas*

*Cândido*

*Dicionário Filosófico*

74. Henry Fielding (1707-1754)

*Joseph Andrews*
**Tom Jones*

75. **Samuel Johnson (1709-1784)
    *A Vaidade dos Desejos Humanos*
    *Dicionário*
    *A História de Rasselas, Príncipe da Abissínia*
    *Vidas dos Poetas Ingleses* (especialmente os ensaios sobre Milton e Pope)
76. **David Hume (1711-1776)
    *Tratado sobre a Natureza Humana*
    *Ensaios Morais e Políticos*
    *Uma Investigação sobre o Entendimento Humano*
77. **Jean Jacques Rousseau (1712-1778)
    **Discurso sobre a Origem da Desigualdade*
    **Discurso sobre a Economia Política*
    *Emílio*
    **O Contrato Social*
78. Laurence Sterne (1713-1768)
    **Tristram Shandy*
    *Viagem Sentimental através da França e da Itália*
79. Adam Smith (1723-1790)
    *Teoria dos Sentimentos Morais*
    **Riqueza das Nações*
80. **Immanuel Kant (1724-1804)
    **Crítica da Razão Pura*
    **Princípios Fundamentais da Metafísica da Moral*
    **Crítica da Razão Prática*
    **Doutrina do Direito*
    **Crítica da Faculdade do Juízo*
    *A Paz Perpétua*
81. Edward Gibbon (1737-1794)
    **Declínio e Queda do Império Romano*
    *Autobiografia*

82. James Boswell (1740-1795)

*Journal* [Diário] (especialmente o *London Journal* [Diário de Londres])

**Vida de Samuel Johnson*

83. Antoine Laurent Lavoisier (1743-1794)

**Elementos de Química*

84. John Jay (1745-1829), James Madison (1751-1836) e Alexander Hamilton (1757-1804)

*O Federalista* (também **Artigos da Confederação*, **Constituição dos Estados Unidos* e **Declaração de Independência*)

85. Jeremy Bentham (1748-1832)

*Uma Introdução aos Princípios da Moral e da Legislação*

*Teoria das Ficções*

86. Johann Wolfgang von Goethe (1749-1832)

**Fausto*

*Poesia e Verdade*

87. Jean-Baptiste Joseph Fourier (1768-1830)

**Teoria Analítica do Calor*

88. Georg Wilhelm Friedrich Hegel (1770-1831)

*Fenomenologia do Espírito*

**Princípios da Filosofia do Direito*

**Filosofia da História*

89. William Wordsworth (1770-1850)

Poemas (especialmente *Lyrical Ballads* [Baladas Líricas], *Lucy Poems* [Poemas de Lucy], sonetos; *The Prelude* [O Prelúdio])

90. Samuel Taylor Coleridge (1772-1834)

Poemas (especialmente "Kubla Khan" e "A Balada do Velho Marinheiro")

*Biografia Literária*

91. Jane Austen (1775-1817)

*Orgulho e Preconceito*

*Emma*

92. **Karl von Clausewitz (1780-1831)

*Sobre a Guerra*

93. Stendhal (1783-1842)

*O Vermelho e o Negro*

*A Cartuxa de Parma*

*Sobre o Amor*

94. George Gordon, Lord Byron (1788-1824)

*Don Juan*

95. **Arthur Schopenhauer (1788-1860)

*Estudos sobre o Pessimismo*

96. **Michael Faraday (1791-1867)

*A História Química de uma Vela*

**Pesquisas Experimentais em Eletricidade*

97. **Charles Lyell (1797-1867)

*Princípios de Geologia*

98. Auguste Comte (1798-1857)

*Curso de Filosofia Positiva*

99. **Honoré de Balzac (1799-1850)

*O Pai Goriot*

*Eugénie Grandet*

100. **Ralph Waldo Emerson (1803-1882)

*Homens Representativos*

*Ensaios*

*Diário*

101. **Nathaniel Hawthorne (1804-1864)

*A Letra Escarlate*

102. **Alexis de Tocqueville (1805-1859)

*A Democracia na América*

103. **John Stuart Mill (1806-1873)

*Sistema de Lógica Dedutiva e Indutiva*

**Sobre a Liberdade*

**Considerações sobre o Governo Representativo*

**Utilitarismo*

*A Sujeição das Mulheres*

*Autobiografia*

104. **Charles Darwin (1809-1882)

**A Origem das Espécies*

**A Descendência do Homem*

*Autobiografia*

105. **Charles Dickens (1812-1870)

Obras (especialmente *As Aventuras do Sr. Pickwick*, *David Copperfield* e *Tempos Difíceis*)

106. **Claude Bernard (1813-1878)

*Uma Introdução ao Estudo da Medicina Experimental*

107. **Henry David Thoreau (1817-1862)

*Desobediência Civil*

*Walden*

108. Karl Marx (1818-1883)

*O Capital* (também *O Manifesto Comunista*)

109. George Eliot (1819-1880)

*Adam Bede*

*Middlemarch*

110. **Herman Melville (1819-1891)

*Moby Dick*

*Billy Budd*

111. **Fiódor Dostoiévski (1821-1881)

*Crime e Castigo*

*O Idiota*

**Os Irmãos Karamázov*

112. **Gustave Flaubert (1821-1880)

*Madame Bovary*

*Três Histórias*

113. Henrik Ibsen (1828-1906)

Peças (especialmente *Hedda Gabler*, *Casa de Boneca* e *O Pato Selvagem*)

114. Leon Tolstói (1828-1910)

**Guerra e Paz*

*Anna Karenina*

*O Que é Arte?*

*Contos*[1]

115. **Mark Twain (1835-1910)

*As Aventuras de Huckleberry Finn*

*The Mysterious Stranger* [O Estrangeiro Misterioso]

116. **William James (1842-1910)

**Princípios de Psicologia*

*As Variedades da Experiência Religiosa*

*Pragmatismo*

*Ensaios de Empirismo Radical*

117. **Henry James (1843-1916)

*Os Americanos*

*Os Embaixadores*

118. Friedrich Wilhelm Nietzsche (1844-1900)

*Assim Falou Zaratustra*

*Além do Bem e do Mal*

*Genealogia da Moral*

*Vontade de Potência*

119. Jules Henri Poincaré (1854-1912)

*Ciência e Hipótese*

*Ciência e Método*

120. Sigmund Freud (1856-1939)

**A Interpretação dos Sonhos*

**Conferências Introdutórias à Psicanálise*

**O Mal-Estar da Civilização*

**Novas Conferências Introdutórias à Psicanálise*

121. **George Bernard Shaw (1856-1950)

Peças (e seus prefácios; especialmente *Homem e Super-Homem*, *Major Barbara*, *César e Cleópatra*, *Pigmalião* e *Santa Joana*)

[1] A referência original (*Twenty-Three Tales*) é a uma antologia publicada em 1907.

122. **Max Planck (1858-1947)
*Origin and Development of the Quantum Theory* [Origem e Desenvolvimento da Teoria Quântica]
*Where is Science Going?* [Para Onde vai a Ciência?]
*Scientific Autobiography* [Autobiografia Científica]
123. Henri Bergson (1859-1941)
*Time and Free Will* [Tempo e Livre-Arbítrio]
*Matéria e Memória*
*A Evolução Criadora*
*As Duas Fontes da Moralidade e da Religião*
124. **John Dewey (1859-1952)
*Como Nós Pensamos*
*Democracia e Educação*
*Experiência e Natureza*
*Lógica – a Teoria da Investigação*
125. **Alfred North Whitehead (1861-1947)
*Introdução à Matemática*
*A Ciência e o Mundo Moderno*
*Os Fins da Educação e Outros Ensaios*
*Aventuras das Ideias*
126. **George Santayana (1863-1952)
*A Vida da Razão*
*Skepticism and Animal Faith* [Ceticismo e Fé Animal]
*Persons and Places* [Pessoas e Lugares]
127. Lênin (1870-1924)
*O Estado e a Revolução*
128. Marcel Proust (1871-1922)
*Em Busca do Tempo Perdido*
129. **Bertrand Russell (1872-1970)
*Os Problemas da Filosofia*
*Análise da Mente*
*An Inquiry into Meaning and Truth* [Uma Investigação sobre o Sentido e a Verdade]

*Human Knowledge; Its Scope and Limits* [O Conhecimento Humano; seu Alcance e seus Limites]

130. **Thomas Mann (1875-1955)
 *A Montanha Mágica*
 *José e seus Irmãos*
131. **Albert Einstein (1879-1955)
 *O Significado da Relatividade*
 *Sobre o Método da Física Teórica*
 *A Evolução da Física* (com Leopold Infeld)
132. **James Joyce (1882-1941)
 "Os Mortos" (de *Dublinenses*)
 *Retrato do Artista Quando Jovem*
 *Ulisses*
133. Jacques Maritain (1882-1973)
 *Arte e Escolástica*
 *Os Graus do Conhecimento*
 *Os Direitos do Homem e a Lei Natural*
 *Humanismo Integral*
134. Franz Kafka (1883-1924)
 *O Processo*
 *O Castelo*
135. Arnold Toynbee (1889-1975)
 *Um Estudo da História*
 *A Civilização em Julgamento*
136. Jean-Paul Sartre (1905-1980)
 *A Náusea*
 *Entre Quatro Paredes*
 *O Ser e o Nada*
137. Alexander Soljenítsin (1918-2008)
 *O Primeiro Círculo*
 *Pavilhão dos Cancerosos*

# APÊNDICE B

# EXERCÍCIOS E TESTES DOS QUATRO NÍVEIS DE LEITURA

## INTRODUÇÃO

Este apêndice oferece uma versão bastante resumida de Exercícios de Leitura feitos em estudos independentes ou em grupos de estudo. Claro que não é possível que a amostra ofereça um conjunto extensivo ou exaustivo de exercícios, como se espera encontrar ao fim de um manual ou livro-texto. Ela pode, contudo, de algum modo sugerir como seriam esses exercícios e como aproveitá-los ao máximo.

O Apêndice contém exercícios curtos e testes para cada um dos quatro níveis de leitura:

No Primeiro Nível de Leitura, a Leitura Elementar, os textos usados são notas biográficas a respeito de dois autores incluídos em *Great Books of the Western World* [Clássicos do Ocidente], John Stuart Mill e Isaac Newton.

No Segundo Nível de Leitura, a Leitura Inspecional, os textos usados são os índices de matérias de duas obras incluídas em *Great Books of the Western World*, *A Divina Comédia*, de Dante, e *A Origem das Espécies*, de Darwin.

No Terceiro Nível de Leitura, a Leitura Analítica, o texto usado é o próprio *Como Ler Livros*.

No Quarto Nível de Leitura, a Leitura Sintópica, os textos usados são passagens selecionadas de outras duas obras incluídas em *Great Books of the Western World*, a *Política*, de Aristóteles, e *O Contrato Social*, de Rousseau.

Provavelmente o leitor achará que as amostras de exercícios dos dois primeiros níveis são mais familiares e convencionais do que as dos últimos dois níveis. Este Apêndice, ao contrário de um manual elaborado, serve apenas para reforçar e esclarecer as distinções entre os vários níveis de leitura e as diferenças entre os diversos tipos de livros. Não é papel dele servir de livro de exercícios abrangente e intensivo.

Já é lugar-comum criticar exercícios de leitura e testes por não serem padronizados cientificamente, por discriminarem culturas, por não conseguirem prever com segurança o sucesso na vida acadêmica ou profissional, por suas questões muitas vezes darem margem a mais de uma resposta apropriada ou "correta". Além disso, todas essas razões tornam a avaliação por meio de testes, até certo ponto, arbitrária.

Essas críticas e outras similares são válidas em grande parte, sobretudo, se decisões importantes a respeito da classificação ou da decisão sobre o nível de conhecimento de um aluno, ou a respeito de oportunidades de emprego, se basearem exclusivamente nos resultados desses testes. No entanto, muitos testes realmente distinguem ou identificam graus de competência e continuarão a ser amplamente utilizados na avaliação acadêmica e profissional das pessoas. Ainda que não houvesse nenhum outro motivo, só esse já bastaria para que fosse desejável adquirir alguma familiaridade com a mecânica desses exercícios e dessas questões.

Deve-se ressaltar que os textos usados na maioria desses exercícios de leitura são selecionados basicamente em função das questões baseadas neles. Por isso os textos não costumam ter relações entre si; normalmente são fragmentos – passagens de pedantismo técnico ou meros textos informativos.

Neste Apêndice, ainda que ele seja um mero exemplo, a ênfase é bem distinta. Os textos usados para praticar e para servir de material de teste *merecem ser lidos por si mesmos*. Na realidade, são leituras indispensáveis para qualquer pessoa que pretenda ir além dos primeiros níveis da leitura. Os textos, assim como as questões baseadas neles, foram selecionados como bons instrumentos para aprender a ler o que merece ser lido.

É preciso dizer algo a respeito do formato das questões utilizado nos testes que figuram nas páginas seguintes. Em geral, esses textos usam questões de tipos diversos. Há questões discursivas e questões de múltipla escolha. Naturalmente, uma questão discursiva exige que a pessoa responda a algo que leu em textos mais extensos. As questões de múltipla escolha, por sua vez, são muito diversas; normalmente, elas aparecem em grupos homogêneos. Às vezes uma série de afirmativas segue-se ao exercício de leitura, e a pessoa testada deve indicar qual afirmativa melhor expressa a ideia principal ou as ideias principais do trecho lido. Em outros casos, o leitor pode deparar com algumas afirmativas sobre um detalhe do texto em que apenas uma delas é a interpretação válida do texto, ou ao menos mais adequada que as demais; pode ser também o contrário; uma afirmativa está incorreta e as outras estão corretas. Pode-se ainda reproduzir exatamente um trecho do texto, a fim de descobrir se o leitor prestou atenção a ponto de lembrar-se dela. Às vezes, numa afirmativa tirada diretamente do texto, o leitor encontrará um espaço em branco indicando que uma ou mais palavras que dão sentido à afirmativa foram omitidas. Segue-se então uma lista de opções, ordenadas alfabética ou numericamente, dentre as quais a pessoa deve escolher a expressão que, ao ser inserida no espaço em branco, melhor completa a afirmativa.

A maioria das questões pode ser respondida com base apenas na passagem lida. Mas algumas questões exigem que o leitor recorra também a outros textos que conhece, textos necessários para responder corretamente à questão. Outras questões, por sua vez, baseiam-se em inferências, isto é, elas fazem certas inferências com base no texto. Pede-se à pessoa que faz o teste que selecione dentre as opções aquelas que correspondem a inferências razoáveis do texto; ou ainda, pede-se que ela reconheça e descarte inferências espúrias ou desprovidas de fundamento no texto.

Diante da tarefa de criar um teste padronizado que vá ser usado em situações acadêmicas e profissionais de importância crucial, a escolha dos tipos de questões e mesmo a formulação dessas questões também adquirem importância crucial. Felizmente, não enfrentaremos essa tarefa neste Apêndice. Em vez disso, vamos apenas sugerir algumas abordagens que podem constar num estudo independente, a fim de aprimorar as capacidades de leitura. Naquilo que se segue, usaremos a maior parte dos tipos de questões que acabamos de descrever – sem discriminá-las em grupos, como de costume – e alguns outros também. Algumas serão bem fáceis e outras bem difíceis; as mais difíceis podem também ser as mais divertidas de responder.

Como algumas questões são bem difíceis e como as formulamos com a intenção tanto de fazer o leitor refletir sobre aquilo que leu quanto de testá-lo naquilo que leu, em vários momentos demos às perguntas mais do que aquelas respostas habitualmente curtas e enigmáticas, sobretudo no caso das questões que estão na parte final deste Apêndice, na seção que trata da leitura sintópica. Nela, tomamos a liberdade de guiar o leitor pela mão, formulando as questões de modo a sugerir uma interpretação geral dos textos lidos e, na medida do possível, respondê-las como se nós mesmos estivéssemos presentes.

## I. EXERCÍCIOS E TESTES DO PRIMEIRO NÍVEL DE LEITURA: A LEITURA ELEMENTAR

Nessa seção do Apêndice há duas notas biográficas. Uma fala da vida de John Stuart Mill, a outra da de Isaac Newton. A de Mill vem primeiro, ainda que, é claro, Newton tenha vivido quase dois séculos antes de Mill.

A nota biográfica de Mill consta do Volume 43 de *Great Books of the Western World* [Clássicos do Ocidente]. Além da Declaração de Independência, dos Artigos da Confederação, da Constituição dos Estados Unidos da América e de *O Federalista*, de Hamilton, Madison e Jay – os documentos fundadores dos Estados Unidos –, esse volume traz três obras completas de Mill: *Sobre a Liberdade*, *Considerações sobre o Governo Representativo* e *Utilitarismo*. Essas três obras estão entre as mais importantes que Mill escreveu, mas de maneira alguma esgotam sua produção. *A Sujeição das Mulheres*, por exemplo, tem grande interesse hoje não só porque Mill foi um dos primeiros pensadores da história do Ocidente a propor a igualdade total entre homens e mulheres, mas também por causa de seu estilo incisivo e das muitas intuições nele contidas sobre as relações de homens e mulheres em qualquer tempo e lugar.

No primeiro nível de leitura, a velocidade não é essencial. A nota biográfica de Mill que se segue tem cerca de 1.200 palavras. Sugerimos que seja lida numa velocidade confortável – talvez de seis a dez minutos. Também sugerimos que você marque no texto expressões e frases que provoquem seu interesse e que, talvez, também escreva algumas notas. Procure, então, responder às questões.

## JOHN STUART MILL
1806-1873

Mill, em sua *Autobiografia*, declarou que seu desenvolvimento intelectual deveu-se fundamentalmente à influência de duas pessoas: seu pai, James Mill, e sua esposa.

Tomando como base as teorias educacionais de Helvécio e Bentham, James Mill criou um programa educacional abrangente para seu filho. Seu escopo era enciclopédico. Aos 13 anos, o menino já contava com o equivalente a uma boa educação universitária. O pai era seu tutor e companheiro constante, permitindo que trabalhasse na mesma sala que ele e até mesmo que o interrompesse na redação de sua *History of India* [História da Índia] ou nos seus verbetes para a *Encyclopaedia Britannica*. Sobre o resultado, Mill disse que "ele fez que eu parecesse um homem 'produzido' ou manufaturado, como se certa opinião tivesse sido impressa em mim, e eu só conseguisse reproduzi-la".

A formação de Mill começou aos três anos, com aulas de grego e aritmética. Aos oito, o menino já havia lido tudo de Heródoto, seis diálogos de Platão e vários textos de história. Antes dos doze, já tinha estudado Euclides e álgebra, os poetas gregos e latinos, e alguma poesia inglesa. Seu interesse por história persistiu, e ele chegou a tentar escrever uma descrição do governo romano. Aos doze anos, começou a estudar lógica no *Organon* de Aristóteles e nos manuais escolásticos em latim a respeito do assunto. No último ano que esteve sob supervisão direta do pai, o décimo terceiro de sua vida, dedicou-se à economia política; as notas do filho ajudaram o velho Mill a escrever *Elements of Political Economy* [Elementos de Economia Política]. E o garoto continuou seus estudos com os amigos de seu pai. Estudou direito com Austin e economia com Ricardo e completou os estudos sozinho, lendo o tratado de Bentham sobre legislação, que lhe deu, em suas palavras, "um credo, uma doutrina, uma filosofia ... uma religião" e o transformou "em um ser diferente".

Ainda que Mill nunca tenha cortado relações com seu pai, sofreu, aos vinte anos, uma "crise" em sua história mental. Ocorreu-lhe fazer-se esta pergunta: "Suponha que tudo que você quer na vida se realize; que todas as mudanças por que você ansiava nas instituições e opiniões pudessem acontecer exatamente agora: isso lhe traria grande alegria e felicidade?". Ele contou que "uma autoconsciência irreprimível respondeu nitidamente que *não*", e foi tomado por uma depressão que durou muitos anos. Sua "melancolia" só foi interrompida quando leu as *Mémoires* [Memórias] de Marmontel: "Eu ... cheguei ao trecho que fala da morte do pai dele, da situação preocupante da família e da súbita inspiração graças à qual ele, à época não mais que um garoto, sentiu e fez sua família sentir que ele seria tudo para ela – que assumiria o lugar de tudo que fora perdido". A cena comoveu-o até as lágrimas e a partir desse momento seu "fardo tornou-se mais leve".

A partir dos dezessete anos, Mill começou a sustentar-se, trabalhando para a Companhia das Índias Orientais, da qual seu pai era funcionário. Ainda que tenha começado nominalmente como escrivão, logo foi promovido a examinador-assistente e, por vinte anos, da morte de seu pai, em 1836, até as atividades da Companhia serem encampadas pelo governo britânico, foi encarregado das relações com os estados indianos, o que lhe deu vasta experiência prática nos problemas de governo. Além de ter emprego regular, ele participou de muitas atividades voltadas a preparar a opinião pública para a reforma legislativa. Ele, seu pai e seus amigos formavam um grupo conhecido como "radicais filosóficos", que deu uma grande contribuição aos debates que levaram ao *Reform Act* de 1832.[1] Mill dedicava-se a denunciar aquilo que considerava desvios no Parlamento e nos tribunais. Frequentemente escrevia para os jornais que defendiam a causa "radical", ajudou a fundar e a editar a *Westminster Review*, um órgão "radical", e participou de diversas sociedades de leitura e de debate dedicadas a discutir os problemas sociais e intelectuais da época.

Essas atividades não o impediram de dedicar-se a seus interesses intelectuais. Ele editou *Rationale of Judicial Evidence* [Lógica da Prova Judicial], de Jeremy Bentham. Estudou lógica e ciências com o objetivo de reconciliar a lógica silogística com os métodos da ciência indutiva e publicou seu *Sistema de Lógica Dedutiva e Indutiva* (1843). Ao mesmo tempo, levou adiante suas pesquisas na área de economia, primeiro redigidas em *Essays on Some Unsettled Questions in Political*

[1] A primeira reforma do sistema eleitoral, válida na Inglaterra e no País de Gales. (N. T.)

*Economy* [Ensaios sobre Algumas Questões Abertas de Economia Política] e depois tratadas de modo sistemático em *Princípios de Economia Política* (1848).

Ele atribuiu o desenvolvimento e a produtividade desses anos a seu relacionamento com Harriet Taylor, que se tornou sua esposa em 1851. Mill a conhecera vinte anos antes, assim que sua "crise" acabou, e sempre elogiava muito a influência dela em sua obra. Ainda que tenha publicado menos durante os sete anos de seu casamento do que durante qualquer outro período de sua carreira, nessa época ele concebeu e escreveu parcialmente muitas de suas obras importantes, como *Sobre a Liberdade* (1859), os *Pensamentos sobre a Reforma Parlamentar*, que depois levaram às *Considerações sobre o Governo Representativo* (1861) e *Utilitarismo* (1863). Atribuía a ela seu entendimento do lado humano das reformas abstratas que propunha. Após a morte da esposa, ele afirmou: "Para mim, sua memória é como uma religião, e sua aprovação é o padrão segundo o qual, por reunir tudo que há de mais digno, tento regular minha vida".

Mill dedicou grande parte de seus últimos anos diretamente à atividade política. Além de escrever, ajudou a fundar a primeira sociedade em favor do sufrágio feminino e, em 1865, aceitou tornar-se deputado. Membro da ala radical do Partido Liberal, teve papel ativo nos debates da *Reform Bill* de Disraeli e promoveu as medidas que havia muito propunha, como a representação das mulheres, a reforma da prefeitura de Londres e a alteração da lei de terras da Irlanda. Seu apoio a medidas impopulares foi a principal causa de não ter sido reeleito. Mudou-se para sua casa em Avignon, construída para que ele pudesse ficar perto do túmulo de sua esposa, e morreu ali, em 8 de maio de 1873.

*

Observe que as questões nestes testes não são todas do mesmo tipo: existem diversas espécies de questões de múltipla escolha e algumas questões discursivas. Algumas exigem informações que não fazem parte da passagem lida – as informações de fundo com que o leitor capaz contextualiza tudo que lê. Selecione *todas* as respostas que lhe pareçam válidas, estejam elas explícitas ou implícitas no texto, ou que simplesmente pareçam verdadeiras considerando as informações que você tem.

## Teste A: Questões sobre a nota biográfica de John Stuart Mill

1. Durante a parte final da vida de Mill, o chefe de Estado inglês era (a) Jorge IV; (b) Guilherme IV; (c) Vitória; (d) Eduardo VII.
2. A formação inicial de Mill seguiu um projeto (a) de Jeremy Bentham; (b) de seu pai, James Mill; (c) da *Encyclopaedia Britannica*, para a qual seu pai escrevia verbetes; (d) das *Mémoires* de Marmontel.
3. Quando completou oito anos de idade, Mill já tinha lido (a) Heródoto; (b) seis diálogos de Platão; (c) o Discurso de Gettysburg, de Lincoln.
4. Mill começou a trabalhar para a Companhia das Índias Orientais a fim de sustentar-se aos (a) 14 anos; (b) 17 anos; (c) 21 anos; (d) 25 anos.
5. Aos 20 anos, Mill teve (a) uma briga com seu pai; (b) uma crise psicológica; (c) uma "crise" psicológica; (d) um caso com uma mulher casada.
6. Mill, seu pai e seus amigos chamavam-se de "radicais filosóficos" porque acreditavam (a) na derrubada violenta do governo; (b) que era preciso reformar a representação parlamentar; (c) que o estudo da filosofia deveria ser excluído dos currículos escolares.
7. Entre os autores que Mill leu quando jovem, e que provavelmente influenciaram suas ideias, estavam (a) Aristóteles; (b) Dewey; (c) Ricardo; (d) Bentham.
8. Qual destas obras célebres de Mill não é mencionada no texto? (a) *Sobre a Liberdade*; (b) *Considerações sobre o Governo Representativo*; (c) *Utilitarismo*; (d) *A Sujeição das Mulheres*.
9. Se Mill estivesse vivo hoje, é provável ou improvável que ele:

| | | provável | improvável |
|---|---|---|---|
| (a) | defendesse o movimento de | _______ | _______ |
| | emancipação das mulheres; | _______ | _______ |
| (b) | defendesse a educação universal; | _______ | _______ |
| (c) | militasse em prol da segregação racial; | _______ | _______ |
| (d) | defendesse a censura de jornais e de outros meios de comunicação de massa. | _______ | _______ |

10. Pode-se inferir a partir do texto que Mill considerava sua esposa (Harriet Taylor), tanto durante seu casamento quanto após a morte dela, (a) sua crítica mais severa; (b) sua melhor amiga; (c) sua pior inimiga; (d) sua musa.

AS RESPOSTAS DO TESTE A ESTÃO NA PÁGINA 417.

*

Isaac Newton atualmente desperta enorme interesse em estudiosos e historiadores das Ciências. Há duas grandes razões para isso. A primeira é um lugar-comum. Ao combinar análise e experimentação – ao combinar a teoria com a observação sistemática de fenômenos naturais –, homens como Galileu e Newton iniciaram uma revolução intelectual e serviram de guias para a era científica moderna. Não apenas descobriram verdades sobre o mundo físico que continuam a ser relevantes e importantes, como também desenvolveram novos métodos de estudo da natureza que mostraram ter ampla utilidade em muitas áreas de estudo e de pesquisa.

Isso, como dissemos, é um lugar-comum; esse aspecto da vida e das realizações de Newton é conhecido e discutido há séculos. Recentemente, Newton tornou-se o foco de um estudo mundial sobre a natureza da genialidade. Estudiosos e estudantes das ciências e da literatura sempre classificam cientistas e autores como mais ou menos importantes, numa escala que vai de extraordinário a gênio. Boa parte da opinião especializada considera que Newton foi o gênio supremo – o maior intelecto de todos os tempos. Há muitas tentativas de definir e de explicar a genialidade. A precocidade, a capacidade de concentração, a intuição aguda, a rigorosa capacidade de análise – a genialidade é descrita nesses termos. Todos eles parecem aplicar-se a Isaac Newton.

A nota biográfica de Newton que se segue consta do Volume 34 de *Great Books of the Western World* [Clássicos do Ocidente]. Esse volume contém os textos de *Princípios Matemáticos da Filosofia Natural* (mais conhecido como *Principia*) e de sua *Óptica*; também contém o texto do *Tratado sobre a Luz* do físico holandês Christiaan Huygens. A biografia de Newton é um pouco mais longa que a de Mill; separe dez a doze minutos para lê-la. Como antes, marque as passagens que mais chamarem sua atenção e escreva notas. Então procure responder às questões que se seguem.

## ISAAC NEWTON
1642-1727

Newton nasceu em Woolsthorpe, em Lincolnshire, no Natal de 1642. Seu pai, um pequeno agricultor, morrera poucos meses antes de seu nascimento, e quando, em 1645, sua mãe se casou com o pastor de North Witham, Newton ficou com a avó materna em Woolsthorpe. Após ser alfabetizado em pequenas escolas da região, Newton foi mandado aos doze anos para a escola de Grantham, tendo ido morar na casa de um farmacêutico. Segundo suas próprias palavras, Newton era indiferente aos estudos até que a vitória numa disputa com outro menino avivou nele o espírito competitivo, o que o levou a ser o melhor aluno da escola. Desde cedo demonstrou aptidão e gosto por aparelhos mecânicos; fazia moinhos de vento, relógios de água, pipas e relógios de sol, e dizem que inventou uma carruagem de quatro rodas que seria movida pelo cocheiro.

Após a morte de seu segundo marido em 1656, a mãe de Newton retornou a Woolsthorpe e tirou o filho mais velho da escola, para que ele se preparasse para gerenciar a fazenda. Mas logo ficou claro que ele não tinha o menor interesse pela agricultura e, graças ao conselho de seu tio, o pastor de Burton Coggles, foi enviado ao Trinity College da Universidade de Cambridge, onde ganhou uma bolsa: pagava suas despesas prestando serviços à instituição. Embora não existam registros de suas notas, sabe-se que Newton estudou muita matemática e muita mecânica. A primeira coisa que estudou em Cambridge foram as obras sobre óptica de Kepler. Voltou-se para Euclides porque não conseguia compreender alguns diagramas de um livro de astrologia que comprara numa feira e isso o incomodava; achando que as proposições eram autoevidentes, deixou de lado o "livro banal" até que seu professor, Isaac Barrow, fez que ele o retomasse. Parece que foi o estudo da *Geometria* de Descartes que o inspirou a fazer trabalhos originais em matemática. Num pequeno caderno de anotações que Newton usava na graduação, há diversos comentários sobre seções angulares e sobre a quadratura das curvas, diversos cálculos a respeito de notas musicais, problemas geométricos de Vieta e de Van Schooten, notas da *Arithmetic of Infinities* [Aritmética das Infinitudes] de Wallis, e também observações sobre o corte de vidros ópticos esféricos, sobre os erros das lentes e sobre a extração de todo tipo de raiz. Foi na época que se graduou, em 1665, que Newton descobriu o teorema do binômio e fez as primeiras anotações sobre sua descoberta do "método das fluxões".

Quando a Grande Peste de Londres chegou a Cambridge, em 1665, as atividades foram suspensas, e Newton foi para a fazenda em Lincolnshire, onde realizou experimentos ópticos e químicos e continuou suas especulações matemáticas. Ele diz ter descoberto a teoria da gravidade durante esse retiro forçado, em 1666: "No mesmo ano, comecei a pensar que a gravidade se estendia à órbita da Lua ... comparei a força necessária para manter a Lua em sua órbita com a força da gravidade à superfície da Terra e vi que eram muito próximas". Mais ou menos à mesma época, suas pesquisas ópticas levaram à explicação da luz branca. Newton disse sobre as pesquisas feitas nesses anos: "Tudo isso foi nos dois anos de 1665 e 1666, pois nesse período eu estava no auge da minha idade criativa e pensava em matemática e em filosofia com uma intensidade que nunca mais experimentei".

Quando as aulas voltaram no Trinity College, em 1667, Newton foi eleito *fellow* e, dois anos depois, pouco antes de completar 27 anos, foi eleito para a Cátedra Lucasiana de Matemática,[2] sucedendo ao dr. Barrow, seu professor e amigo. Newton já construíra um telescópio refletor em 1668; apresentou em 1671 à Royal Society o segundo telescópio que fabricou. Dois meses depois, então como membro, apresentou sua descoberta sobre a luz, iniciando uma controvérsia que duraria muitos anos e envolveria Hooke, Lucas, Linus e outros. Newton sempre achou as controvérsias de mau gosto: "culpei minha própria imprudência por ter deixado a grande bênção que é minha paz para correr atrás de uma sombra". Newton apresentou seus mais importantes trabalhos sobre Óptica à Royal Society entre 1672 e 1676, e todos foram reunidos em *Óptica* (1704).

Foi somente em 1684 que Newton começou a cogitar apresentar seu trabalho sobre a gravidade. Hooke, Halley e Christopher Wren haviam chegado de modo independente a alguma ideia sobre a lei da gravidade, mas não

[2] Em inglês, *fellow*, que pode designar tanto um diretor administrativo quanto um pesquisador, o qual pode ser ou não professor. A Cátedra Lucasiana (*Lucasian Chair*) de Cambridge foi recentemente ocupada por Stephen Hawking. (N. T.)

conseguiam explicar as órbitas dos planetas. Naquele ano, Halley consultou Newton sobre o problema e ficou perplexo ao descobrir que ele já o resolvera. Newton lhe apresentou seus quatro teoremas e seus sete problemas, que vieram a ser o núcleo de sua obra principal. Em cerca de dezessete ou dezoito meses, entre 1685 e 1686, ele escreveu, em latim, os *Princípios Matemáticos da Filosofia Natural*. Por algum tempo Newton cogitou não incluir o terceiro livro e só o publicou graças à insistência de Halley, que também decidiu arcar com os custos de publicação da obra em 1687, uma vez que a Royal Society demonstrou não dispor de fundos para tanto. O livro causou grande sensação na Europa e, em 1689, Huygens, que na época era mais famoso, foi à Inglaterra a fim de conhecer Newton pessoalmente.

Enquanto trabalhava nos *Princípios*, Newton começou a assumir um papel mais importante no dia a dia da universidade. Por conta de sua oposição à tentativa de Jaime II de rechaçar os juramentos de lealdade e supremacia[3] da universidade, Newton foi eleito deputado por Cambridge. Ao retornar à universidade, teve uma doença grave que o incapacitou durante a maior parte de 1692 e de 1693 e deixou seus amigos e colegas muito preocupados. Após sua recuperação, deixou a universidade para trabalhar para o governo. Graças ao apoio de amigos como Locke, Wren e Lorde Halifax, Newton tornou-se Administrador da Casa da Moeda em 1695 e, quatro anos depois, Mestre da Casa da Moeda, cargo que manteve até morrer.

Nos últimos trinta anos de sua vida, Newton quase não produziu nada original em matemática. Manteve seu interesse no assunto e sua capacidade; em 1696, resolveu em uma noite um problema apresentado por Bernoulli numa competição cujo prazo era de seis meses e, em 1716, resolveu em poucas horas um problema que Leibniz propusera a fim de "tomar o pulso dos analistas ingleses". Para sua infelicidade, foi envolvido em duas controvérsias matemáticas, uma relacionada às observações astronômicas do astrônomo real e outra com Leibniz, relacionada à invenção do cálculo. Também fez revisões em *Princípios Matemáticos da Filosofia Natural*, cuja segunda edição foi publicada em 1713.

[3] O juramento de supremacia afirma que o monarca inglês é o líder da Igreja da Inglaterra. Jaime II, porém, era católico e absolutista. (N. T.)

A obra científica de Newton trouxe-lhe muita fama. Suas visitas eram desejadas pela corte e foi sagrado cavaleiro em 1705. Muitas honras lhe chegavam do restante da Europa; ele se correspondia com todos os grandes homens das ciências, e passou a receber tantas visitas que começaram a incomodá-lo. Apesar da fama, Newton manteve a modéstia. Pouco antes de sua morte, observou: "Não sei que impressão o mundo tem de mim, mas, para mim mesmo, sou como um menino que brinca na praia, divertindo-se quando encontra uma pedrinha mais lisa ou uma concha mais bonita, enquanto os grandes oceanos da verdade permanecem incógnitos à minha frente".

Desde cedo Newton interessou-se por estudos teológicos e antes de 1690 começou a estudar as profecias. Naquele ano escreveu, na forma de uma carta para Locke, *Historical Account of Two Notable Corruptions of the Scriptures* [História de Duas Notáveis Corrupções das Escrituras], a respeito de duas passagens relativas à Trindade. Ele deixou também os manuscritos de *As Profecias do Apocalipse e o Livro de Daniel*, além de outros livros de exegese.

Após 1725, Newton ficou muito doente e suas tarefas na Casa da Moeda eram realizadas por um suplente. Em fevereiro de 1727, presidiu pela última vez uma reunião da Royal Society, a qual presidia desde 1703, e faleceu em 20 de março de 1727, aos 85 anos. Foi sepultado na Abadia de Westminster após ser solenemente velado no Salão Jerusalém.

### Teste B: Questões sobre a biografia de Isaac Newton

1. Antes de Newton entrar no Trinity College da Universidade de Cambridge, seu(s) grande(s) interesse(s) era(m): (a) política; (b) teologia; (c) aparelhos mecânicos; (d) ciências e matemática.
2. Newton foi sagrado cavaleiro (a) pelo rei Carlos II (1660-1685); (b) pelo rei Jaime II (1685-1688); (c) pela rainha Anne (1702-1714); (d) pelo rei Jorge I (1714-1727).
3. Quando as atividades do Trinity College foram suspensas por dois anos, de 1665 a 1667, porque a Peste de Londres chegara a Cambridge,

Newton e diversos alunos tiraram férias prolongadas e viajaram para outros países da Europa. (Verdadeiro ou falso?)

4. Newton foi eleito para o Parlamento graças (a) à maneira como lidou com os protestos antimonárquicos dos alunos; (b) à sua oposição à tentativa de Jaime II de rechaçar os juramentos de lealdade e supremacia; (c) à maneira como lidou com o pânico de professores e alunos diante da chegada da Grande Peste de Londres a Cambridge.
5. Na última parte de sua vida, Newton foi envolvido por controvérsias relacionadas (a) às observações astronômicas do astrônomo real; (b) à invenção do cálculo; (c) às profecias de Daniel.
6. Newton escreveu *Princípios matemáticos da filosofia natural* em (a) grego; (b) latim; (c) inglês.
7. Entre outras coisas, o livro explicava (a) por que as maçãs caem; (b) as órbitas dos planetas; (c) a quadratura do círculo; (d) em que aspectos Deus é geômetra.
8. Óptica é (a) o nome que geralmente se dá ao estudo da luz, a energia radiante que, entre outras coisas, age nos órgãos da visão, permitindo aos homens ver; (b) o nome que geralmente se dá ao estudo dos olhos dos homens e dos outros animais; (c) a tecnologia da produção de lentes e de seu uso em telescópios.
9. Em sua *Óptica*, Newton (a) provou que a luz viaja à velocidade de trezentos mil quilômetros por hora; (b) revelou a composição da luz branca; (c) descreveu como a luz branca pode ser decomposta por um prisma nas cores do espectro; (d) descreveu alguns usos militares do telescópio.
10. Na velhice, Newton observou: "Não sei que impressão o mundo tem de mim, mas, para mim mesmo, sou como um menino que brinca na praia, divertindo-se quando encontra uma pedrinha mais lisa ou uma concha mais bonita, enquanto os grandes oceanos da verdade permanecem incógnitos à minha frente". Comente essa afirmativa em 250 palavras.

As respostas do Teste B estão na página 417.

*

Agora você concluiu as duas partes do exercício de leitura do primeiro nível de leitura. Você há de ter observado que, como avisamos, as questões se baseiam não apenas nos textos lidos, mas também em informações históricas e em outras não incluídas explicitamente no texto. O leitor capaz, mesmo neste primeiro nível, consegue usar as informações que tem para contextualizar qualquer coisa que leia. Em geral, quanto mais bem informado se está, melhor se lê.

Se foi razoavelmente bem nessas perguntas, então é obviamente um leitor bastante desenvolvido e atingiu e até superou os padrões da Leitura Elementar. Esperamos que você também tenha percebido que esses exercícios e testes foram criados não só para aprimorar sua capacidade de leitura, mas também para ajudá-lo a aprender algo que vale a pena saber, ou para aplicar algo que você já sabe àquilo que lê.

## II. EXERCÍCIOS E TESTES DO SEGUNDO NÍVEL DE LEITURA: A LEITURA INSPECIONAL

Utilizamos os índices de matérias de duas obras incluídas em *Great Books of the Western World* [Clássicos do Ocidente] como textos para leitura e para testes nesta seção do Apêndice B. Além disso, reproduzimos aqui notas biográficas de seus autores – Dante e Darwin – com o intuito de informar o leitor e fornecer material que sirva de base para elaborar as questões dos testes.

A nota biográfica de Dante e o índice de matérias de *A Divina Comédia* foram retirados do Volume 21 de *Great Books of the Western World*. O volume contém apenas *A Divina Comédia*. Dante, contudo, escreveu outras obras, tanto em prosa quanto em verso, de grande interesse e beleza, ainda que apenas a *Comédia* (o adjetivo "divina" foi incluído após sua morte) seja lida hoje por muitas pessoas.

Você há de lembrar que no Capítulo 4 vimos que há dois passos na Leitura Inspecional. Chamamos o primeiro de Pré-Leitura ou Sondagem Sistemática, ou ainda de Folhear o Livro; o segundo, de Leitura Superficial. Como não temos o texto integral de *A Divina Comédia* à nossa frente para este exercício, discutiremos o índice de matérias do livro, apresentado aqui integralmente, como se fosse um livro. Isto é, sugerimos que você gaste menos de dez minutos (aqui, a velocidade *é* essencial) correndo os olhos sistematicamente por todo o índice e depois disso tente responder a algumas questões; em seguida, vamos pedir que faça outra leitura superficial do índice de matérias – isto é, em cerca de vinte minutos – e então tente responder a mais questões.

Assim, o tempo total que se deve dedicar à leitura do índice de matérias de *A Divina Comédia* é de meia hora. Considerando que vários estudiosos dedicam trinta anos da vida à *A Divina Comédia*, trinta minutos de inspeção é algo realmente superficial. Ao mesmo tempo, não se trata de algo presunçoso ou inútil. Pode-se aprender bastante sobre esse grande poema em meia hora. E, quanto àqueles para quem Dante e *A Divina Comédia* são na melhor das hipóteses nomes vagos, uma inspeção cuidadosa do índice de matérias pode levá-los a inspecionar a obra inteira, ou até levá-los a lê-la analiticamente, no terceiro nível de leitura.

Antes de fazer a primeira inspeção do índice de matérias – antes de fazer uma pré-leitura ou de correr os olhos sistematicamente – leia em alguns minutos a nota biográfica sobre Dante. Ela vai ajudá-lo a entender o que Dante pretende e realiza com *A Divina Comédia* – e também vai ajudá-lo a responder a algumas de nossas questões.

## DANTE ALIGHIERI
1265-1321

Dante Alighieri nasceu em Florença em meados de maio de 1265. A cidade vivia sua primeira Constituição democrática e estava rigidamente dividida entre os Guelfos, o partido papal, e os Gibelinos, o partido imperial. A família de Dante estava do lado dos Guelfos, e poucos meses depois de seu nascimento os Guelfos obtiveram uma vitória decisiva na Batalha de Benevento. Apesar da ascendência nobre, a família Alighieri não era rica nem particularmente importante.

Dante provavelmente foi alfabetizado na escola franciscana de Santa Croce. Ele certamente devia muito à influência de Brunetto Latini, um filósofo e estudioso de grande influência nas assembleias da comuna florentina. Antes de completar vinte anos, Dante começou a escrever poesia e seu trabalho foi associado ao dos poetas italianos do "doce estilo novo", que exaltavam seu amor e suas damas em versos filosóficos. A "dama" de Dante, celebrada por ele com singular devoção, era uma certa Beatriz. De acordo com a biografia de Dante escrita por Boccaccio, tratava-se de Beatrice Portinari, filha de um cidadão florentino, que se casou com um rico banqueiro e morreu com apenas 24 anos. Dante cantou Beatriz primeiro em *Vita Nuova* (1292), uma sequência de poemas com comentários em prosa no qual ele conta a história de seu amor, a primeira vez que a encontrou – quando ambos tinham nove anos de idade –, a vez em que se cumprimentaram no dia 1º de maio de 1283 e a morte de Beatriz, em 1290.

Ao completar trinta anos, Dante passou a ter papel ativo na política florentina. A Constituição da cidade se baseava nas guildas, e Dante, ao entrar na guilda dos médicos e farmacêuticos, que também incluía os livreiros, pôde concorrer a cargos públicos. Participou das deliberações das assembleias, serviu numa embaixada especial e em 1300 foi eleito um dos seis priores que governavam a cidade. A antiga disputa entre Guelfos e Gibelinos reapareceu em nova forma, no conflito entre os Brancos e os Negros. Como prior, Dante parece ter contribuído para diminuir as dissensões ao banir de Florença os líderes rivais, incluindo nesse grupo, do lado dos Negros, Corso Donati, parente de sua esposa, e, do lado dos Brancos, o poeta Guido Cavalcanti, seu "maior amigo". Apesar da oposição de Dante e dos líderes dos Brancos à interferência papal na política florentina, em 1301 o papa Bonifácio VIII convidou Carlos de Valois, irmão do rei Filipe da França, a entrar em Florença e resolver as disputas entre as duas facções. Na realidade, ele ajudou os Negros a tomar o poder, e mais de seiscentos Brancos foram condenados ao exílio. Em 1302, Dante e outros quatro homens do partido Branco foram acusados de corrupção. Ele foi condenado a pagar uma multa de cinco mil florins no prazo de três dias ou perderia suas propriedades, seria exilado por dois anos e perderia para sempre o direito de ocupar um cargo público. Três meses depois, por recusar-se a pagar a multa, Dante foi condenado a ser queimado vivo caso voltasse à República.

Como escreve Dante sobre o exílio no *Convivio*, "após terem os cidadãos de Florença, a mais bela e famosa das filhas de Roma, achado por bem afastar-me de seu doce seio, tenho vagado por quase todas as regiões em que se fala a nossa língua, exibindo, contra a minha vontade, a ferida da fortuna". Há registros de que Dante participou de uma reunião em San Godenzo, na qual os Brancos exilados aliaram-se aos Gibelinos, mas parece que ele não estava presente quando as forças conjuntas foram derrotadas em Lastra. Talvez ele já estivesse separado da "maligna e tola companhia" de seus companheiros de exílio, "formando um partido solitário" e encontrando seu "primeiro refúgio e abrigo" na corte da família Della Scala, em Verona. Provavelmente nos anos seguintes ele esteve em Bolonha e depois em Pádua, onde se diz que Giotto o recebeu. Ao final de 1306, foi hóspede dos Malaspinas em Lunigiana, a quem serviu como embaixador para a negociação de paz com o bispo de Luni. É possível que algum tempo depois ele tenha ido a Paris e frequentado a sua universidade.

Nos primeiros anos de seu exílio, Dante aparentemente estudou os assuntos que vieram a torná-lo conhecido não só como poeta, mas também como filósofo e teólogo. No *Convivio*, escrito provavelmente entre 1305 e 1306, Dante expõe como, após a morte de Beatriz, voltou-se para *Sobre a Amizade*, de Cícero, e para a *Consolação da Filosofia*, de Boécio, que despertaram seu amor pela filosofia. A fim de cantar seus louvores, iniciou o *Convivio*, que ele gostaria que fosse um tesouro do conhecimento universal na forma de poemas conectados por longos comentários em prosa. Ao mesmo tempo, trabalhou em *De Vulgari Eloquentia* [Sobre a Língua Comum], um tratado em latim no qual apresentava sua defesa do uso do italiano como língua literária.

O fato de Henrique de Luxemburgo ter sido eleito imperador em 1308 deu novo alento às esperanças políticas de Dante. Quando Henrique entrou na Itália em 1310, à frente de um exército, Dante escreveu uma carta aos príncipes e ao povo da Itália em que saudava a chegada de um libertador. Em Milão, homenageou pessoalmente Henrique, como se fosse seu soberano. Quando Florença, aliada ao rei Roberto, de Nápoles, preparou-se para resistir ao imperador, Dante denunciou-os numa segunda carta por sua obstinação e profetizou sua derrota. Numa terceira carta, repreendeu o próprio imperador por sua demora em agir e instou-o a lançar-se contra Florença. Foi provavelmente nesse período que ele escreveu *De Monarchia*, uma defesa intelectual do imperador como soberano de uma ordem temporal. A morte de Henrique, em 1313, após mais ou menos um ano de lutas sem resultado, encerrou as aspirações políticas de Dante e de seu partido. A cidade de Florença renovou sua condenação nos anos de 1311 e de 1315.

Após a morte de Henrique, Dante passou o resto da vida sob a proteção de diversos nobres da Lombardia, da Toscana e da Romanha. Segundo alguns estudiosos, ele viveu durante um tempo no mosteiro de Santa Croce di Fonte Avellana, nos Apeninos, onde trabalhou na *A Divina Comédia*, que pode ter sido planejada já em 1292. É quase certo que ele tenha passado algum tempo na corte de Can Grande della Scala, a quem dedicou o *Paraíso*. Em 1315, Florença convocou todos os exilados. Dante recusou-se a pagar a multa e a "levar a marca do pagamento", acreditando que o retorno o privaria de sua fama e de sua honra. Aparentemente, ao fim da vida, ele teria tido esperanças de que a *Comédia* finalmente lhe abrisse os portões da cidade.

O poeta passou seus últimos anos em Ravena, tendo como mecenas Guido da Polenta, sobrinho de Francesca da Rimini. Beatrice, filha de Dante, era freira na cidade, e um dos filhos de Dante ocupava ali um cargo eclesiástico; sua esposa parece ter residido em Florença durante todo o exílio. Dante era muito estimado em Ravena e tinha um bom círculo de amigos. Ali concluiu *A Divina Comédia* e escreveu duas éclogas em latim, as quais sugerem a presença de certo contentamento em seus últimos dias. Ao retornar de uma missão diplomática a Veneza em nome de seu mecenas, contraiu uma febre e faleceu em 14 de setembro de 1321. Foi sepultado em Ravena, às portas da igreja principal, com as maiores honras, e "com o hábito de poeta e de grande filósofo".

Dedique agora dez minutos fazendo uma pré-leitura ou correndo os olhos sistematicamente pelo índice de matérias a seguir. O texto que usamos é o da tradução de Charles Eliot Norton.[4] Naturalmente, outros tradutores fariam um índice de matérias usando palavras um pouco diferentes.

---

[4] Como referência para este trecho, sobretudo para os nomes próprios, foi usada a tradução de Vasco Graça Moura de *A Divina Comédia.* (N. T.)

# ÍNDICE DE MATÉRIAS DE *A DIVINA COMÉDIA*

## Inferno

Canto I: Dante, perdido numa floresta, chega ao sopé de uma montanha e começa a subi-la; é impedido por três animais; retorna e encontra Virgílio, que se propõe a guiá-lo pelo mundo eterno.

Canto II: Dante descrê de suas próprias capacidades e sente a coragem faltar. Virgílio o anima, dizendo-lhe que foi enviado para auxiliá-lo por uma alma bendita do céu, chamada Beatriz. Dante perde o medo, e os poetas avançam.

Canto III: Os portões do Inferno. Virgílio leva Dante para dentro. A punição daqueles que viveram sem infâmia e sem louvor. O rio Aqueronte e os pecadores em sua margem. Caronte. Terremoto. Dante desmaia.

Canto IV: A outra margem do Aqueronte. Virgílio leva Dante ao Limbo, o Primeiro Círculo do Inferno, que contém as almas daqueles que viveram virtuosamente, mas sem a fé em Cristo. Outros poetas saúdam Virgílio. Eles entram num castelo, onde estão as sombras dos grandes do passado. Após vê-los, Virgílio e Dante partem.

Canto V: O Segundo Círculo, onde estão os Pecadores da Carne. Minos. Almas famosas do passado. Francesca da Rimini.

Canto VI: O Terceiro Círculo, onde estão os Gulosos. Cérbero. Ciacco.

Canto VII: O Quarto Círculo, onde estão os Avarentos e os Pródigos. Plutão. A Fortuna. O rio Styx. O Quinto Círculo, onde estão os Coléricos.

Canto VIII: O Quinto Círculo. Flégias e seu barco. Cruzamento do Styx. Filippo Argenti. A Cidade de Dite. Os demônios recusam a entrada aos poetas.

Canto IX: A Cidade de Dite. Éricto. As três Fúrias. O mensageiro celeste. O Sexto Círculo, onde estão os hereges.

Canto X: O Sexto Círculo. Farinata degli Uberti. Cavalcante Cavalcanti. Frederico II.

Canto XI: O Sexto Círculo. Túmulo do papa Anastácio. Fala de Virgílio sobre as divisões inferiores do Inferno.

Canto XII: O Sétimo Círculo, onde estão os Violentos, primeira volta: aqueles que praticaram a violência contra outros. O Minotauro. Os Centauros. Quíron. Nesso. O rio de sangue fervente, e os pecadores dentro dele.

Canto XIII: O Sétimo Círculo, segunda volta: aqueles que praticaram a violência contra si e contra seus bens. O Bosque dos Suicidas. As Harpias. Pier della Vigna. Lano de Siena e outros.

Canto XIV: O Sétimo Círculo, terceira volta: aqueles que praticaram a violência contra Deus. O deserto de areia sob a chuva de fogo. Capaneu. A figura do Velho de Creta. Os rios do Inferno.

Canto XV: O Sétimo Círculo, terceira volta: aqueles que praticaram a violência contra a Natureza. Brunetto Latini. Profecias dos infortúnios de Dante.

Canto XVI: O Sétimo Círculo, terceira volta: aqueles que praticaram a violência contra a Natureza. Guido Guerra, Tegghiaio Aldobrandi e Jacopo Rusticucci. O ruído do Flegeronte que desce. A corda jogada no abismo.

Canto XVII: O Sétimo Círculo, terceira volta: aqueles que praticaram a violência contra a Arte. Gerião. Os Usurários. A descida ao Oitavo Círculo.

Canto XVIII: O Oitavo Círculo, onde estão os fraudulentos; primeira bolsa: rufiões e sedutores. Venedico Caccianimico. Jasão. Segunda bolsa: aduladores. Alessio Interminei. Taís.

Canto XIX: O Oitavo Círculo, terceira bolsa: simoníacos. Papa Nicolau III.

Canto XX: O Oitavo Círculo, quarta bolsa: adivinhos, feiticeiros. Anfiarau. Tirésias. Aronte. Manto. Euripilo. Miguel Escoto. Asdente.

Canto XXI: O Oitavo Círculo, quinta bolsa: fraudulentos. Um magistrado de Lucca. Os Malapata. Conversa com eles.

Canto XXII: O Oitavo Círculo, quinta bolsa: Ciampolo de Navarra. Frei Gomita. Miguel Zanque. Rixa dos Malapata.

Canto XXIII: O Oitavo Círculo. Fuga da quinta bolsa. A sexta bolsa: hipócritas vestidos com chumbo dourado. Frades alegres. Caifás. Anás. Frade Catalano.

Canto XXIV: O Oitavo Círculo. Os poetas partem para a sétima bolsa. A sétima bolsa, cheia de serpentes, que atormentam ladrões. Vanni Fucci. Profecia de calamidade para Dante.

Canto XXV: O Oitavo Círculo, sétima bolsa. Ladrões fraudulentos. Caco. Agnello Brunelleschi e outros.

Canto XXVI: O Oitavo Círculo, oitava bolsa: conselheiros fraudulentos. Ulisses e Diomedes.

Canto XXVII: O Oitavo Círculo, oitava bolsa: conselheiros fraudulentos. Guido da Montefeltro.

Canto XXVIII: O Oitavo Círculo, nona bolsa: semeadores da discórdia e do cisma. Maomé e Ali. Frei Dolcino. Pier da Medicina. Caio Cúrio. Mosca. Bertrand de Born.

Canto XXIX: O Oitavo Círculo, nona bolsa: Geri del Bello. Décima bolsa: falsificadores de toda espécie. Alquimistas. Grifollino de Arezzo e Capocchio.

Canto XXX: O Oitavo Círculo, décima bolsa: falsificadores de pessoas, falsificadores de moeda, falsificadores de palavras. Mirra. Gianni Schicchi. Mestre Adão. Sínon de Troia.

Canto XXXI: O Oitavo Círculo. Gigantes. Nemrod. Edialtes. Anteus envia os poetas ao Nono Círculo.

Canto XXXII: O Nono Círculo, onde estão os traidores. Primeiro poço: Caína. Condes de Mangona. Camicion de' Pazzi. Segundo poço: Antenora. Bocca degli Abati. Buoso da Duera. Conde Ugolino.

Canto XXXIII: O Nono Círculo, segundo poço. Antenora. Conde Ugolino. Terceiro poço: Ptolomeia. Frei Alberigo. Branca D'Oria.

Canto XXXIV: O Nono Círculo, quarto poço: Judeca. Lúcifer. Judas, Bruto e Cássio. Centro da Terra. Saída do inferno. Subida à superfície do Hemisfério Sul.

### Purgatório

Canto I: O novo tema. Invocação das musas. A manhã de Páscoa na praia do Purgatório. As quatro estrelas. Catão. A purificação do rosto de Dante das máculas do Inferno.

Canto II: O nascer do Sol. Os poetas na praia. A chegada de um barco, guiado por um anjo, trazendo almas ao Purgatório. As almas chegam à terra. Casella e seu canto. Catão faz que as almas corram à montanha.

Canto III: Antepurgatório. As almas que morreram recusando a Igreja. Manfredo.

Canto IV: Antepurgatório. Subida a um rebordo da montanha. Os negligentes, que deixaram o arrependimento para a última hora. Belacqua.

Canto V: Antepurgatório. Almas que adiaram o arrependimento e tiveram morte violenta, mas morreram arrependidas. Jacopo del Cassero. Buonconte da Montefeltro. Pia de' Tolomei.

Canto VI: Antepurgatório. Mais espíritos que adiaram o arrependimento até serem surpreendidos por uma morte violenta. A eficácia da prece. Sordello. Apóstrofe à Itália.

Canto VII: Virgílio se apresenta a Sordello. Sordello guia os poetas até o Vale dos Príncipes que foram negligentes em relação à salvação. Nomeia-os.

Canto VIII: Vale dos Príncipes. Dois anjos guardiães. Nino Visconti. A serpente. Corrado Malaspina.

Canto IX: Sono e sonho de Dante. A águia. Lúcia. Limiar do Purgatório. O anjo porteiro. Sete Ps são marcados na testa de Dante. Entrada da Primeira Cornija.

Canto X: O Purgatório mesmo. Primeira Cornija, onde estão os Soberbos.

Canto XI: Primeira Cornija, onde estão os Soberbos. Oração. Exemplos de humildade talhados na rocha. Omberto Aldobrandesco. Oderisi da Gubbio. Provenzano Salvani.

Canto XII: Primeira Cornija, onde estão os Soberbos. Exemplos de punições à soberba talhados no piso. Encontro com um Anjo que remove um dos Ps. Subida à segunda Cornija.

Canto XIII: Segunda Cornija, onde estão os Invejosos. Exemplos de caridade. As sombras com mantos, de olhos vedados. Sapia de Siena.

Canto XIV: Segunda Cornija, onde estão os Invejosos. Guido del Duca. Riniero da Calboli. Exemplos de punições à inveja.

Canto XV: Segunda Cornija, onde estão os Invejosos. Um Anjo remove o segundo P da testa de Dante. Discurso a respeito do Divisão do Bem. Subida à Terceira Cornija.

Canto XVI: Terceira Cornija, onde estão os Iracundos. Marco Lombardo. Sua fala sobre o livre-arbítrio e sobre a corrupção do Mundo.

Canto XVII: Terceira Cornija, onde estão os Iracundos. Distingue-se algo na névoa. Visões de exemplos de punições à ira. Subida à Quarta Cornija, em que se purga a preguiça. Segunda noite no Purgatório. Virgílio explica como o amor é raiz tanto da virtude quanto do pecado.

Canto XVIII: Quarta Cornija, onde estão os Preguiçosos. Discurso de Virgílio sobre o amor e o livre-arbítrio. Multidões de almas correm apressadas para redimir seu pecado. Exemplos de zelo. O abade de San Zeno. Exemplos de punições da preguiça. Dante adormece.

Canto XIX: Quarta Cornija: Dante sonha com a Sereia. O Anjo da Solicitude. Subida à Quinta Cornija, onde estão os Avarentos. Papa Adriano V.

Canto XX: Quinta Cornija, onde estão os Avarentos. As almas celebram exemplos de pobreza e de liberalidade. Hugo Capeto. Sua fala sobre seus descendentes. Exemplos de punições à avareza. Terremoto.

Canto XXI: Quinta Cornija. A alma de Estácio. Causa do terremoto. Estácio homenageia Virgílio.

Canto XXII: Subida à Sexta Cornija. Falas de Estácio e de Virgílio. Entrada da Cornija, onde estão os Gulosos. A Árvore da Tentação. Exemplos de temperança.

Canto XXIII: Sexta Cornija, onde estão os Gulosos. Forese Donati. Nella. Censura às mulheres de Florença.

Canto XXIV: Sexta Cornija, onde estão os Gulosos. Forese Donati. Piccarda Donati. Bonagiunta da Lucca. Papa Martinho IV. Ubaldin dalla Pila. Bonifácio. Marchese. Profecia de Bonagiunta sobre Gentucca, de Forese sobre Corso Donati. A segunda Árvore. Exemplos de punições à gula. O Anjo da Temperança.

Canto XXV: Subida à Sétima Cornija. Discurso de Estácio sobre a geração, sobre a infusão da Alma no Corpo, e sobre semelhança corpórea das Almas após a morte. A Sétima Cornija, onde estão os Lascivos. O modo de sua purificação. Exemplos de castidade.

Canto XXVI: Sétima Cornija, onde estão os Lascivos. Pecadores no fogo, indo em direções opostas. Exemplos de punições à luxúria. Guido Guinicelli. Arnaut Daniel.

Canto XXVII: Sétima Cornija, onde estão os Lascivos. Passagem pelas chamas. A escada na pedra. A noite na escada. O sonho de Dante. Amanhecer. Subida ao Paraíso Terrestre. Despedida de Virgílio.

Canto XXVIII: O Paraíso Terrestre. A Floresta. Uma Dama colhe flores às margens de um riacho. Conversa com ela a respeito da natureza do lugar.

Canto XXIX: O Paraíso Terrestre. Procissão Mística ou Triunfo da Igreja.

Canto XXX: O Paraíso Terrestre. Aparição de Beatriz. Desaparecimento de Virgílio. Censura de Beatriz a Dante.

Canto XXXI: O Paraíso Terrestre. Acusação de Beatriz e confissão de Dante. Cruzamento do Letes. Apelo das Virtudes a Beatriz. Revelação de Beatriz.

Canto XXXII: O Paraíso Terrestre. Retorno da Procissão Triunfante. O Carro que se dirige à Árvore. Sono de Dante. Dante acorda e vê que o Triunfo se foi. Transformação do Carro. A Meretriz e o Gigante.

Canto XXXIII: O Paraíso Terrestre. Profecia de Beatriz sobre aquele que restaurará o Império. Sua conversa com Dante. O rio Êunoe. Dante bebe dele, e assim pode subir ao Paraíso.

### Paraíso

Canto I: Proêmio. Invocação. Beatriz e Dante, transumanizados, sobem pela Esfera de Fogo até a Lua. Beatriz explica a causa da subida.

Canto II: Proêmio. Subida à Lua. A causa das Manchas na Lua. A Influência Celeste.

Canto III: O Céu da Lua. Almas que descumpriram seus votos. Piccarda Donati. A Imperatriz Constança.

Canto IV: Dúvidas de Dante sobre a justiça do Céu e sobre a morada dos beatos são remidas por Beatriz. Dante pergunta se é possível compensar os votos quebrados.

Canto V: A santidade dos votos, e a seriedade com que devem ser feitos ou alterados. Subida ao Céu de Mercúrio. A alma de Justiniano.

Canto VI: Justiniano fala de sua vida. A história da Águia Romana. As almas no planeta Mercúrio. Romeu.

Canto VII: Fala de Beatriz. A Queda do Homem. O plano da Redenção.

Canto VIII: Subida ao Céu de Vênus. As almas dos amantes. Carlos Martel. Sua fala sobre a ordem e a variedade das coisas mortais.

Canto IX: O Planeta Vênus. Conversa de Dante com Cunizza da Romano. Com Folchetto de Marselha. Raab. Avareza da Corte Papal.

Canto X: Subida ao Sol. Os espíritos dos sapientes e dos conhecedores da teologia. Santo Tomás de Aquino, que nomeia aqueles à sua volta para Dante.

Canto XI: A vaidade dos desejos mundanos. Santo Tomás de Aquino soluciona duas dúvidas que perseguem Dante. Narra a vida de São Francisco.

Canto XII: Segunda coroa de espíritos dos religiosos sapientes, dos doutores e mestres da Igreja. São Boaventura narra a vida de São Domingos e nomeia aqueles que formam o círculo com ele.

Canto XIII: Santo Tomás de Aquino fala novamente e explica a relação entre a sapiência de Salomão e a de Adão e a de Cristo, e afirma a vaidade dos juízos humanos.

Canto XIV: Atendendo ao pedido de Beatriz, Salomão fala do corpo glorioso dos beatos após o Juízo Final. Subida ao Céu de Marte. Almas dos Soldados de Cristo formam uma Cruz com a figura de Cristo. Hino das almas.

Canto XV: Dante é recebido por Cacciaguida, seu antepassado. Cacciaguida fala de sua família e da vida simples de Florença nos velhos dias.

Canto XVI: A vanglória do sangue. Cacciaguida continua a falar sobre a antiga Florença e a nova.

Canto XVII: Dante questiona Cacciaguida quanto a sua fortuna. Cacciaguida responde, profetizando o exílio de Dante e a fama de seu poema.

Canto XVIII: As Almas na Cruz de Marte. Subida ao Céu de Júpiter. As Almas escrevem palavras com luz no planeta. Denúncia da avareza dos papas.

Canto XIX: A voz da Águia, que fala dos mistérios da justiça de Deus; da necessidade da fé para a salvação; dos pecados de certos reis.

Canto XX: Canto dos Justos. Os Príncipes que amaram a justiça, aos olhos da Águia. As almas beatas de ex-Gentios. A Fé e a Salvação. A predestinação.

Canto XXI: Subida ao Céu de Saturno. As almas daqueles que se entregam à contemplação devota. A Escada de Ouro. São Pedro Damião. A predestinação. A luxúria dos prelados modernos. Dante se assusta com um grito das almas.

Canto XXII: Beatriz conforta Dante. São Bento aparece e fala da fundação da Ordem e da queda dos irmãos. Beatriz e Dante sobem ao Céu das Estrelas Fixas. A constelação de Gêmeos. A visão da Terra.

Canto XXIII: Triunfo de Cristo.

Canto XXIV: São Pedro faz a Dante uma pergunta a respeito da fé, e aprova sua resposta.

Canto XXV: São Tiago faz a Dante uma pergunta a respeito da esperança. São João aparece. Seu brilho é tão forte que Dante fica momentaneamente privado da visão.

Canto XXVI: São João faz a Dante uma pergunta a respeito da caridade. Dante recupera a visão. Adão aparece e responde a perguntas feitas por Dante.

Canto XXVII: São Pedro denuncia seus sucessores corruptos. Dante observa a Terra. Subida de Beatriz e Dante ao Céu sem Estrelas. Sua natureza. Beatriz censura a cobiça dos mortais.

Canto XXVIII: A Hierarquia Celeste.

Canto XXIX: Discurso de Beatriz a respeito da criação da natureza dos Anjos. Ela censura a presunção e a tolice dos pregadores.

Canto XXX: Subida ao Empíreo. O Rio de Luz. A Rosa Celeste. O Assento de Henrique VII. Despedida de Beatriz.

Canto XXXI: A Cândida Rosa. São Bernardo. Agradecimento a Beatriz. A glória da Virgem Maria.

Canto XXXII: São Bernardo descreve o ordenamento da Rosa e nomeia diversos Santos. As crianças no Paraíso. O festival angélico. Os patrícios da Corte Celeste.

Canto XXXIII: Prece à Virgem. A Visão Beatífica. A Salvação Última.

*

## TESTE C: PRIMEIRA SÉRIE DE QUESTÕES SOBRE *A DIVINA COMÉDIA* DE DANTE

1. Dante divide sua obra em (a) três; (b) quatro; (c) seis grandes partes.
2. Os títulos dessas grandes partes são, respectivamente, (a) Terra, Lua, Céu, Círculos Angélicos; (b) Inferno, Purgatório, Paraíso; (c) *Inferno, Purgatorio, Paradiso.*
3. Essas grandes partes estão divididas em (a) cantos; (b) capítulos; (c) seções.
4. O número de subdivisões em cada uma das grandes partes (a) é aproximadamente igual; (b) é 33 ou 34; (c) fica entre 23 e 44.
5. O número total de subdivisões da obra é (a) 99; (b) 100; (c) 101.

6. A principal divisão do Inferno parece ser em (a) círculos; (b) cornijas; (c) bolsas.
7. A principal divisão do Purgatório parece ser em (a) círculos; (b) cornijas; (c) bolsas.
8. A principal divisão do Paraíso parece seguir (a) a ordem das virtudes e dos vícios; (b) a ordem da hierarquia angélica; (c) a ordem dos planetas do sistema solar.
9. No Inferno, o movimento é (a) descendente; (b) ascendente. No Purgatório, o movimento é (a) descendente; (b) ascendente.
10. Dante encontra o Paraíso Terrestre (a) na parte do poema chamada Purgatório; (b) na parte do poema chamada Paraíso.

As respostas do Teste C estão na página 417.

*

Agora que você já correu os olhos pelo índice de matérias de *A Divina Comédia* e respondeu à primeira série de questões, faça uma leitura superficial em vinte minutos do índice de matérias.

## Teste D: Novas questões sobre *A Divina Comédia* de Dante

1. Dante é guiado pelo Inferno por (a) Beatriz; (b) Virgílio; (c) Lúcifer.
2. Virgílio é enviado ao auxílio de Dante por (a) Beatriz; (b) Deus; (c) São Bernardo.
3. A maior preocupação de Dante é descrever (a) a vida após a morte; (b) os tipos de vida que os homens levam na Terra.
4 *A Divina Comédia* é (a) essencialmente, um poema cômico; (b) um tratamento poético de certas teses da teologia moral; (c) um constructo imaginário do universo inteiro.
5. Aparentemente, de qual das ideologias a seguir o poema mais depende? (a) humanista; (b) grega e latina; (c) cristã.

6. A punição dos Preguiçosos acontece na Quarta Cornija do Purgatório. Há algum significado em Dante adormecer antes de sair dessa cornija? (Sim ou Não?)
7. No Canto XXXIV do Inferno, Dante e Virgílio chegam ao centro da Terra. Por quê?
8. No Canto IX do Purgatório, sete Ps são gravados na testa de Dante e são removidos à medida que Dante passa de uma cornija à outra da Montanha do Purgatório. Qual o significado dos Ps?
9. Virgílio acompanha Dante ao Paraíso Terrestre (Cantos XXVIII a XXXIII do Purgatório), mas parte no Canto XXX e não segue com Dante ao Paraíso. Por quê?
10. Nos Cantos XI e XII do Paraíso, Santo Tomás de Aquino narra a vida de São Francisco, e São Boaventura narra a vida de São Domingos. Qual o significado disso?

As últimas cinco questões no Teste D, que tratam basicamente do simbolismo de *A Divina Comédia* de Dante, podem ser difíceis ou impossíveis de responder somente a partir da leitura do índice de matérias. Por essa razão, se não por outra, demos respostas bastante completas a essas questões. A justificativa de fazer essas questões é dupla. Primeiro, não temos *certeza* de que elas não possam ser respondidas com base apenas no índice de matérias. Segundo, e mais importante, elas foram planejadas para sugerir uma das grandes características da obra de Dante, isto é, tratar-se de uma obra eminentemente simbólica. Quase tudo que Dante diz, e quase todas as pessoas e todos os acontecimentos que ele descreve, têm pelo menos dois sentidos, e muitas vezes três ou quatro. Achamos que isso provavelmente fica claro a partir do índice de matérias por si, ainda que os detalhes não estejam explicitados. Por isso, pode ser interessante tentar responder às questões 6 a 10 deste teste sem nenhum auxílio externo, mesmo que você nunca tenha lido Dante nem nada sobre ele. Em outras palavras, se você tiver de fazer conjecturas, chegará perto da verdade?

As respostas do Teste D estão na página 418.

*

A biografia de Charles Darwin e o índice de matérias de *A Origem das Espécies* que constam das páginas seguintes foram tirados do Volume 49 de *Great Books of the Western World* [Clássicos do Ocidente]. Além de *A Origem das Espécies*, o volume também traz *A Descendência do Homem*, em que Darwin aplica sua teoria geral, exposta na *Origem*, à difícil questão da evolução da espécie humana.

Como no caso da biografia de Dante, leia rapidamente a de Darwin – em cinco ou seis minutos – e depois corra os olhos pelo índice de matérias de *A Origem das Espécies*, dedicando a isso não mais do que dez minutos.

## CHARLES DARWIN
1809-1882

Ao avaliar as qualidades que explicavam seu "sucesso como cientista", Charles Darwin, em sua modesta autobiografia, escrita "porque é possível que meus filhos tenham interesse", diz que desde a juventude sentia "um interesse fortíssimo em entender e explicar" tudo que observava. Suas fantasias infantis estavam relacionadas às descobertas fabulosas da história natural; ele se gabava, diante dos colegas, de ser capaz de produzir flores de cores variadas da mesma planta ao regá-las com certos fluidos coloridos.

Seu pai, um médico de grande sucesso, ficava um pouco perplexo com o interesse peculiar de seu segundo filho e com seu desempenho inexpressivo no currículo clássico da escola diurna do dr. Butler; assim, decidiu enviá-lo a Edimburgo, para que estudasse medicina. Em Edimburgo, Darwin coletava animais em poças de maré, procurava ostras com os pescadores de Newhaven a fim de coletar espécimes e fez duas pequenas descobertas, relatadas em trabalhos apresentados à Plinian Society. Ele não fez nenhum "esforço árduo" para aprender medicina.

Com certa aspereza, o dr. Darwin propôs como alternativa a carreira de pastor. A vida de pastor no campo apetecia ao jovem e, após apaziguar suas dúvidas a respeito da crença em "todos os dogmas da Igreja", lançou-se à nova carreira em Cambridge. Não conseguiu, porém, reprimir seus interesses científicos e tornou-se um devotado entomologista, interessado sobretudo em colecionar besouros; teve a satisfação de ver um de seus raros espécimes publicado em *Illustrations of British Insects* [Ilustrações de Insetos Britânicos], de Stephen. Assim como em Edimburgo, gozava de muitas relações estimulantes com cientistas. Foi um professor de botânica de Cambridge, J. S. Henslow, que lhe conseguiu o cargo de naturalista do H. M. S. Beagle, um navio do governo.

De 1831 a 1836, Beagle viajou pelos mares do sul. As pesquisas de Lyell sobre as mudanças produzidas por processos naturais, apresentadas em *Princípios de Geologia*, direcionaram as próprias observações de Darwin a respeito da estrutura geológica das ilhas de Cabo Verde. Ele também fez exames extensivos de recifes coralinos e observou as relações entre os animais do continente e os das ilhas próximas, assim como as relações entre os animais vivos e os restos fósseis das mesmas espécies.

Darwin descreveu a viagem do Beagle como "de longe, o acontecimento mais importante da minha vida". Além de fazer dele um dos naturalistas mais qualificados da época, ela desenvolveu nele o "hábito do trabalho enérgico e da atenção concentrada". Essa nova força de propósito do filho foi sucintamente observada pelo dr. Darwin, que disse, quando o viu pela primeira vez após a viagem: "Veja só, o formato da cabeça dele está bem diferente".

Após seu retorno, Darwin estabeleceu-se em Londres e começou a organizar e a registrar suas observações. Tornou-se amigo próximo de Lyell, o maior geólogo inglês, e depois de Hooker, um grande botânico. Em 1839, casou-se com sua prima, Emma Wedgwood e, ao final de 1842, por causa da doença crônica de Darwin, a família foi para Down, onde ele viveu recluso até o fim de seus dias. Durante os seis anos em Londres, preparou *A Viagem do Beagle*, com as notas de sua viagem, e publicou *Coral Reefs* [Recifes Coralinos], um estudo cuidadosamente documentado.

Os oito anos seguintes foram dedicados à laboriosa classificação de cirripédios para sua obra em quatro volumes sobre o assunto. "Impressiona-me", escreveu a Hooker, "a variabilidade de cada parte num pequeno grau, em cada espécie". Após esse período de trabalho detalhado com uma mesma espécie, Darwin sentiu-se preparado para atacar o problema da modificação das espécies, em que vinha pensando havia anos.

Darwin achou que diversos fatos percebidos durante a viagem do Beagle "somente poderiam ser explicados com base no pressuposto de que as espécies se modificam gradualmente". Depois, ao retornar à Inglaterra, coletou todo material que pôde encontrar "testemunhando de alguma maneira a variação de plantas e animais em domesticação". Ele logo percebeu que "a seleção era a chave do sucesso do homem. Mas por algum tempo o modo como a seleção poderia se aplicar a organismos que viviam em estado natural permaneceu um mistério". Um dia, lendo o *Ensaio sobre o Princípio da População*, de Malthus, subitamente lhe ocorreu que, na luta pela existência, que ele observara por toda parte, "as variações favoráveis tendiam a ser preservadas, e as desfavoráveis a ser destruídas. O resultado seria a formação de uma nova espécie. Agora, pelo menos, eu tinha uma teoria com que trabalhar".

Ele contou sua teoria a Hooker e a Lyell, que o instaram a redigi-la e a publicá-la. Mas Darwin era cuidadoso; no verão de 1858, quando já tinha escrito metade do livro, recebeu um ensaio de A. R. Wallace, de Ternate, nas Ilhas Molucas, que continha uma teoria idêntica à sua. Darwin apresentou seu dilema a Hooker e a Lyell, aos quais escreveu: "O que vocês disseram tornou-se uma verdade terrível: alguém chegará antes de mim". Decidiram então publicar um resumo de sua teoria, tirado de uma carta do ano anterior, junto ao ensaio de Wallace. O título da obra conjunta seria *Sobre a Tendência das Espécies de Formarem Variedades; e sobre a Perpetuação das Variedades e Espécies por Meios Naturais de Seleção.*

Um ano depois, em 24 de novembro de 1859, foi publicada *A Origem das Espécies*. A primeira tiragem, com 1.250 exemplares, foi integralmente vendida nesse dia. Veio uma tempestade de controvérsias sobre o livro que atingiu seu ponto máximo numa reunião da British Association em Oxford, onde aconteceu o famoso duelo verbal entre T. H. Huxley e o bispo Wilberforce. Darwin, que não conseguia dormir quando era duro com um adversário, aceitou o conselho de Lyell e poupou "tempo e energia" ao evitar a disputa.

Em sua obra, porém, manteve-se próximo de sua tese. Transformou o material do primeiro capítulo da *Origem* num livro, *Variação em Plantas e Animais Domesticados* (1868). Em *A Descendência do Homem* (1871), Darwin cumpriu o que dissera na *Origem*: "a origem e a história do homem hão de ser esclarecidas". *A Expressão das Emoções no Homem e nos Animais* (1872) ofereceu uma explicação natural de fenômenos que pareciam dificultar a aceitação da evolução. Suas últimas obras tratavam da forma, do movimento e da fertilização das plantas.

A vida de Darwin em Down era especificamente planejada para preservar sua energia e priorizar sua atividade. Por conta de seu mal-estar crônico, a esposa esforçou-se para "preservá-lo de todos os incômodos que pudessem ser evitados". Ele observou a mesma rotina por quase quarenta anos e seus dias eram cuidadosamente divididos em intervalos de exercícios e de leituras leves em proporções tais que ele pudesse aproveitar ao máximo as quatro horas que dedicava ao trabalho. A leitura e os experimentos científicos eram organizados com a mais rigorosa economia. Até as fases de sua vida intelectual que não eram essenciais para sua obra ficaram, em suas palavras, "atrofiadas", um fato que lamentou como "uma perda de felicidade". Só lia obras não científicas por diversão e considerava "necessário criar uma lei" contra finais infelizes nos romances.

Tratava sua esposa e os sete filhos com tal "afeto e alegria" que Francis, seu filho, espantava-se que ele conseguisse continuar a ser assim "com uma raça tão fechada como a nossa". Quando morreu, em 19 de abril de 1882, sua família queria que fosse enterrado em Down; a comoção pública exigiu que fosse enterrado na Abadia de Westminster, onde jaz ao lado de Isaac Newton.

## ÍNDICE DE MATÉRIAS DE *A ORIGEM DAS ESPÉCIES*[5]

NOTÍCIA HISTÓRICA

INTRODUÇÃO

### Capítulo I. Variação das espécies no estado doméstico

Causas da variabilidade. Efeitos do hábito. Efeito do uso ou não uso dos órgãos. Variação por correlação. Hereditariedade. Caracteres das variedades domésticas. Dificuldade em distinguir as variedades e as espécies. As nossas variedades domésticas derivam de uma ou muitas espécies. Pombos domésticos, suas

[5] Utilizamos o índice da tradução consagrada em português, publicada em 1913 pelo médico Joaquim da Mesquita Paul. (N. T.)

diferenças e origem. A seleção aplicada desde há muito, seus efeitos. Seleção metódica e inconsciente. Origem desconhecida dos nossos animais domésticos. Circunstâncias favoráveis ao exercício da seleção pelo homem.

Capítulo II. Variação no estado selvagem

Variabilidade. Diferenças individuais. Espécies duvidosas. As espécies tendo um *habitat* muito extenso, as espécies muito espalhadas e as espécies comuns são as que mais variam. Em cada país, as espécies pertencentes aos gêneros que contêm mais espécies variam mais frequentemente que aquelas que pertencem aos gêneros que contêm poucas espécies. Muitas espécies pertencentes aos gêneros que contêm um grande número de espécies assemelham-se às variedades, pois que estão aliadas muito de perto, mas desigualmente, entre si e porque têm um *habitat* restrito.

Capítulo III. Luta pela existência

A sua influência sobre a seleção natural. Essa palavra tomada em sentido figurado. Progressão geométrica do aumento dos indivíduos. Aumento rápido dos animais e das plantas aclimatados. Natureza dos obstáculos que impedem esse aumento. Concorrência universal. Efeitos do clima. O grande número de indivíduos torna-se uma proteção. Relações complexas entre todos os animais e entre todas as plantas. A luta pela existência é muito encarniçada entre os indivíduos e entre as variedades da mesma espécie, e muitas vezes também entre as espécies do mesmo gênero. As relações de organismo para organismo são as mais importantes de todas.

Capítulo IV. A seleção natural ou a persistência do mais apto

A seleção natural; comparação do seu poder com o poder seletivo do homem; sua influência sobre os caracteres de pouca importância: sua influência em todas as idades e sobre os dois sexos. Seleção sexual. Circunstâncias favoráveis ou desfavoráveis à seleção natural, tais como cruzamentos, isolamento, número de indivíduos. Ação lenta. Extinção causada pela seleção natural. Divergência de caracteres nas suas relações com a diversidade dos habitantes de uma região limitada e com a aclimatação. Ação da seleção natural sobre os descendentes de um tipo comum resultando da divergência dos caracteres. A seleção natural explica o agrupamento de todos os seres organizados; os progressos do organismo; a persistência das formas inferiores; a convergência dos caracteres; a multiplicação indefinida das espécies. Resumo.

Capítulo V. Leis da variação

Efeito da mudança das condições. Uso e não uso das partes combinadas com a seleção natural; órgãos do voo e da vista. Aclimatação. Variações correlativas. Compensação e economia de crescimento. Falsas correlações. Os organismos inferiores múltiplos e rudimentares são variáveis. As partes desenvolvidas de maneira extraordinária são muito variáveis; os caracteres específicos são mais variáveis que os caracteres genéricos; os caracteres sexuais secundários são muito variáveis. As espécies do mesmo gênero variam de uma maneira análoga. Regresso a caracteres de há muito perdidos. Resumo.

Capítulo VI. Dificuldades levantadas contra a hipótese de descendência com modificações

Dificuldades que apresenta a teoria da descendência com modificações. Falta ou raridade das variedades de transição. Transições nos hábitos da vida. Hábitos diferentes numa mesma espécie. Espécies tendo hábitos inteiramente diferentes dos das espécies próximas. Órgãos de perfeição extrema. Modo de transição. Casos difíceis. *Natura non facit saltum*. Órgãos pouco importantes. Os órgãos não são absolutamente perfeitos em todos os casos. A lei da unidade do tipo e das condições de existência está compreendida na teoria da seleção natural.

Capítulo VII. Contestações diversas feitas à teoria da seleção natural

Longevidade. As modificações não são necessariamente simultâneas. As modificações não prestam na aparência serviço algum direto. Desenvolvimento progressivo. Constância maior dos caracteres tendo a menor importância funcional. Pretendida incompetência da seleção natural para explicar as primeiras fases de conformações úteis. Causas que se opõem à aquisição de estruturas úteis no meio da seleção natural. Graus de conformação com alteração de funções. Órgãos muito diferentes nos membros de uma mesma classe, provindo por desenvolvimento de uma única e mesma origem. Razões para não acreditar nas modificações consideráveis e súbitas.

Capítulo VIII. Instinto

Os instintos podem comparar-se aos hábitos, mas têm uma origem diferente. Gradação dos instintos. Formigas e pulgões. Variabilidade dos instintos. Instintos domésticos; sua origem. Instintos naturais do cuco, do avestruz e das abelhas parasitas. Instinto escravagista das formigas. A abelha; seu instinto construtor. As alterações de instinto e de conformação não são necessariamente simultâneas. Dificuldades da teoria da seleção natural aplicada aos instintos. Insetos neutros ou estéreis. Resumo.

Capítulo IX. Hibridez

Distinção entre a esterilidade dos primeiros cruzamentos e a dos híbridos. A esterilidade é variável em grau não universal, afetada pela consanguinidade próxima, suprimida pela domesticidade. Leis que regem a esterilidade dos híbridos. A esterilidade não é um caráter especial, mas depende de outras diferenças e não é sobrecarregada pela seleção natural. Causas da esterilidade dos híbridos e dos primeiros cruzamentos. Paralelismo entre os efeitos de mudanças nas condições de existência e nas do cruzamento. Dimorfismo e trimorfismo. A fecundidade das variedades cruzadas e de seus descendentes mestiços não é universal. Híbridos e mestiços comparados independentemente da sua fecundidade. Resumo.

Capítulo X. Insuficiência dos documentos geológicos

Ausência atual de variedades intermediárias. Da natureza das variedades intermediárias extintas; do seu número. Lapso de tempo decorrido, calculado segundo a extensão da desnudação e dos depósitos. Lapso de tempo avaliado em anos. Pobreza das nossas coleções paleontológicas. Intermitência das formações geológicas. Desnudação das superfícies graníticas. Carência de variedades intermediárias em qualquer formação. Aparição imprevista de grupos de espécies. Sua aparição súbita nas camadas fossilíferas mais antigas. Antiguidade da terra habitável.

Capítulo XI. Da sucessão geológica dos seres organizados

Aparição lenta e sucessiva das espécies novas. Sua diferente velocidade de transformação. As espécies extintas não mais reaparecem. Os grupos de espécies, no ponto de vista da sua aparição e desaparecimento, obedecem às mesmas regras gerais que as espécies isoladas. Extinção. Alterações simultâneas das formas orgânicas em todo o globo. Afinidades das espécies extintas quer entre si, quer com as espécies vivas. Estado de desenvolvimento das formas antigas. Sucessão dos mesmos tipos nas mesmas zonas. Resumo deste capítulo e do capítulo precedente.

Capítulo XII. Distribuição geográfica

As diferenças nas condições físicas não bastam para explicar a distribuição geográfica atual. Importância das barreiras. Afinidades entre as produções do mesmo continente. Centros de criação. Dispersão proveniente de modificações no clima, no nível do solo e de outros meios acidentais. Dispersão durante o período glaciário. Períodos glaciários alternantes no hemisfério boreal e no hemisfério austral.

Capítulo XIII. Distribuição geográfica (continuação)

Distribuição das produções de água doce. A respeito das produções das ilhas oceânicas. Ausência de batráquios e mamíferos terrestres. A respeito das relações entre os habitantes das ilhas e os do continente mais próximo. A respeito da colonização proveniente da origem mais próxima com modificações ulteriores. Resumo dos dois capítulos.

Capítulo XIV. Afinidades mútuas dos seres organizados; morfologia; embriologia; órgãos rudimentares

Classificação: grupos subordinados a outros grupos. Sistema natural. As leis e as dificuldades da classificação explicadas pela teoria da descendência com modificações. Classificação das variedades. Emprego da genealogia na classificação. Caracteres analógicos ou de adaptação. Afinidades gerais, complexas e divergentes. A extinção separa e define os grupos. Morfologia, entre os membros de uma mesma classe e entre as partes de um mesmo indivíduo. Embriologia; suas leis explicadas por variações que não surgem numa idade precoce e que são hereditárias na idade correspondente. Órgãos rudimentares; explicação da sua origem. Resumo.

Capítulo XV. Recapitulações e conclusões

Recapitulação das objeções levantadas contra a teoria da seleção natural. Recapitulação dos fatos gerais e particulares que lhe são favoráveis. Causas da crença geral da imutabilidade das espécies. Até que ponto se pode levar a teoria da seleção natural. Efeitos da sua adoção no estudo da história natural. Últimas notas.

### Teste E: Questões sobre Darwin e sobre *A Origem das Espécies*

1. Em *A Origem das Espécies*, Darwin descreve a origem e a evolução do homem. (Verdadeiro ou Falso?)
2. O livro se divide em (a) 12; (b) 15; (c) 19 capítulos.
3. O livro enfatiza o papel da domesticação na seleção natural. (Verdadeiro ou Falso?)
4. Darwin afirma que a luta pela sobrevivência é (a) mais renhida; (b) menos renhida entre indivíduos da mesma espécie do que entre indivíduos de espécies diferentes.
5. Darwin não considera nem tenta responder a objeções a sua teoria. (Verdadeiro ou Falso?)
6. Darwin não pôde concluir *A Origem das Espécies*, por isso o livro ficou sem um capítulo que resumisse sua teoria e suas conclusões. (Verdadeiro ou Falso?)
7. Darwin gostava de participar das discussões provocadas por sua obra. (Verdadeiro ou Falso?)

8. No famoso debate em Oxford entre T. H. Huxley e o bispo Wilberforce, quem defendeu Darwin e sua teoria?
9. Darwin disse que "de longe, o acontecimento mais importante da minha vida" foi (a) a leitura do *Ensaio sobre os Princípios da População*, de Malthus; (b) seu estudo da medicina; (c) sua viagem no Beagle.
10. Darwin achava que "era preciso criar uma lei" contra (a) romances; (b) romances pornográficos; (c) romances cujos protagonistas eram cientistas; (d) romances com finais infelizes.

As respostas do Teste E estão na página 418.

*

Essas questões foram muito fáceis. Agora leia superficialmente em vinte minutos o índice de matérias de *A Origem das Espécies* e depois tente responder a algumas questões mais difíceis.

### Teste F: Mais questões sobre Darwin e *A Origem das Espécies*

1. Darwin usa extensivamente os registros geológicos e os considera (a) completos e satisfatórios; (b) incompletos, mas ainda assim uma fonte inestimável de dados sobre a origem das espécies.
2. *Espécie* refere um grupo de animais ou plantas (a) inferior; (b) superior a um *gênero*.
3. Os membros de uma espécie compartilham características comuns, podem reproduzir-se entre si e reproduzir seus tipos. (Verdadeiro ou Falso?)
4. Os membros de um gênero compartilham características comuns, mas não necessariamente podem reproduzir-se entre si e reproduzir seus tipos. (Verdadeiro ou Falso?)
5. Destes fatores, quais têm papel mais importante, e quais têm papel menos importante na seleção natural?

| | Mais importante | Menos importante |
|---|---|---|
| (a) A luta pela sobrevivência | ________ | ________ |
| (b) A variação entre os indivíduos | ________ | ________ |
| (c) A hereditariedade dos traços | ________ | ________ |

6. Darwin compara o poder da seleção natural ao da seleção feita pelo homem. Qual das duas ele considera maior?
7. A frase latina *Natura non facit saltum* aparece no índice de matérias. Você consegue traduzi-la? Você consegue explicar a importância dessa frase para a teoria de Darwin?
8. Qual a importância da dispersão geológica e das barreiras naturais, como os oceanos, para a evolução das espécies?
9. Em sua introdução à *Origem das Espécies*, Darwin diz que essa origem é o "mistério dos mistérios – para empregar a expressão de um dos maiores filósofos". Você consegue dizer de modo preciso qual é o problema que sua obra se propõe a resolver? Tente fazer isso em uma ou duas frases.
10. Qual é, em suma, a teoria de Darwin? Você consegue formulá-la em menos de cem palavras?

AS RESPOSTAS DO TESTE F ESTÃO NA PÁGINA 419.

*

Você acaba de concluir as duas partes do exercício do segundo nível de leitura. Como antes, deve ter observado que as questões se baseiam não apenas nos textos lidos como também em informações históricas e outras. Na realidade, você pode ter considerado algumas questões claramente injustas. E deveriam ser mesmo, se qualquer decisão crítica dependesse de sua capacidade de respondê-las. Não é o caso, obviamente. Esperamos não tê-lo irritado com as questões que você não conseguiu responder ou que achou muito difíceis. Elas deveriam levá-lo a procurar, nas obras que apenas foram discutidas superficialmente, respostas melhores que as nossas. Há respostas melhores nas próprias obras. E também respostas a muitas outras questões interessantes que não tivemos o tempo, o espaço ou a capacidade de levantar.

## III. EXERCÍCIOS E TESTES DO TERCEIRO NÍVEL DE LEITURA: A LEITURA ANALÍTICA

O texto usado para os exercícios desta parte do Apêndice é este livro mesmo. Preferiríamos não usá-lo. Há muitos outros livros que serviriam melhor à prática da leitura analítica e que renderiam mais frutos. Mas uma consideração de ordem superior nos aconselha contra essa preferência: podemos ter certeza de que todas as pessoas que fizerem este teste terão lido este livro. A única alternativa seria imprimir outro livro junto com este, o que está fora de questão.

Você há de lembrar que o leitor analítico deve sempre tentar responder quatro questões a respeito de qualquer livro que leia: (1) O livro como um todo é sobre o quê?; (2) O que está sendo dito em detalhe, e como?; (3) Será que o livro é verdadeiro, em todo ou em parte?; (4) E daí? As quinze regras da leitura, listadas nas páginas 173-174 e discutidas extensivamente na Parte 2, têm como objetivo ajudar o leitor analítico a responder essas questões. Você consegue respondê-las, tomando este livro como exemplo?

Você é quem sabe se consegue ou não. Não há respostas ao final deste Apêndice para essas quatro perguntas. As respostas estão no próprio livro.

É verdade que fizemos o possível para esclarecer essas questões ao escrever este livro. Mas também é verdade que, num sentido importante, seria inadequado tentar ajudá-lo mais do que já ajudamos. A leitura analítica não é só um esforço – é um esforço solitário. O leitor fica a sós com o livro que está lendo. Basicamente, não há outro recurso a explorar além dos próprios pensamentos; não há aonde ir em busca de intuição e de entendimento, além da própria mente.

Explicamos como responder às questões e como aplicar as regras, no caso de diferentes tipos de livros. Mas não temos como dizer como elas devem ser aplicadas a uma obra individual. Cabe ao leitor mesmo fazer isso.

No entanto, é possível dizer algumas coisas sem ir longe demais. Não ocultamos o fato de que este livro é do tipo prático. Assim, é muito fácil aplicar a regra da análise estrutural. Procuramos deixar bem claro, também, a respeito do que é este livro como um todo, só que agora cabe a você formular isso de modo mais breve do que nós. Esperamos que nossa organização em quatro partes e 21 capítulos seja clara. Porém, ao delinear o livro, talvez seja desejável comentar o tratamento desigual, em termos de números de páginas, dado aos diversos níveis de leitura. O primeiro nível de leitura – a leitura elementar – recebe um tratamento sumário, ainda que sem dúvida seja importante. Por quê? O terceiro nível de leitura – a leitura analítica – é tratado de maneira muito mais intensiva e extensiva do que os demais. Novamente, por quê?

No que diz respeito à quarta regra da análise estrutural, queremos enfatizar que o problema que pretendemos resolver não pode ser definido como simplesmente ensinar alguém a ler. Não há nada neste livro, por exemplo, que seja de grande valia para um professor do primeiro ou do segundo ano. Concentramo-nos, antes, em ler de certo modo e com certos objetivos em mente. Se você aplicar a quarta regra de leitura, essa maneira e esses objetivos serão descritos com precisão.

O mesmo vale para o segundo estágio da leitura analítica – a interpretação. Nesse estágio, o leitor tem de aplicar as três primeiras regras sem a nossa ajuda: essas regras exigem que você chegue a um acordo com o autor, que encontre suas proposições-chave e que reconstrua seus raciocínios. Não faz sentido tentarmos explicar como chegar a um acordo conosco – como chegar a um entendimento comum de certos termos, de modo que o livro como um todo comunique conhecimento ou transmita uma capacidade. Também não repetiremos as proposições que afirmamos e que o leitor, se leu analiticamente, deveria conseguir formular com suas próprias palavras. Também não repetiremos os raciocínios. Fazer isso equivaleria a reescrever o livro inteiro.

Pode-se dizer algo, porém, sobre os problemas que resolvemos e os que não resolvemos. Pensamos ter resolvido o principal problema que nos desafiava no início – o problema que você deve ter identificado ao aplicar a quarta regra da análise estrutural. Não pensamos ter resolvido todos os problemas de leitura enfrentados por estudantes e por leitores adultos hoje em dia. Esses problemas, aliás, dizem respeito a diferenças individuais entre seres humanos. Não há livro de escopo geral que possa sonhar resolver essas dificuldades.

A crítica a um livro que comunica um conhecimento envolve, como você deve se lembrar, a aplicação de sete regras, três das quais são princípios gerais de etiqueta intelectual e quatro são critérios específicos para a crítica. Fizemos o possível para recomendar os princípios de etiqueta intelectual (discutidos no Capítulo 10). Com relação aos três primeiros princípios da crítica, não há nada que possamos acrescentar. Mas não é inadequado dizer alguma coisa sobre os últimos quatro – a fim de mostrar em que aspectos a análise de um livro pode estar incompleta.

Podemos dizer que nossa análise ou descrição está incompleta em dois aspectos. O primeiro diz respeito ao primeiro nível de leitura. Há muito mais a dizer sobre a leitura elementar, mas não queremos dar ênfase ao fato de que esse não era nosso objetivo básico. Também não diríamos que nossa discussão chega a encerrar o assunto. Pode-se discutir a leitura elementar de maneiras muito diversas, o que aliás tem acontecido.

O outro aspecto sob o qual nossa análise está incompleta é muito mais importante. Não dissemos tudo que se poderia dizer – talvez nem sequer tudo que nós poderíamos dizer – sobre a leitura sintópica. Há duas razões para isso.

Primeiro, é extraordinariamente difícil descrever e explicar a leitura sintópica sem dispor de textos de vários autores. Felizmente, na última parte deste Apêndice, logo a seguir, teremos a oportunidade de apresentar um exercício real de leitura sintópica. Mas mesmo nele ficaremos limitados a dois textos curtos, de apenas dois autores. Um exercício mais completo envolveria muitos textos de muitos autores e o exame de muitas questões complexas. As limitações de espaço impedem que façamos isso aqui.

Segundo, é quase impossível descrever a alegria e a satisfação que vêm da leitura sintópica sem efetivamente compartilhar a experiência de fazê-la. Frequentemente passam-se meses ou até anos até conseguirmos desembaraçar o fio da discussão de uma questão importante, fio esse que pode já estar sendo emaranhado há séculos. É preciso começar e recomeçar várias vezes, e propor diversas análises e organizações provisórias das discussões, antes que se consiga esclarecer o assunto. Passamos por muitos desses problemas e sabemos como essa empresa pode às vezes ser desalentadora. Mas, por isso mesmo, também sabemos como é maravilhoso quando se consegue enxergar o caminho que leva à solução.

Haverá outros aspectos nos quais nossa análise esteja incompleta? Conseguimos pensar em algumas possibilidades. Por exemplo, será que o livro efetivamente distingue entre o que se pode chamar de leitura de primeira intencionalidade (isto é, ler um texto) e a leitura de segunda intencionalidade (isto é, ler um comentário sobre aquele texto)? Será que se dá atenção suficiente aos problemas levantados pelos jargões específicos, sobretudo em ciências e matemática? (Esse aspecto do problema geral da leitura é mencionado no Capítulo 19, sobre a leitura de ciências sociais.) Talvez não se dedique espaço suficiente à leitura de poesia lírica. Supomos que nenhum outro ponto mereça crítica. Mas não ficaríamos surpresos se alguns defeitos ou falhas que não são de modo algum óbvios para nós fossem completamente óbvios para você.

## IV. EXERCÍCIOS E TESTES DO QUARTO NÍVEL DE LEITURA: A LEITURA SINTÓPICA

Usamos dois textos para os exercícios desta quarta e última parte do Apêndice. Um reúne trechos selecionados dos dois primeiros capítulos do Livro I da *Política*, de Aristóteles. O outro consiste em trechos selecionados do Livro I de *O Contrato Social*, de Rousseau – uma frase da "Introdução" e trechos dos capítulos 1, 2, 4 e 6.

A *Política* de Aristóteles está no volume 9 de *Great Books of the Western World* [Clássicos do Ocidente]. Os volumes 8 e 9 do conjunto são dedicados às obras completas de Aristóteles; além da *Política*, o volume 9 contém a *Ética*, a *Retórica* e a *Poética*, e também alguns tratados de biologia. *O Contrato Social*, de Rousseau, consta do Volume 38 da série, o qual contém outras obras do mesmo autor – o *Discurso sobre a Origem da Desigualdade* e o *Discurso sobre a Economia Política* – além de outra importante obra política francesa do século XVIII, *O Espírito das Leis*, de Montesquieu.

O leitor deve se lembrar que a leitura sintópica compreende dois estágios. O primeiro é preparatório, e o segundo é a própria leitura sintópica. Para os propósitos deste exercício, presumiremos que o primeiro estágio, preparatório, já foi concluído – isto é, que já escolhemos o assunto a considerar e quais textos queremos ler. O assunto, neste caso, pode ser definido como "a natureza e a origem do Estado" – um assunto importante, sobre o qual muito já se refletiu e se falou. Os textos são os que foram apresentados.

Temos de presumir também, para que o exercício não exceda o espaço disponível, que delimitamos a questão a considerar com a ajuda desses dois textos a uma única pergunta. Ela pode ser formulada desta maneira: será o Estado uma organização *natural*, com tudo que isso supõe de virtude e necessidade – ou será que não passa de uma organização *convencional* ou *artificial*?

Eis nossa questão. Agora leia cuidadosamente os dois textos, tomando tanto tempo quanto queira ou precise. A velocidade nunca é importante na leitura sintópica. Tome notas, se quiser, e sublinhe ou marque de alguma outra maneira os trechos que desejar. E retorne aos textos tanto quanto quiser a fim de considerar as questões que se seguem.

## DO LIVRO I DA *POLÍTICA* DE ARISTÓTELES

### Do Capítulo 1

Todo Estado é uma comunidade de algum tipo, e toda comunidade é estabelecida com o propósito de obter algum bem, porque a humanidade sempre age com o fim de obter aquilo que considera um bem. Mas, se todas as comunidades visam a um certo bem, o Estado, ou comunidade política, que é a mais elevada de todas, e que abarca todo o resto, visa a um bem de um grau maior do que qualquer outro, e ao bem máximo (...)

### Do Capítulo 2

A família é a associação estabelecida pela natureza para atender às necessidades cotidianas dos homens, e seus membros são chamados por Carondas de "companheiros de mesa" e por Epimênides, de Creta, de "companheiros de refeição". Mas quando muitas famílias se unem, e sua associação visa a algo além de atender suas necessidades diárias, a primeira sociedade que se forma é a aldeia. E a forma mais natural de aldeia parece ser uma colônia familiar, composta de filhos e de netos, que, diz-se, são "amamentados pelo mesmo leite". E essa é a razão por que os Estados helênicos eram originalmente governados por reis; porque os helenos estavam sob o domínio real antes de associar-se, como ainda estão os bárbaros (...)

Quando diversas aldeias se associam numa única comunidade completa, grande o bastante para ser autossuficiente, ou quase, o Estado passa a existir, originando-se das necessidades básicas da vida e continuando a existir por causa da boa vida. Portanto, se as primeiras formas de sociedade são naturais, também é natural o Estado, pois este é o fim daquelas, e a natureza de uma coisa é seu fim. Dizemos que a natureza de uma coisa é aquilo que ela é quando está plenamente desenvolvida, quer falemos de um homem, de um cavalo, quer de uma família. Além disso, a causa final e o fim de uma coisa é o melhor, e ser autossuficiente é o fim e o melhor.

Por isso, é evidente que o Estado é uma criação da natureza, e que o homem é por natureza um animal político (...)

Agora, é evidente que o homem é um animal político mais do que as abelhas ou do que quaisquer outros animais gregários. A natureza, como repetimos muitas vezes, não faz nada em vão, e o homem é o único animal a quem ela deu o dom da fala. E, se a voz por si pode indicar o prazer ou a dor, sendo portanto encontrada em outros animais (já que a natureza deles compreende a percepção de prazer e de dor, e a comunicação desses de um animal a outro, e nada além), o dom da fala visa comunicar aquilo que é conveniente e aquilo que é inconveniente, e, do mesmo modo, aquilo que é justo e aquilo que é injusto. E é característico do homem que só tenha qualquer senso do que é bom ou mau, justo ou injusto, e coisas semelhantes, e a associação de seres vivos que possuem esse senso compõe uma família e um Estado.

Além disso, o Estado é por natureza claramente anterior à família e ao indivíduo, uma vez que o todo é necessariamente anterior à parte; por exemplo, se o corpo inteiro for destruído, não existirá pé ou mão, exceto em sentido equívoco, do jeito como se fala de uma mão de pedra; afinal, quando o corpo for destruído, aquela mão não será melhor do que essa. Mas as coisas são definidas por sua função e por sua capacidade, e não devemos dizer que são as mesmas quando não têm mais suas qualidades próprias, mas apenas que têm o mesmo nome. A prova de que o Estado é uma criação da natureza e é anterior ao indivíduo é que o indivíduo, quando isolado, não é autossuficiente e, portanto, ele é como uma parte em relação ao todo. Mas aquele que é incapaz de viver em sociedade, ou que não necessita dela por ser autossuficiente, é uma besta ou um deus: não é parte de um Estado. Por natureza, todos os homens possuem um instinto social e aquele que fundou o primeiro Estado foi o maior dos benfeitores. O homem, quando se aperfeiçoa, é o melhor dos animais, mas, quando separado da lei e da justiça, é o pior de todos.

## DO LIVRO I DE O *CONTRATO SOCIAL*, DE ROUSSEAU

Quero investigar se, na ordem civil, pode existir alguma regra certa e legítima de administração, sejam os homens como forem, e as leis como podem ser (...)

### Do Capítulo 1. Assunto do primeiro livro

O homem nasce livre e por toda parte está acorrentado. Um homem julga-se senhor dos outros e no entanto é mais escravo do que eles. Como essa mudança aconteceu? Não sei. O que pode legitimá-la? Creio que posso responder a essa questão (...)

### Do Capítulo 2. As primeiras sociedades

A mais antiga de todas as sociedades, e a única que é natural, é a família; e mesmo assim os filhos continuam ligados ao pai somente na medida em que precisam dele para sua preservação. Assim que essa necessidade acaba, o laço natural é rompido. Os filhos, livres da obediência que deviam ao pai, e o pai, livre do cuidado que devia aos filhos, voltam igualmente à independência. Se continuam unidos, fazem isso voluntariamente, não naturalmente; e a família mesma se mantém apenas por convenção (...)

A família pode assim ser considerada o primeiro modelo das sociedades políticas: o regente corresponde ao pai, e o povo, aos filhos; e todos, tendo nascidos livres e iguais, entregam sua liberdade apenas em seu próprio benefício (...)

### Do Capítulo 4. A escravidão

Como homem nenhum possui autoridade natural sobre outro homem, e como a força não cria direitos, temos de concluir que as convenções formam a base de toda autoridade legítima entre os homens (...)

### Do Capítulo 6. O pacto social

Creio que os homens chegaram ao ponto em que os obstáculos no caminho de sua preservação no estado de natureza demonstram que seu poder de resistência é maior do que os recursos à disposição de cada indivíduo para manter-se nesse estado. Essa condição primitiva não pode mais manter-se; e a raça humana perecerá, a menos que mude seu modo de existência.

Mas, como os homens não podem criar forças novas, mas apenas unir e redirecionar as que já existem, eles não possuem outros meios de preservarem-se além da formação, por meio da agregação, de uma soma de forças grande o bastante para superar a resistência. Eles têm de ser reunidos por meio de um único poder motor, que os faça agir em concerto.

Essa soma de forças só pode surgir onde diversas pessoas se reúnam: mas, como a força e a liberdade de cada homem são os principais instrumentos de sua autopreservação, como pode ele oferecê-las sem prejudicar seus próprios interesses e negligenciar o cuidado que deve a si mesmo? Essa dificuldade, no que diz respeito ao assunto que discuto, pode ser formulada desta maneira:

"O problema é encontrar uma forma de associação que defenda e proteja com toda a força comum a pessoa e os bens de cada associado, e na qual cada um, unindo-se no entanto a todos, ainda obedeça-se a si mesmo, e permaneça tão livre quanto antes." Esse é o problema fundamental cuja solução o contrato social oferece (...)

Se descartarmos então do pacto social aquilo que não lhe é essencial, veremos que ele se reduz aos seguintes termos:

"Cada um de nós coloca sua pessoa e toda a sua capacidade em comum sob a direção suprema da vontade geral, e, em nossa capacidade corporativa, recebemos cada membro como parte indivisível do todo."

Imediatamente, no lugar da personalidade individual de cada parte contratante, esse ato associativo cria um corpo moral e coletivo, composto de tantos membros quanto houver votos na assembleia, corpo que recebe desse ato sua unidade, sua identidade comum, sua vida e sua vontade. Essa pessoa pública, formada pela união de todas as outras pessoas, antigamente tinha o nome de *cidade* (pólis) e agora tem o nome de *República* ou *corpo político*; é chamado *Estado* por seus membros quando é passivo, *Soberano* quando ativo e *Potência* quando comparado a outros semelhantes a si. Aqueles que estão associados nele assumem coletivamente o nome de *povo*, e separadamente são chamados *cidadãos*, por compartilharem o poder soberano, e *súditos*, por estarem sob as leis do Estado. Mas esses termos muitas vezes são confundidos e tomados uns pelos outros; basta saber como distingui-los quando são usados com precisão.

*

Agora pediremos que você considere duas séries de questões sobre esses dois textos, depois das quais ofereceremos algumas conclusões provisórias que, como acreditamos, podem ser tiradas do texto.

### Teste G: A primeira série de questões sobre Aristóteles e Rousseau

1. Aristóteles identifica três tipos de associação humana. Quais?
2. Esses três tipos de associação têm algumas coisas em comum, mas também diferem em outros aspectos. O que têm em comum e em que diferem?
3. Os três tipos de associação diferem no que diz respeito à sua inclusividade. Você pode ordená-los numa escala que vai do menos inclusivo ao mais inclusivo?
4. Todos os três tipos de associação visam atender alguma necessidade natural – isto é, eles proporcionam algum bem. O bem obtido pela família –

isto é, a segurança de seus membros e a perpetuação da espécie – também é obtido pela aldeia, mas num grau maior. Será que o bem visado ou proporcionado pelo Estado é apenas o mesmo bem, só que em grau ainda maior, ou será um bem totalmente diferente?

5. Outra maneira de abordar essa diferença é fazer outra pergunta. Considerando que, para Aristóteles, todos os três tipos de associação são naturais, serão eles naturais do mesmo modo?
6. Antes de passar a Rousseau nesta primeira série de questões, é preciso destacar uma observação de Aristóteles que cria certa dificuldade. Aristóteles louva imensamente o homem que primeiro fundou o Estado. Será que ele louvaria do mesmo modo o homem que primeiro fundou a família ou a aldeia?
7. Qual o principal problema que Rousseau apresenta em relação ao Estado?
8. Rousseau apresenta o mesmo problema em relação à família?
9. Qual o contrário de *natural* para Rousseau?
10. Qual a convenção básica ou fundadora que, para Rousseau, legitima o Estado?

As respostas do Teste G estão na página 420.

*

Após essa primeira série de questões sobre os dois textos, parece que chegamos a uma interpretação que os põe em desacordo quanto à questão que escolhemos. Como você há de lembrar, a questão é: o Estado é natural ou é convencional, artificial? Rousseau parece dizer que o Estado é convencional ou artificial; Aristóteles parece dizer que é natural.

Considere agora durante alguns minutos se essa interpretação está correta. Haverá alguma coisa na afirmação problemática de Aristóteles destacada por nós que coloca em dúvida essa interpretação? Haverá alguma coisa que Rousseau diz que não tenhamos discutido e que também pode nos levar a duvidar dessa interpretação?

Se você entendeu por que essa interpretação não está correta, provavelmente já previu as últimas questões que queremos propor.

### Teste H: A segunda série de questões

1. Para Rousseau, o Estado é natural e ao mesmo tempo convencional?
2. Aristóteles concorda com isso?
3. Será que esse acordo básico entre Aristóteles e Rousseau pode ser estendido a outras questões?
4. Ao responder à última questão, falamos do "bem" proporcionado pelo Estado que não pode ser obtido sem ele. Esse "bem" é o mesmo para Rousseau e para Aristóteles?
5. Última questão. Será que o acordo que encontramos em relação à nossa questão primária significa que esses dois textos, breves que sejam, concordam em relação a todas as questões?

As respostas do Teste H estão na página 422.

*

Dissemos no começo deste exercício que algumas conclusões poderiam ser tiradas da leitura cuidadosa desses dois importantes textos políticos. Entre elas, estão: primeiro, uma verdade básica a respeito do homem é que ele é um animal político – você pode usar outro adjetivo se preferir –, ao contrário de outros animais sociais ou gregários. Isto é, o homem é um animal racional social que constitui uma sociedade a fim de atender a necessidades além daquelas puramente biológicas. Segue-se que o Estado é simultaneamente natural e convencional – que ele é simultaneamente mais natural e menos natural que a família; e segue-se que o Estado tem de ser *constituído* formalmente: outras sociedades não são Estados verdadeiros. Segundo, é razoável concluir que o Estado é um meio, não um fim. O fim é o bem humano comum: uma boa vida. Por isso, o homem não foi feito para o Estado, mas o Estado para o homem.

Essas conclusões parecem-nos justificadas; também acreditamos que as respostas que demos às questões estão corretas. Mas um projeto genuíno de leitura sintópica exige mais do que supor ou acreditar. Observamos, em nossa discussão desse nível de leitura, que é sempre desejável fundamentar respostas e conclusões nos textos dos próprios autores. Aqui, não fizemos isso. Talvez você queira fazê-lo por si próprio. Se você ficou confuso com alguma das respostas, veja se consegue encontrar passagens no texto, seja de Aristóteles, seja de Rousseau, que possam ter fundamentado nossa resposta. E se você discordar de qualquer uma de nossas respostas ou conclusões, veja se consegue fundamentar sua discórdia nas palavras dos próprios autores.

*

## Teste A (p. 372)

1. (c); 2. (b) Se você respondeu (a) e (b) não está errado, na realidade; 3 (a) e (b); 4. (b); 5. (c) Será pedantismo afirmar que (b) é uma resposta incorreta? Será que a situação seria diferente se a alternativa (c) não estivesse disponível?; 6. (b); 7. (a), (c) e (d) O texto sugere que Bentham teve maior influência; 8. (d); 9. (a) e (b), Provável, (c) e (d), Improvável; 10. (a), (b) e (d).

## Teste B (p. 377)

1. (c); 2. (c); 3. Falso; 4. (b); 5. (a) e (b); 6. (b); 7. (b) A primeira resposta ("Por que as maçãs caem") poderia ser considerada correta se tivesse sido formulada assim: "Como as maçãs caem", ainda que, é claro, não haja qualquer referência a maçãs nos *Principia*. O importante é que a obra descreve a gravidade e explica como ela funciona, mas não diz *por que* ela funciona; 8. (a); 9. (b) e (c); 10. Essa maravilhosa afirmação vem impressionando gerações e gerações de adoradores de Newton. Ao comentá-la, você provavelmente discutiu a modéstia de seu autor. Você também discutiu a metáfora usada por Newton? Ela é memorável.

## Teste C (p. 391)

1. (a); 2. (b) Os títulos dados por Dante são os que aparecem em (c); se você marcou essa resposta, teríamos de considerá-la correta; 3. (a); 4. (a) e (b); 5. (b) Não se trata, é claro, de um acidente. Cada divisão principal do poema (chamada em italiano de *cantiche*) contém 33 cantos: o primeiro canto do Inferno apresenta a obra inteira; 6. (a) Somente o Oitavo Círculo é dividido em bolsas; 7. (b) Cornijas, porém (a) não está realmente errada; 8. (c) mas

(b) também estaria correta, uma vez que, na cosmologia de Dante, as nove ordens de anjos correspondem aos nove corpos celestes; 9. (a); (b); 10. (a).

## Teste D (p. 392)

1. (b); 2. (a) Beatriz age em nome de Deus, então (b) não está incorreta; 3. (b); 4. (b) e (c) Dante não leu a *Poética* de Aristóteles, mas leu uma sinopse que sugeria que esse filósofo definia qualquer obra que tivesse final feliz como comédia. O poema de Dante termina no céu – um final feliz – por isso recebeu o título de *A Comédia*; mas claro que não se trata de uma obra cômica; 5. (c) O poema depende de todas as três, mas os temas cristãos são os mais importantes; 6. Sim. Dante acreditava que a preguiça era um de seus grandes pecados e representou isso com seu adormecimento; 7. Na cosmologia de Dante, a Terra é o centro do universo, o Inferno está no centro da Terra; 8. Os Ps representam a palavra latina *peccata*, pecados: são sete porque são sete os pecados capitais. As almas vão sendo absolvidas de cada um deles ao subir a Montanha do Purgatório; 9. No poema, Virgílio simboliza toda a virtude e o conhecimento humanos. Mas, por ser um pagão que morreu antes do nascimento de Cristo, não pode acompanhar Dante ao Paraíso; 10. Os franciscanos e os dominicanos eram as duas grandes ordens monásticas da Idade Média. Os franciscanos eram contemplativos, e os dominicanos eram estudiosos e professores. Dante aqui representa a resolução celeste de todas as diferenças entre as duas ordens ao fazer que Santo Tomás de Aquino, o maior representante dos dominicanos, narre a vida de São Francisco, fundador dos franciscanos; já São Boaventura, representante dos franciscanos, narra a vida de São Domingos, fundador dos dominicanos.

## Teste E (p. 402)

1. Falso; 2. (b); 3. Falso. Na realidade, a afirmação nem faz sentido; 4. (a); 5. Falso; 6. Falso; 7. Falso; 8. Huxley defendeu Darwin; 9. (c); 10. (d) Para os apreciadores de Darwin, esse é um dos fatos mais encantadores a seu respeito.

## Teste F (p. 403)

1. (b); 2. (a); 3. Verdadeiro. Na realidade, isto é quase a definição de espécie; 4. Verdadeiro. Os membros de um gênero só podem reproduzir-se entre si e podem reproduzir seu tipo somente se forem também membros da mesma espécie; 5. (a), (b) e (c) têm papéis mais importantes na seleção natural; 6. Seleção natural. Será que Darwin mudaria de ideia se estivesse vivo hoje, diante dos indícios do efeito destrutivo do homem sobre o ambiente? Talvez. Mas é possível que ele continuasse a insistir que, a longo prazo, a natureza é mais forte que o homem. E, aliás, que o homem é ele mesmo parte da natureza; 7. A frase pode ser traduzida como "A natureza não dá saltos" – isto é, não ocorrem variações súbitas, grandes e abruptas, só variações pequenas e graduais. Mesmo que você não tenha conseguido traduzir a frase em latim, seu sentido havia ficado claro com base no índice de matérias? Essa ideia é importante, porque Darwin, considerando-a verdadeira, explica o fato de haver grande diferenciação entre as espécies com base na hipótese de haver lacunas no registro geológico – os chamados elos perdidos – e não com base na hipótese de diferenças criadas entre as espécies; 8. Segundo Darwin, se duas variedades de uma mesma espécie ficam muito separadas por um período considerável, de modo que fiquem fisicamente impedidas de reproduzirem-se entre si, as variedades tendem a tornar-se espécies separadas – isto é, não podem mais reproduzirem-se entre si. Foi sua descoberta de espécies muito distintas de pássaros nas ilhas oceânicas durante a viagem do Beagle que o levou a observar pela primeira vez esse dado fundamental; 9. Há provavelmente muitas maneiras de formular o problema, mas uma delas é fazer duas perguntas aparentemente simples. Primeiro, por que há muitos tipos de coisas vivas e não só um tipo ou uns poucos? Segundo, como uma espécie começa a existir e como ela deixa de existir – o que, segundo o testemunho do registro geológico, já havia acontecido muitas vezes, como Darwin e seus contemporâneos sabiam? Talvez seja necessário refletir sobre essas questões por algum tempo para perceber por que elas são tão incrivelmente difíceis e tão incrivelmente misteriosas – mas certamente vale a pela refletir sobre elas; 10. Não temos certeza sobre a possibilidade de chegar a uma resposta adequada

a essa questão com base em mero exame, por mais detido que seja, do índice de matérias de *A Origem das Espécies*. Se você conseguiu formular a teoria em cem palavras sem ter lido o livro, você é um leitor extraordinário. Realmente, responder a essa questão de modo conciso não é fácil nem mesmo para quem leu o livro; você pode reportar-se à nossa tentativa de resumir a teoria no Capítulo 7. Numa breve passagem de sua própria "Introdução" ao livro, Darwin talvez tenha feito isso ele mesmo, e vamos citá-la inteira aqui:

> Como nascem muito mais indivíduos de cada espécie do que o número que pode sobreviver; e como, por consequência, a luta pela existência se renova a cada instante, segue-se que todo ser que varia, ainda que pouco, de maneira a beneficiar-se de tal variação sob as complexas e por vezes mutáveis condições de vida, tem maior probabilidade de sobreviver e, portanto, de ser *naturalmente selecionado*. Em virtude do poderoso princípio da hereditariedade, toda variedade selecionada tenderá a propagar a sua nova forma modificada.

## Teste G (p. 413)

1. A família, a aldeia, o Estado.

2. Têm em comum o fato de todas serem modalidades de associação humana e de serem todas naturais. Aristóteles é claro quanto a este último aspecto, dizendo ser "evidente que o Estado é uma criação da natureza". Porém, as diferenças entre os tipos de associação são importantes. Se você ainda não identificou essas diferenças, como descritas por Aristóteles, outras questões podem ajudar.

3. A família é o tipo menos inclusivo. A aldeia inclui diversas famílias e, portanto, é mais inclusiva que a família. O Estado é o mais inclusivo de todos, pois começa a existir "quando diversas aldeias se associam numa única comunidade completa".

4. Aristóteles diz que o Estado se origina "das necessidades básicas da vida" e continua a existir "por causa da boa vida". Uma "boa vida" parece

algo diferente de uma "vida" pura e simples. Na realidade, essa parece ser a principal diferença entre o Estado e os outros dois tipos de associação humana.

5. Ainda que os tipos de associação sejam realmente naturais, não são naturais do mesmo modo. Aristóteles observa que, assim como os homens, muitos animais vivem em famílias; também observa que certos animais, como as abelhas, parecem ter organizações análogas à aldeia. Mas o homem é diferente no sentido de que, ainda que seja *social*, como muitos outros animais, também é *político*. Em sua discussão sobre o dom especial do homem para a linguagem, Aristóteles quer dizer que só o homem é político. Ele é *naturalmente* um animal político, por isso o Estado, que atende às necessidades desse aspecto de seu ser, é natural. Mas *somente* o Estado, entre os tipos de associação que o homem conhece, atende a essa necessidade particular.

6. Aparentemente Aristóteles não exaltaria o homem que primeiro fundou a aldeia ou a família da maneira como exalta o homem que primeiro fundou o Estado. E essa observação cria uma dificuldade, pois, se o Estado foi primeiro fundado por alguém, pode-se então dizer que foi inventado, e, se foi inventado, não será artificial? Mas havíamos concluído que ele é natural.

7. O grande problema que Rousseau apresenta a respeito do Estado é sua legitimidade. Segundo Rousseau, se o Estado não fosse legítimo, suas leis não teriam de ser obedecidas.

8. Ele não apresenta o mesmo problema em relação à família. Ele diz claramente que a base da família é uma necessidade natural – a mesma necessidade natural descrita por Aristóteles.

9. Convencional. Para Rousseau, o Estado é convencional; se o Estado fosse como a família, isso legitimaria o domínio paternal – o domínio de um déspota benevolente, como um pai em relação à sua família. A força – aquilo que o pai tem – não pode legitimar um Estado. Somente um entendimento com que todos concordem – uma convenção – pode legitimá-lo.

10. Para Rousseau, o Contrato Social é a convenção fundadora, produzida num primeiro momento, quando todos os membros do Estado unanimemente a desejam e a escolhem. É isso que legitima a instituição do Estado.

## Teste H (p. 415)

1. Sim! Ele diz claramente que os homens, por sua natureza, *precisam* do Estado, pois este passa a existir numa época em que a vida no estado de natureza não é mais possível para os homens, e sem o Estado eles não conseguiriam mais existir. Portanto, temos de concluir que, aos olhos de Rousseau, o Estado é *simultaneamente* natural e convencional. É natural no sentido de que atende a um fim natural; mas só é legítimo quando baseado numa convenção fundadora – o contrato social.

2. Sim, Aristóteles e Rousseau concordam em que o Estado é simultaneamente natural e convencional.

3. Aristóteles e Rousseau também concordam em que a naturalidade do Estado não é igual à das sociedades animais. Sua naturalidade vem da necessidade; ela proporciona um bem que não pode ser obtido sem ela. Mas ainda que o Estado seja natural – isto é, necessário – como meio para um fim buscado naturalmente, é também obra da razão e da vontade. A palavra-chave para identificar esse acordo ulterior entre os dois autores é "constituição". Para Aristóteles, aquele que primeiro "constituiu" uma sociedade "fundou" um Estado. Para Rousseau, os homens, ao entrar numa convenção de governo, ou num contrato social, "constituem" um Estado.

4. Não, o "bem" proporcionado pelo Estado não é o mesmo para Rousseau e para Aristóteles. As razões são complexas e na realidade não estão expostas nos trechos reproduzidos. Mas a concepção de Aristóteles da "boa vida", o fim ao qual o Estado serve, é diferente da concepção de Rousseau da "vida do cidadão", que para ele é o fim a que serve o Estado. Uma compreensão mais plena dessa diferença exigiria uma leitura mais extensiva da *Política* e de *O Contrato Social*.

5. Claro está que as duas obras não estão em completo acordo. Mesmo nessas duas breves seleções, cada um dos autores levanta questões que o outro nem sequer discute. Por exemplo, não há nos textos selecionados de Rousseau qualquer menção a uma ideia que tem grande importância para Aristóteles – que o homem é essencialmente um animal político, e não apenas social. A palavra "justiça" também não aparece no texto de Rousseau,

ainda que pareça ser um termo-chave para Aristóteles. Por sua vez, não há nos trechos selecionados de Aristóteles menção alguma a termos-chave e ideias básicas como pacto social, liberdade individual, alienação da liberdade, vontade geral etc., todas aparentemente centrais para o tratamento dado por Rousseau ao assunto.

# ÍNDICE REMISSIVO

De Mortimer J. Adler leia também:

Livros sobre a arte de falar há muitos, mas poucos se dedicam à arte de ouvir. Com sua erudição e clareza, Mortimer Adler aborda neste volume ambas as atividades em seções distintas dedicadas ao discurso ininterrupto, à escuta silenciosa e à conversa de mão dupla. Fundamental para estudantes, homens de negócios, políticos, conferencistas e todos que desejam aperfeiçoar suas habilidades comunicativas.

Qual a diferença entre conhecimento e opinião? O que é amor? Quem é Deus? O que é justiça? O que é beleza? Mortimer Adler apresenta aqui as *Grandes Ideias*, uma série de problemas de que filósofos, escritores e artistas têm se ocupado ao longo de toda a história da humanidade.

facebook.com/erealizacoeseditora twitter.com/erealizacoes instagram.com/erealizacoes youtube.com/editorae

issuu.com/editora_e erealizacoes.com.br atendimento@erealizacoes.com.br